청춘, 대중문화로 말하다

청춘,
대중문화로
말하다

박진규 지음

한울
아카데미

/

20대의 일상과 언어로 대중문화 이야기하기

대중문화를 놓고 젊은 세대와 이야기를 나누는 건 언제나 즐거운 일이다. 젊은 세대의 일상 곳곳에서는 대중문화와 관련된 말, 글, 이미지, 패러디, 논쟁, 연대, 다툼이 끊임없이 이어진다. 어찌 보면, 지금 그들에게 대중문화는 누가 시키지 않아도 자발적으로 즐길 수 있는 얼마 남지 않은 대상이 되어버렸는지도 모른다.

하지만 젊은 세대와 대중문화가 지니는 정치적 의미를 이야기한다는 건 쉽지 않다. 많은 젊은이들이 정치를 '제도상의 정치'로만 한정해서 이해하고 있다. 대중문화를 정치와 관련이 없는 영역으로 여긴다는 의미다. 이 때문에 대중문화를 정치와 연결시키려는 의도가 보이거나, 대중문화를 정치적으로 해석할 기미가 보이면 예민하게 반응하며 이를 거부하기까지 한다.

『청춘, 대중문화로 말하다』는 대중문화가 지니는 의미를 우리 일상의 언어로 풀어내 이야기하려는 시도에서 출발했다. 특히 대중문화의 주 소비자이자 때로 생산자이기도 한 20대의 삶과 언어, 목소리를 중심으로 대중문화의 다양한 측면을 살펴보려 했다. 일상 속에 깊숙이 자리 잡고 있는 대중문화의 의미는 결코 간단치 않으며, 우리가 잘 감지하지 못하는 부정적 영향과 긍정적 잠재력이 공존한다는 사실을 그들 스스로가 깨닫는 기회를 마련해주고 싶었다.

이 책은 대중문화가 갖는 '순응(conformity)' 및 '저항(resistance)'의 가능성을 탐색하는 문화연구(cultural studies)의 정치적 입장을 따르지만, 이를 노골적으로 드러내어 설교하거나 강요하지 않는다. 다만 다양한 쟁점들을 다루면서 대중문화 현상이 갖는 의미를 20대 스스로 진단 · 평가하도록 돕고, 이를 기초로 자신만의 대중문화관을 만들고 이를 탄탄히 하도록 독려하는 데 초점을 맞춘다. 이는 현재 한국의 20대가 처해 있는 사회적 · 문화적 · 정치적 맥락 속에서 대중문화가 가진 개혁적 잠재력을 발굴하려는 정치적 기획(political project)으로서, 문화연구의 성격을 가장 잘 실천하는 것이라고 생각하기 때문이다.

『청춘, 대중문화로 말하다』는 먼저 미디어와 대중문화를 전공하는 학생들에게 도움을 주기 바라는 마음에서 집필되었다. 대중문화를 공부하는 이들에게는 좋은 길잡이가 필요하다. 훌륭한 서적들이 많이 나와 있지만, 딱딱한 이론과 추상적 논의가 중심이 되다 보니 우리의 일상으로부터 괴리되어 아쉬운 경우가 많다. 일상의 언어와 경험을 기반으로 하는 이 책은 효과적인 대안이 될 수 있다.

또 제목처럼 이 책은 대중문화에 흥미를 갖고 있는 20대 일반을 향한 것이기도 하다. 이제 대중문화는 우리 삶에서 떼려야 뗄 수 없는 중요한 일부이며, 모두를 위한 일반교양에서 다루어야 할 주제가 되었다. 이 책의 목표인 '대중문화를 바라보는 자신만의 시각 갖기'는 비단 전공자뿐 아니라 모든 20대에게 필요한 일이다. 따라서 집필하는 과정에서 전공서의 역할뿐 아니라 교양서로서의 성격도 놓치지 않으려고 노력했다.

대중문화 기획자, 제작자, 비평가, 블로거 등 대중문화와 관련된 정보, 특히 대중문화 소비자의 생각을 수집하고 분석하려는 이들도 관심을 가질 수 있다. 여기서 다루는 여러 주제들은 현재 대중문화 현장에서 시시각각 나타나는 핵심적인 토픽들이라고 할 수 있다. 이를 통해 대중문화 소비자들의 생각, 특히 20대들의 시각을 생생하게 엿볼 수 있다.

또한 대중문화 관련 수업을 담당하는 이들에게도 도움이 될 것으로 기대한다. 관련 수업을 효과적으로 운영하는 데 적절한 교재를 찾기는 사실 쉽지 않다. 학술적 논의의 정리에 머무른 교재가 실용적이지 못하거나 학생들에게 가독성이 떨어진다고 느낀다면 이 책의 접근 방법을 활용해볼 만하다. 덧붙여 대중문화를 다루는 수업의 특성을 잘 살린 효과적인 교수법은 무엇인지를 찾는 이들에게도 여기서 채택한 다양한 장치들이 참고가 될 수 있을 것이다.

물론 이 책은 많은 한계를 가지고 있다. 대중문화를 추상적으로만 논의할 때 나타나는 공허함을 배제하기 위해 20대의 실제 삶과 생각에 눈을 맞춰 글을 풀어내려다 보니 거꾸로 이론적 정교함에서 많은 아쉬운 결과를 낳았다. 하지만 이러한 시도 자체가 갖는 가치가 결코 작지 않다고 생각하기 때문에, 그 아쉬움은 숙제로 남겨둔다. 또 하나는 이 책이 서울여자대학교 학생들과의 수업을 바탕으로 했기 때문에 여기 나온 학생들의 목소리가 전부 여성들의 목소리라는 점이다. 젠더의 성격을 드러낼 수밖에 없는 대중문화 이야기에서 한층 다양한 목소리를 담지 못한 점은 한계가 된다. 하지만 이를 감안하고 읽는다면 이는 이 책 고유의 특징이 될 것이다.

이 책이 나오기까지 많은 분들이 도움을 주셨다. 우선 학생들과 대중문화로 씨름할 수 있는 기회를 주신 서울여자대학교 언론영상학부 동료 교수님들께 감사를 드린다. 점심시간마다 수업 또는 학생들을 화두로 나누던 이야기들은 언제나 큰 통찰을 주었다. 수업 중 토론 내용을 들먹이며 함께 텔레비전을 보는 것마저 일로 만들어버린 나를 잘 참아준 아내와 아들에게도 감사한다. 무엇보다 그동안 대중문화론 수업을 수강했던 학생들에게 특별한 감사를 전한다. 이 책의 근간은 학생들의 생생한 목소리이기 때문에 결국 그들 모두가 이 책의 공저자이다. 또 이 책의 내용을 논문 형식으로 발표했을 때부터 관심을 가져주시고, 출간 과정에서 격려의 말씀까지 해주신 연세대 이상길 교수님께 감사를 드린다. 마지막으로 이 책을 출간하게 해주신 도서출판 한울의 김태현 기획자, 박준규, 허유진 편집자께도 감사를 전한다.

2015년 8월

박진규

차례

/

Part 2 생각의 지평 넓히기

Part 3 나만의 대중문화관 탄탄히 하기

들어가며

/

청춘, 대중문화로 말하다

일상의 언어로 말하는 대중문화

이 책은 지난 5년간 서울여자대학교 언론영상학부 3학년 2학기 전공과목인 '대중문화론'을 토론 수업 형식으로 운영하며 학생들과 나누었던 이야기들을 정리한 것이다. 처음에는 강의 형식으로 수업을 진행했으나 5년 전부터 완전 토론 형식으로 전환해 진행하고 있다. 수업을 진행하면서 진정한 대중문화 전문가는 학자가 아닌 대중이며, 특히 20대 대학생들은 대중문화에 대한 매우 뛰어난 전문성과 감수성을 지닌 집단이라는 것을 새삼 깨달았기 때문이다.

대학생들은 시시각각 드러나는 대중문화를 둘러싼 각종 쟁점에 관해 매우 많은 정보와 지식을 갖고 있을 뿐 아니라 그 나름의 의견도 가지고 있다. 그들은 누가 시키지 않아도 이런 쟁점들을 파악하고 분석하며, 자신의 의견을 뒷받침할 만한 정보를 수집한다. 그리고 그 의견을 서로 나누면서 때로 뜨거운 공방을 벌이기도 한다. 대중문화를 대하는 이들의 태도나 경험은 관련 학자들이 관심을 갖고 탐구해야 할 만큼 흥미로운 점이 많다.

하지만 정작 대학 수업에서는 이들의 뛰어난 감각과 감수성이 잘 드러나지 않는다. 수업 현장에서 이론적 · 학술적으로 대중문화에 접근하기 시작하면 이들은 곧 수동적인 학습자가 되어 뒷걸음질 치고 입을 닫아버린다. 그리고 대중문화를 진단하고 분석하던 이들의 날카롭던 눈도 이내 무뎌진다.

나는 그 이유가 대중문화와 관련한 학술적 논의와 이론들을 이들이 사용하는 언어, 이들의 일상으로 '번역'하는 작업이 충분히 이뤄지지 않았기 때문이라고 본다. 학술적 언어와 일상적 언어 사이의 괴리가 20대의 풍부한 대중문화 감수성을 무디게 만들고, 해외 학술 서적에 등장하는 사례와 우리 대중문화 사이의 간극이 그들로 하여금 입을 다물게 만드는 것이다.

이 괴리와 간극을 메우는 작업은 흡사 '번역'과 같다. 외국어를 우리말로 번역해 뜻이 통하게 만들듯, 20대가 대중문화와 관련해 의미 있고 가치 있는 이야기들을 자신들의 일상에서 찾아낼 수 있도록 돕고, 그것을 자신들이 사용하는 언어로 표현하도록 도와야 한다.

나는 토론형 수업이 그 번역을 위한 매우 좋은 수단이 될 수 있다고 생각했다. 그래서 학생들이 일상 속에서 대중문화와 관련해 경험하고, 느끼며, 만들어가는 것들을 마음껏 펼쳐낼 수 있도록 장을 마련해주는 것을 수업의 근간으로 삼았다. 기사, 블로그, 짧은 영상 등 매주 정해진 주제와 관련된 우리 일상 속 사례들을 자료로 미리 제공한 뒤, 수업 시간에는 이에 관해 자유롭게 이야기하도록 했다. 수업 중 토론에 참여하는 것은 철저히 개개인의 자율에 맡겼다. 점수와는 연결시키지 않았다. 토론에 참여해야 한다는 부담, 근사한 말을 해야 한다는 부담으로부터 학생들을 자유롭게 했다.

'수다'에 가까운 이야기들을 부담 없이 나눌 수 있도록 한 결과, 수강생들은 자신의 생각을 드러내는 것에 익숙해졌으며, 친구의 이야기를 통해 새로운 것을 깨닫고, 대중문화가 가진 의미에 대해 자신만의 생각을 정리할 수 있었다. 나는 이런 시각들이 교재나 학술 서적에서 빠지기 쉬운 '공허한' 이야기가 아닌, 20대 자신들의 삶에서 나온 생생한 목소리였다는 점에서 매우 큰 가치를 지닌다는 걸 깨달았다.

이 수업을 성공적으로 만들기 위한 교수의 노력 가운데 학술적 논의나 이론을 가르치는 일은 그리 큰 비중을 차지하지 않았다. 그렇다고 교수의 역할이 전혀 필요가 없는 것은 아니었다. 교수는 정리되지 않은 채 표출되는 학생들의 생각에 길을 찾아주고, 일관적인 관점의 중요성을 일깨우며, 궁극적으로 대중문화를 바라보는 자신만의 탄탄한 관점을 갖추도록 계속해서 독려하는 역할을 해야 한다. 자신의 삶 속에서 대중문화를 경험하는 것이 지니는 가치와 의미가 결코 간단치 않다는 것을 실감할 수 있도록 돕는 것이다. 그리고 대중문화를 이야기하는 것이 결국 나와 우리의 삶을 이야기하는 것과 다르지 않다는 사실을 학생들 스스로 깨달을 수 있는 과정과 다양한 생각거리를 제공하는 일 역시 필요하다.

내가 이 경험을 통해 깨달은 바는 이 시대의 청춘은 대중문화로 말하는 세대라는 점이다. 대중문화는 이들이 자신의 이야기를 풀어나갈 때 훌륭한 소통의 자원이 된다. 나는 이들이 대중문화를 활용해 사회를 향해 자신들의 목소리를 더 크게 낼 수 있도록 돕고 싶다는 생각을 하게 되었다. 이 책은 이러한 취지로 이루어진 수업의 결과물을 정리한 것이다. 여기에는 학생들의 생생한 목소리와 함께, 그들이 대중문화를 바라보는 자신만의 시각을 만들어가는 데 도움을 주려는 교수의 목소리가 함께 존재한다.

자신만의 '대중문화관' 만들기

이 수업에서 학생들은 수업을 마치고 나면 궁금한 점이나 못다 한 이야기, 토론 내용에 대한 자신의 평가 등을 강의 쪽지에 적어 제출했다. 이 역시 자율적인 활동이었다. 나는 이 글들을 모아 유형별로 분류하고 대중문화 연구자로서의 내 생각을 덧붙여 이 수업의 인터넷 강의실 게시판에 올려놓은 뒤, 댓글을 통해 다시 학생들과 이야기했다.

나는 게시판상에서 학생들의 생각과 의견이 갖는 의미를 해석해주고, 최근 대중문화의 연구 경향이나 관심 사항을 소개했으며, 수업 중 토론에서 간과된 점을 부각시키기도 했다. 그리고 이를 통해 학생들이 토론시간에 나눈 이야기들을 스스로 정리하고 자신의 시각을 만들 수 있도록 도왔다.

이 수업이 궁극적으로 지향한 바는 수강생 모두가 대중문화를 바라보는 자신만의 관점, 즉 대중문화관을 만들고 이를 다지는 것이었다.

우리는 일상의 삶 속에서 기쁨과 슬픔, 좌절과 희망을 경험할 때 대중문화와 함께 호흡한다. 그런 대중문화는 우리의 삶과 우리가 속해 있는 사회를 깊게 이해할 수 있도록 돕는 도구가 된다. 대중문화에는 우리 개인과 사회의 다양한 측면들이 녹아들어 있을 뿐 아니라, 사회적인 규범과 질서에 대한 순응, 저항, 그리고 변화의 요소들이 풍부하게 담겨 있다.

그런 대중문화를 바라보는 시각은 하나가 아니다. 다양한 시각이 나름의 논리와 주장을 바탕으로 존재한다. 우리가 어떠한 시각에서 바라보느냐에 따라 현재 대중문화에 대한 평가는 달라질 수밖에 없다. 또 앞으로 대중문화가 나아가야 할 방향에 대한 진단도 달라질 수밖에 없다. 학생들은 이 수업이 제공하는 다양한 주제에 대해 토론하면서 대중문화를 바라보는 자신만의 관점을 만들어나가고, 탄탄히 해나가게 된다. 그리고 그것이 단순히 대중문화관뿐 아니라, 우리 사회를 바라보는 시각의 기초가 된다는 사실을 깨닫게 된다.

이 책은 한 학기 동안 총 12개의 대중문화 관련 핵심 주제를 두고 학생들과 나누었던 이야기들을 기초로 작성된 것이다. 12개의 주제는 다시 세 개의 Part로 나누어지며 각 Part마다 목표가 설정되어 있다. 이 책도 여기에 맞추어 구성되었다.

Part 1의 목표는 '혼란스러워지기'이다. 여기에서는 지금까지 대중문화에 관해 그 나름대로 분명하다고 믿었던 자신의 생각을 돌아보며 그것이 얼마나 취약했는지, 일관성이 결여되었는지, 타인의 시각에 의존하고 있었는지 등을 성찰하게 한다. Part 1에서 다룰 주제들은 '좋은 문화란 무엇인가? 나쁜 문화란 무엇인가?', '대중문화의 텍스트와 콘텍스트', '상업성을 향한 손가락질: 대중문화의 상업성', '대중문화를 바라보는 시각의 여러 갈래' 등이다.

Part 2의 목표는 '생각의 지평 넓히기'이다. 지금까지 자신의 생각이라 여겨왔던 것의 경계에서 벗어나 다른 사람들의 다양한 생각을 들여다보고 그것이 지니는 가치와 의미를 짚어봄으로써 생각의 폭을 넓히는 과정이다. 여기에는 '불륜 드라마는 정치적이다: 대중문화와 사회 변화 (1)', '팬덤과 덕밍아웃: 대중문화의 소비', '아줌마, 그에게 꽂히다: 대중문화와 여성', '내 나이가 어때서?: 세대와 취향' 등의 주제가 포함된다.

Part 3의 목표는 '나만의 대중문화관 탄탄히 하기'이다. 앞서 말한 대로 이것은 이 책의 궁극적인 목표이기도 하다. 즉, 대중문화를 바라보는 자신만의 시각을 만들고 그것을 탄탄하게 다지는 것이다. '곽정은은 대중문화의 수작?: 성과 몸', '퀴어가 싫어하는 퀴어 콘텐츠: 대중문화와 사회 변화 (2)', '소수의 대중문화?: 마니아 문화와 폐인', '청춘을 위한 대중문화란?' 등의 주제가 여기에서 다루어진다.

마지막으로 '나오며'에서는 20대의 삶에서 대중문화가 어떤 의미를 지니는지, 대중문화를 말하는 것이 이들의 현재와 미래에 어떤 정치적 가능성을 내포하는지를 정리할 것이다.

Part 1

혼란스러워지기

Ch.01

'좋은 문화'란 무엇인가?
'나쁜 문화'란 무엇인가?

KEYWORDS: 고급문화 vs 저급문화, 순응 vs 저항, 매스컬처 vs 파퓰러컬처
생각해볼 문제: 좋은 문화는 무엇이고, 나쁜 문화는 무엇인가?

첫 번째 본격적인 토론 주제는 '좋은 문화와 나쁜 문화는 무엇인가?'이다. 수업시간에 학생들과 두 개의 영상을 보았다. 첫 번째 영상은 술에 취해 몸도 제대로 가누지 못하는 홍대 거리의 젊은이들과 클럽 문화를 매우 비판적 시선에서 보도하는 지상파 TV 뉴스의 한 꼭지였고, 또 하나는 펜타포트 록 페스티벌(Pentaport Rock Festival)에 참여한 젊은 세대들의 모습을 호의적인 시선으로 그린 KBS의 〈다큐멘터리 3일〉이었다. 현장에서 벌어진, 어떻게 보면 비슷할 수도 있는 장면을 매우 상반된 시각으로 바라보고 있는 두 개의 영상이 학생들에게 많은 생각할 거리를 안겨주었다. 학생들과 토론하기에 앞서, 대중문화를 고급문화와 대비되는 저급문화로 규정하는 시선이 얼마나 보편적인지를 살펴보았다. 그와 함께 한국어로는 모두 '대중문화'라고 번역되는 두 개의 단어, 즉 그 저급성과 부정적 영향을 강조하는 매스컬처(mass culture)와 그 저항성, 사회변동 가능성을 강조하는 파퓰러컬처(popular culture)의 개념이 우리 일상에 어떻게 반영되어 있는지를 생각해보았다.

대중문화에 관한 '수다'는 의미가 있다!

대중문화에 대해 다양한 시각으로 생각해볼 수 있는 시간이었다. 하나의 주제에 대해서도 이렇게 다양한 관점이 존재한다는 사실이 놀라웠다.

위와 같은 감상을 남긴 학생처럼, 본격적인 토론의 첫 시간부터 학생들은 진솔한 이야기를 해주었으며, 한 학기 동안 의미 있게 다룰 만한 화두들도 다수 나왔다. 학생들이 이렇게 쉽게 토론 형식의 수업에 적응할 수 있었던 것은, 대중문화를 가지고 토론한다는 것이 결코 어려운 일이 아니라는 사실을 알게 되었기 때문으로 보인다. 나는 학생들이 그들의 일상에서 대중문화를 경험하면서 느낀 점, 생각한 점, 관찰한 점 등을 있는 그대로 진솔하게 부담 없이 이야기하기를 기대했다. 그런 '수다' 같은 이야기들은 의미가 있을 뿐 아니라 대중문화를 공부하는 사람들이 중요하게 다루어야 할 것들이기 때문이다. 한 학생은 다음과 같이 표현하기도 했다.

이렇게 하고 싶은 말이 많이 생기는 수업은 처음이다. 말을 하는 게 좀 어렵기도 하고 여러 고민과 생각할 것이 많아져서 혼란스럽기도 하지만 신이 난다.

다음 시간에는 생각보다 편한 마음으로 이야기할 수 있을 것 같다. 60명이라는 많은 인원으로도 토론이 이렇게 잘 진행되는 게 놀랍다. 다른 학생들의 생각을 들을수록 점점 더 할 말이 많아진다. 다음 시간부터는 더 적극적으로 참여해야겠다.

학생들은 시간이 갈수록 교수의 강의뿐 아니라 친구들의 이야기에서도 무언가를 배울 수 있다고 느꼈고, 서로에 대한 신뢰를 조금씩 쌓아갔다. 이런 변화는 20대가 가진 대중문화에 관한 다양한 관점과 생각들을 공유할 때, 서로의 생각을 점검하고 확장할 수 있는 기회 자체가 얼마나 좋은 공부거리를 제공해주는지를 실감하게 되면서 시작되었다.

하지만 학생들에게서 아직은 조금 경직된 모습이 발견되기도 했다. 부담감 때문에 발표를 하지 않는 이들에게서도 그렇지만, 발표하는 이들에게서도 뭔가 정리된, 학술적인 이야기를 해야만 하는 것 아닌가 하는 생각들이 보였기 때문이다. 하지만 그런 부담감은 불필요하다. 대중문화에 관한 토론은 친구들과 대중문화를 가지고 수다를 떨듯 자연스럽고 편안하게 진행되기만 하면 충분하다. 특히 그런 이야기들은 먼저 나, 가족, 친구들의 이야기로부터 풀어나가는 것이 좋다. 추상적인 이야기보다 내 주변의 경험에서 나오는 이야기들이 훨씬 더 소중하기 때문이다.

대중문화를 가지고 벌이는 이야기는 '정답'을 찾거나 어떤 결론을 내리기 위한 것이 아니다. 대중문화와 관련한 논의에서 '모든' 사람이 수긍할 만한 정답은 있을 수 없으며, 서로의 생각을 말하고 그것을 듣는 행위는 각자의 생각을 더욱 탄탄하게 만들어주는 과정이 될 수 있다. 처음에는 이러한 방식의 토론에 익숙하지 않아서 뭔가 정리가 되어야만 할 것 같고, 누군가 결론을 내려야만 할 것 같은 생각이 앞서는 것이 보였지만 그것 또한 차차 나아졌다.

물론 이런 시간들이 그저 수다에 그치지 않기 위해서는 각자가 자신의 생각을 정리하고 결론을 내리는 과정이 꼭 필요하다. 그런 생각의 파편들이 차곡차곡 쌓이면서 자신의 관점이 완성되기 때문이다. 사실 전문가라는 사람이 들려주는 한마디보다 20대들의 자연스러운 수다 가운데 나오는 말들을 잘 기억해두고, 언뜻언뜻 짜릿하게 스쳐가는 통찰들을 잘 정리하다 보면 어느 누구도 가르쳐줄 수 없는 중요한 것들을 깨닫게 될 것이다. 다른 사람들의 이야기를 듣다 보면 그런 순간들이 있게 마련이다. 그때를 놓치지 말고 기록을 하거나 정리를 하면 그것이 바로 산지식이 되는 것이다. 대중문화의 신비(?)한 미덕이라고나 할까.

대중문화를 보는 시선

같은 현상에 대해 매우 다른 시선을 보이는 두 개의 영상을 수업시간에 틀어주었다. 첫 번째 영상은 술에 취해 몸도 제대로 가누지 못하는 홍대 거리의 젊은이들과 클럽 문화를 매우 비판적 시선에서 보도하는 지상파 TV 뉴스의 한 꼭지였고, 또 하나는 펜타포트 록 페스티벌에 참여한 젊은 세대들의 모습을 호의적인 시선으로 그린 KBS의 〈다큐멘터리 3일〉이었다. 이렇게 시선을 달리한 영상들은 우리 사회에 널리 퍼져 있는 대중문화에 대한 관점을 돌아볼 수 있게 해준다. 영상을 본 학생들은 직접 록 페스티벌에 참여한 경험담을 비롯해 흥미로운 이야기들을 많이 나누었다.

학생들은 영상을 보면서, 그리고 다른 사람의 이야기를 들으면서 자신을 돌아보는 계기를 가진 듯했다. 이것이 바로 토론이 갖는 미덕이다. 학생들은 영상이 의도한 바를 그대로 받아들이지 않고 자신의 생각을 펼치는 이들을 보면서 자신의 미디어 수용 방식을 돌아보게 된다.

영상을 보면서 생각을 많이 하려고 나름 노력했는데, 결국 나는 영상에서 의도한 대로(홍대는 부정적으로, 록 페스티벌은 긍정적으로) 받아들였다. 그런데 사람들마다 생각이 모두 다른 것을 알고 좀 놀라웠다. 사실 따지고 보면 홍대 클럽 문화는 저급하다 생각하고 록 페스티벌은 그렇지 않다고 생각하는 것 자체가 편견일 수 있는데, 정확한 이유나 생각 없이 선입견을 가졌던 게 부끄러웠다. 그리고 영상을 보고 처음에 '클럽은 좋지 않지, 가지 말아야겠다', '록 페스티벌 꼭 한 번 가보고 싶다'고 생각한 내 자신이, 정말 주관이 없다는 생각이 들었다.

그런가 하면 록 페스티벌을 긍정적으로 바라보는 〈다큐멘터리 3일〉의 시선에 동의하지 않는 사람도 있었다.

<다큐멘터리 3일>, 지나치게 미화된 부분도 있어 보인다. 질서가 있는 건 사실이지만 아슬아슬한 상태인 것 같다. 10대 때 록 페스티벌에 여러 번 다닌 경험이 있다. 록 페스티벌에서도 술 때문에 여러 문제들이 발생했었고 당시 10대였던 나는 많이 당황했었다. 만취한 외국인이 여자 화장실 앞에서 줄 서 있는 여자들에게 치근대기도 했었고, 록 페스티벌 스테이지에 올라가는 아티스트들이 노래를 못 부를 정도로 만취 상태가 되거나, 욕설을 내뱉는 경우도 종종 목격했기 때문이다.

이렇게 같은 현상에 대해서도 바라보는 시선이 다를 수 있다는 사실 자체가 다시 한 번 우리에게 중요한 점을 시사해준다. 결국 어떠한 현상을 재현(representation)하는 것은 있는 그대로의 모습을 전달, 반영하는 것이 아니라 선택과 배제를 통해서 특정한 입장과 시선을 드러내는 과정이라는 점이다. 대중문화에 대한 시선도 마찬가지다. 대중문화를 긍정적으로 그리느냐, 부정적으로 그리느냐는 결국 어떠한 시선으로 그 현상을 바라보느냐에 따라 달라진다. 현상을 바라보는 우리의 시선이 중요한 이유가 바로 여기에 있다.

이 책의 궁극적인 목표인 '대중문화를 바라보는 나만의 관점 탄탄히 하기'가 얼마나 중요한지를 다시 한 번 확인하게 된다. 우리 각자의 '대중문화관'을 만들어가는 것 말이다.

이 수업에서 정한 Part 1의 목표 중 하나가 '혼란스러워지기'인데 첫 시간부터 그 목표를 달성한 사람도 있었다. 대중문화란 무엇인가, 대중이란 무엇인가에 대한 규정에서부터 혼란이 온 경우였다.

첫 수업을 듣고 대중은 정말 누구인지, 대중문화란 무엇인지에 대해 혼란이 일었다. 대중문화의 시작은 어디인지, 생산의 주역은 누구인지에 대해 공부하고 알고 싶어진다. 그뿐만 아니라 생산자의 의도에 대해서도 궁금해지기 시작했다.

토론을 하면서 내 생각에 혼란이 오기 시작했다. 친구들의 말을 들으면서 내 생각과 다른 부분에 수긍하기도 하고 반박하기도 하면서 아주 흥미로운 경험을 했다.

'대중은 누구인가, 대중문화는 무엇인가'는 사실 우리가 계속해서 씨름해야 할 질문이다. 대중을 어떻게 규정하느냐, 대중문화를 어떻게 규정하느냐에 따라 대중문화를 바라보는 관점이 달라질 수 있기 때문이다. 이 책을 읽어가는 과정에서 우리 모두 고민해봐야 할 질문이다.

영상을 보면서 대중문화를 통해 사람들이 얻는 것, 충족하려는 것이 무엇인지에 대해 학생들과 이야기를 나누었다. 〈다큐멘터리 3일〉에 다양한 캐릭터들이 등장했는데, 그들의 모습에서 대중문화가 우리에게 제공하는 것이 무엇인가를 가늠할 수 있는 좋은 힌트들이 나타났다. 그중 학생들이 발견한 것들을 나열해보면 '순수, 자유, 나눔, 젊음, 차이, 관용, 자아, 저항, 해방, 비움, 한계를 뛰어넘음, 공동체, 참여, 정체성(identity)' 등이었다. 앞으로 대중문화와 관련한 토론을 이어가면서 이 외에도 더 많은 것들을 발견하게 될 것이다.

<다큐멘터리 3일>에서는 록을 좋아하는 사람들이 등장했는데 초등학교 선생님이나 의사 등 일상에서 잠시 벗어나려는 사람들이 많이 보였다. 그들에게는 진정 자신이 좋아하는 것을 마음껏 표현할 수 있는 기회가 많지 않아 보였다. 페스티벌에 가는 이유도 단순히 내가 원하는, 좋아하는 콘텐츠가 나오기 때문에 즐기고 싶어서 가는 것이라고 생각한다. 반복되는 지루한 일상 속에서 자신이 좋아하는 것을 표현하고 공유할 수 있는 기회, 공간 자체가 부족하기에 페스티벌이라는 공간에서 유대감을 느끼고 자신을 마음껏 표출하고 싶어 한다고 생각한다.

학생들의 반응 중 가장 눈에 띈 것은 영상을 통해 대중문화를 즐기는 사람들에 대한 이해의 폭이 넓어졌다는 다음의 글이었다.

<다큐멘터리 3일>을 보면서 대중문화를 즐기는 사람들을 향한 이해, 시선을 고쳐야 한다고 느꼈다. 처음에는 록 문화를 즐기는 사람들이 이해가 안 되었는데 이 다큐를 보며 지난 일 년 내내 스포츠에 매달렸던 내 모습이 생각났다. 내 모습과 록 페스티벌을 즐기는 사람의 모습이 겹치면서 한 뼘 더 이해가 된 것 같다.

사실 대중문화와 관련해 좋다, 나쁘다는 규범적 평가를 내리려는 것은 너무 조급한 듯하다. 우리가 선행해야 할 것은 '이해'이다. 그저 모든 것을 상대화해서 받아들이는 것이 아니라, 대중문화와 관련된 여러 가지 현상을 제

대로 해석하고 평가하기 위해 이해는 꼭 필요한 덕목이다. 그리고 다음 글에서처럼 그러한 이해는 스스로 '내부자'가 되는 것, 또는 '내부자'의 시선으로 바라보려는 노력에서부터 출발한다.

나는 외부자에서 내부자가 된 케이스다. 원래 나는 록을 좋아하지 않았다. 그러다 우연한 기회로 그린플러그드 서울(Greenplugged Seoul) 페스티벌에 가게 되었는데, 이때 같이 갈 사람이 없어 인터넷으로 록을 즐기는 사람을 모아 함께 갔다. 잘 모르는, 록을 즐기는 사람들과 함께 공연을 보니 모르는 음악에서도 흥겹게 몸을 흔들고 있는 자신을 발견하게 되었다. 그 이후에도 평소에는 즐겨듣지 않는 록 음악을 듣기 위해 페스티벌에 즐겨 가게 되었다. 내 안의 흥이 록 페스티벌을 통해 분출되는 것을 느꼈고 이후 페스티벌이 열리는 날만을 기다리게 되었다.

〈다큐멘터리 3일〉 영상을 보면서 많은 학생들은 록 페스티벌을 즐기는 사람들의 모습이 평소 우리가 보는 사람들과 '다르다'는 것을 느낀 듯했다. 이는 록 페스티벌이라는 이름이 만들어낸 광장에서 벌어지는 현상이 우리의 '일상'과 다르기 때문일 것이다. 여기서 그 다름은 무엇이며, 왜 그러한 다름이 나타나는지를 생각해볼 필요가 있다. 더욱이 그런 다름이 나타나도록 매개 역할을 한 것이 우리의 관심사인 대중문화라는 점에 주목해야 한다.

그 '다름'을 설명하기 위해서는 또 하나의 중요한 화두인 우리의 '현실' 또는 '일상'을 생각하지 않을 수 없다. 그 다름이란 것이 결국 우리가 살고 있는 일상, 현실로부터의 다름이기 때문이다. 대중문화를 통해 사람들이 충족하려는 것이 무엇인지는 결국 우리의 현실 및 일상과의 관계 속에서만 설명할 수 있다. 대중문화는 우리를 현실과 일상으로부터 벗어나게 만들어주기도 하고, 때로는 우리의 현실과 일상을 직시하도록 만들기도 한다.

대중문화를 평가하는 나만의 기준

이 장의 주제는 '좋은 문화는 무엇인가? 나쁜 문화는 무엇인가?'이다. 과연 그러한 구분이 가능한 것일까? 가능하다면 구분의 기준은 무엇일까? 이 같은 질문을 진지하게 고민해본 사람은 많지 않겠지만, 우리는 암묵적으로 이러한 구분을 가지고 있으며, 그 구분에 따라 다양한 대중문화 형식들을 평가해왔다. 우리가 대중문화를 이야기할 때 항상 그런 구분이 전제되어 있다는 것이다. 따라서 자신이, 혹은 다른 사람이 가지고 있는 기준은 무엇인지, 그것이 과연 정당한지 등을 생각해볼 필요가 있다.

정말 좋은 문화와 나쁜 문화를 나눌 수 있을까? 모두가 동의할 만한 결론을 내릴 수는 없지만, 쉽게 좋고 나쁨을 재단할 수 없다는 사실은 분명하다. 이것은 계속해서 생각해볼 만한 쟁점이기 때문에 앞으로 많은 주제들을 가지고 이야기한 뒤, 그것들을 바탕으로 다시 한 번 더 정리할 것이다.

학생들이 써낸 코멘트를 가지고 정리해보니, 생각할 거리들이 많이 나왔다. 먼저, 이런 구분 자체에 문제가 있다는 생각이 있었다.

모든 일에는 항상 장단점이 있고 좋은 점, 나쁜 점이 있다고 생각한다. <다큐멘터리 3일>과 뉴스에서 비슷한 면이 많은 문화를 다루다 보니 좋은 점, 나쁜 점이 딱 갈려서 조그만 부분도 크게 부풀려진 듯한 느낌을 받았다. 문화를 논할 때 좋고 나쁨을 논하는 것이 어쩌면 아무 의미도 없는 행위가 아닐까 하는 생각이 들었다. 그것을 굳이 따져야 할까 하는 생각도 들었던 것 같다.

좋은 문화, 나쁜 문화는 없는 것 같다. 다만 주류 문화와 비주류 문화가 존재한다고 생각한다. 어떤 문화에나 좋은 점과 나쁜 점이 공존하는 것처럼 말이다. 주류층이 비주류의 문화를 평가하고 도마 위에 올리는 것 같다는 생각이 들었다.

이렇게 좋은 문화와 나쁜 문화를 규정할 수 없다는 입장은 '상대주의'적인 생각이라고 할 수 있다. 이것은 어떤 문화라도 그 나름의 의미와 가치가 있다는 생각이다. 그런데 문화를 이렇게 상대적으로 규정할 때 반드시 뒤따라야 할 것이 있다. 바로 기준의 다양성, 취향의 다양성, 관점의 다양성, 문화의 다양성을 인정하는 것이다. 이렇게 상대주의적인 시각은 관용적인 태도를 전제로 하는데, 자신의 눈이나 잣대로 다른 사람의 문화를 가위질하지 않는다는 점에서 '자문화 중심주의'적 생각과 비교해 매우 진전된 시각이라고 할 수 있다.

다만 우리가 한 번 더 생각해야 할 것은, 이런 태도가 깊은 고민 없이 나오지는 않았나 하는 점이다. '그래야만 할 것 같아서'라는 암묵적 분위기에 휩쓸려 그렇게 말하는 것은 아닌지를 생각해봐야 한다는 말이다. 다음 코멘트에 나온 것처럼, 좋은 문화와 나쁜 문화를 구분하기가 쉽지 않음에도 우리는 은연중에 그런 구분을 임의로 만들어놓고 그에 따라 너무도 쉽게 평가와 판단을 내려왔기 때문이다.

'좋은 문화와 나쁜 문화는 무엇인가'라는 질문을 받았을 때 바로 드는 생각은 좋은 문화와 나쁜 문화를 나누는 것 자체가 잘못된 것이 아닌가였다. 그런데 또 막상 생각해보니 나도 모르게 나쁜 문화와 좋은 문화를 나눴던 것 같기도 하다. 어떤 행동이나 현상에 대해 눈살을 찌푸리거나 반대로 응원하거나 하는 것도 입 밖으로 내뱉지는 않았지만 이미 나쁘고 좋은 문화를 징의내리고 있었던 것은 아닐까?

이렇게 깊은 성찰과 고민 없이 상대주의적인 태도를 취하는 것은 현실적인 힘이 떨어질 수밖에 없다. 암묵적으로 정해놓은 자신의 기준과 맞지 않는 문화와 마주칠 경우, 그러한 태도가 공허한 구호에 불과했다는 것이 곧 드러날 테니 말이다. 이런 종류의 상대주의는 자문화 중심주의적인 태도를 가지고 다른 문화를 멋대로 평가하는 것만큼이나 위험할 수 있다. 또한 이런 상대주의 자체가 과연 아무 문제가 없을까 하는 점도 생각해야만 한다. 즉, 상대주의를 절대적으로 받아들임으로써 초래될 문제에 대해서도 고민하지 않을 수 없다는 이야기이다. 사회적 약속과 원리의 부재가 가져올 결과도 그냥 지나칠 수 없다.

한편, 자기 나름의 기준을 가지고 구분해야 한다는 생각도 있었다. 다음은 학생들이 스스로 내린 좋은 문화와 나쁜 문화의 기준 가운데 하나이다. 이들은 타인에게 주는 '피해' 여부를 기준으로 문화를 구분했다.

사실 '좋은'과 '나쁜'이라는 수식어가 문화 앞에 붙을 수는 없다고 생각한다. 부분이 전체가 될 수 없기 때문이다. 나에게 나쁜 면이나 좋은 면이 있다고 해서 '○○○는 나쁜 애야', 또는 '착한 애야'라는 정의는 성립하지 않을 것이다. '○○○라는 애가 있는데 그 아이는 나쁜 면도 있고 착한 면도 있어!'가 바른 말이라고 생각한다. 물론 그 나쁜 면과 좋은 면을 구분하는 기준은 있다고 생각한다. 바로 '나의 행복이 남에게도 행복인가, 아니면 피해인가'라는 기준이다. 오늘 본 첫 번째 영상은 '나의 행복이 남에겐 피해!'라는 관점을 보였고, 두 번째 영상은 '나의 행복이 남에게도 행복'이라는 관점을 보였다는 데에서 차이가 있는 것 같다.

좋은 문화 vs 나쁜 문화. 사람은 살아갈 때 긍정적인 경험을 많이 쌓아야 그 경험을 토대로 삶을 긍정적으로 살아갈 수 있다고 생각한다. 책에서 얻은 깨달음보다 자신이 직접 보고 느낀 것이 더 확실하게 각인되기 때문이다. 록 페스티벌을 즐기고 그 시간을 향유하는 것은 이런 관점에서 보면 굉장히 좋은 문화인 것 같다. 그것은 그저 향유하는 자리를 넘어 긍정적인 변화를 이끌어내는 터닝 포인트(turning point)가 될 수 있기 때문이다. 반면 홍대 클럽 문화는 공허함을 많이 주는 것 같다.

그런데 이런 기준들을 가만히 잘 살펴보면 결국 우리 사회의 '규범'과 연결된다는 것을 알 수 있다. 또한 규범을 지키지 않는 모습과 관련된 '일탈'과도 연결된다. 그런데 그 규범이라는 것도 우리가 깊게 생각해볼 필요가 있는 개념이다. 규범은 결코 절대적인 것이 아니어서 시대에 따라, 그리고 문화에 따라 임의적으로 나타나기 마련이다. 따라서 규범을 규정하는 과정에서 힘(power)이 행사되며, 그 규범의 준수를 강요할 때 이익을 얻는 집단과 그렇지 않은 집단이 갈린다. 그러므로 이 규범들을 어떻게 바라보느냐에 따라 이를 준수하는 것, 또는 일탈하는 것에 대한 태도도 달라질 수밖에 없다. 다음 학생들의 글에서도 이를 확인할 수 있다.

나는 홍대가 나온 뉴스 영상과 록 페스티벌 영상이 각각 부정적인 관점과 긍정적인 관점으로 묘사된 것은 결국 '규범' 때문이라고 생각한다. 사실 양쪽 모두 음주 후 아무 데서나 자는 모습들이 나왔고, 안전이나 쓰레기 처리에 관한 문제 등이 발생했다. 하지만 홍대는 그것이 허용되지 않는 공공장소인 반면 페스티벌은 어느 정도 미리 약속된 축제이기 때문에 보는 관점이 달라진 것 같다. 그리고 대중문화도 흥미로웠지만 언론이 가진 힘(현상을 다르게 해석하는 것, 또 그것을 그대로 받아들이게 하는 것)에 대해서도 생각해볼 수 있어서 좋았다.

수업을 듣는 학우들 중 '대중의 분별력'을 높게 평가하는 사람들이 많다는 사실에 조금 놀랐다. 대중의 분별력을 높게 평가하는 태도는 대중문화의 규제를 완화해도 된다는 입장으로 해석할 수 있는데, 나는 대중문화의 규제를 강화해야 한다는 입장이므로 이에 동의할 수 없었다. 대중매체의 영향력은 여타 매체에 비해 훨씬 강하기 때문이다. 1인 미디어가 점점 더 영향력을 발휘하고 있다고는 하지만 아직까지는 전통적 4대 매체의 파워가 더 크기 때문에, 규제를 완화해야 한다는 주장이 다소 위험하게 들린다.

사실 대중문화는 이러한 규범·일탈의 경계를 절묘하게 오가면서 사람들의 마음을 매료하기도 하고, 사람들의 외면을 받기도 한다. 최근 성을 다루는 대중문화의 한계가 점점 확장되는 현상은 그러한 대중문화의 한 예가 된다. 성에 관한 문제는 뒤에서 하나의 주제로 다룰 것이다.

우리 모두 문화를 평가하는 자신만의 기준을 가질 수 있어야 한다. 그리고 그것은 현재 우리 사회에서 받아들여지고 널리 유통되는 규범에 대한 평가를 동반해야 한다. 이는 우리가 사회를 어떻게 바라보고 있는지와도 연결된다. 우리 사회의 현재 모습을 어떻게 평가하는지, 어떤 방향으로 나아가야 한다고 생각하는지, 그런 방향으로 나아가는 데 있어서 대중문화가 차지하는 의미는 무엇인지에 대한 고민이 바탕이 되어야 한다. 또 그렇게 형성된 각자의 기준이 점차 탄탄해져서 자신만의 '대중문화관'으로 발전되어야 한다. 이 책은 앞으로 대중문화에 대한 자신만의 시각, 즉 '대중문화관'을 만들고 탄탄하게 하기 위한 이야기를 계속할 것이다. 그 시작은 지금까지 대중문화를 대하는 우리의 행동과 태도를 성찰의 눈으로 되돌아보는 것에서부터 시작해야 한다.

확대해석 아닐까?

첫 토론시간부터 대중문화에 대한 자기만의 정의를 내린 학생도 있었다.

현대사회에서 대중문화란 고급문화와 반대되는 개념인 동시에 세대를 막론하고 즐길 수 있는 문화를 지칭한다고 생각한다. 즉, 많은 사람들에게 영향을 끼치는 문화인 것이다.

문화는 다양한 사람들이 동일한 수단, 목적을 공유하고 공감하면서 유행처럼 생겨난다고 생각한다. 한 사람만이 즐기고 향유하는 것을 문화라고 부르지 않기 때문이다. 하나의 공통된 즐길 거리로 모였지만 저마다 다른 개성을 가진 사람들이기에 그 사이에서 당연히 문제가 발생할 수 있다. 또 이러한 모습이 이상하고 부정적으로 비춰질 수도 있다. 그러나 사람들의 외모가 모두 다르듯 관심을 갖고 추구하는 것도 다를 수 있기에, 본인이 좋아하고 즐기는 문화가 타인에게는 이상한 문화로 보일 수 있다는 것을 알아야 한다. 따라서 좋은 문화냐, 나쁜 문화냐를 구분 지을 수 없다고 생각한다. 다만 도덕적인 기준에서 정말 나쁜 문화를 구분 지을 수는 있다고 본다. 하지만 그 도덕적인 기준을 정하는 것 또한 어려운 일일 것이다.

좋은 출발이다. 하지만 이제 막 시작한 여정이기에 너무 조급해할 필요는 없다. Part 1이 이렇게 '혼란스러워지는' 과정을 묵인 또는 조장하는 것은 그것이 자신의 관점을 만드는 좋은 시작이기 때문이다.

마지막으로 다음의 글을 읽어보기 바란다. 사실 나 자신도 가끔 고민하는 부분이다. 대중문화를 연구하는 사람으로서 대중문화와 관련된 현상들을 이야기하다 보면, 일종의 '확대해석'을 하고 있는 것은 아닌지 하는 의문이 들 때가 있다.

나는 두 번 정도 록 페스티벌에 갔었다. 강의실에서는 이 행사에 대해 커밍아웃이니 탈출구니 하며 거창하게(?) 이야기하지만, 사실 나에게는 그냥 휴가 대신 즐기는 '즐거움'이었다. 그곳에는 맛있는 먹거리가 있고 좋은 사람들이 있다. 공연장 근처에 돗자리 깔고 맥주를 마시거나 미친 듯이 춤을 추고, 노래를 듣거나 잠을 자고, 인근 계곡에서 놀고. 어차피 이 즐거움도 일상으로 돌아가면 끝난다는 것을 안다. 하지만 잠시나마 즐거움을 느끼며 쉴 수 있어서 마냥 좋았다. 다음 여름이 되면 3일간의 즐거웠던 기억(추억?)이 떠올라 또 가게 될 것이다.

물론 확대해석은 주의해야 한다. 문화의 주체가 되는 이들의 삶과 완전히 동떨어진, 지나친 의미부여나 과장된 해석은 피해야 하기 때문이다. 그러나 대중문화와 관련된 우리의 모든 감정과 행동을 그저 '즐거움' 또는 '재미'로만 치부해버리는 것 역시 바람직하지 않다. 왜냐하면 그 즐거움과 재미라는 것이 그저 피상적인 느낌이나 감정에 머무르지 않기 때문이다. 우리가 감각적으로 느끼는 즐거움과 재미의 배후에 존재하는 것이 무엇인지 이해하고 파악해야만 그 즐거움과 재미의 정체를 제대로 드러낼 수 있다. 따라서 확대해석은 주의해야 하지만 그 의미를 분석하고 맥락을 찾아내는 것은 매우 중요한 과제이다.

다음 주제로 다룰 '대중문화의 텍스트와 콘텍스트'는 그런 의미에서 중요하다. 이 주제에서는 특별히 '내가 제일 좋아하는 노래 가사는?'이라는 화두를 놓고 이야기를 나누었다. 이런 이야기를 나누다 보면 대중문화 텍스트와 콘텍스트의 관계에 관해 예상치 못한 깨달음을 얻을 수 있을 것이다.

Ch.02

대중문화의 '텍스트'와 '콘텍스트'

KEYWORDS: 텍스트, 사회적·정치적·문화적 콘텍스트, 개인적 콘텍스트, 일상성
생각해볼 문제: 나는 가사 때문에 이 음악을 좋아한다.

'텍스트'와 '콘텍스트'는 대중문화와 관련한 논의에서 매우 기초적인 동시에 유용한 도구이다. 이 둘의 관계를 잘 이해하고 인식하는 것만으로도 대중문화를 바라보는 시각의 폭을 넓힐 수 있다. 그뿐만 아니라 대중문화에 대한 사람들의 반응과 호불호를 이해하고 예측하는 힘도 기를 수 있다. 특히 많은 사람들의 호의적인 반응을 얻는 대중문화 상품을 이해할 때 이 논의는 매우 유용하다. 해당 텍스트가 가진 의미를 단지 그 작품성으로만 판단하는 것이 아니라 당대의 대중이 처한 사회적·정치적·문화적 콘텍스트에서 해석하도록 해주기 때문이다. 대중문화의 텍스트와 콘텍스트를 논하기 위해 평소 우리가 좋아하는 음악에 관해 이야기했다. 학생들에게 각자 좋아하는 음악을 떠올려보라고 한 뒤, 특별히 가사가 마음에 와 닿아서 좋아하는 음악이 있다면 미리 자유게시판에 올리고 수업시간에 이야기해보도록 했다. 그 음악이 왜 좋아졌는지, 또 그 가사가 왜 마음에 와 닿았는지를 나누면서 이야기를 풀어갔다. 이런 경험들을 통해 대중문화가 얼마나 우리의 일상과 조밀하게 연결되어 있는지를 생각해볼 수 있었다.

내가 좋아하는 노래는?

두 번째 시간에는 '대중문화의 텍스트(text)와 콘텍스트(context)'라는 주제로 토론을 진행했다. 특히 첫 60분 동안에는 4~5명끼리 조별로 모여 소그룹 토론을 시도했다. 가사가 마음에 들어서 좋아하게 된 음악에 관해 이야기를 나눌 수 있도록 했는데, 눈물을 흘리면서 이야기를 나눈 학생들이 있을 정도로 분위기가 좋았다.

조별 토론을 할 때 다들 감성적인 이야기를 나누었다. 말하다 눈물을 흘리기도 했다. 음악의 힘을 느낄 수 있었다.

처음 조별 토론시간이 주어졌을 때 생각보다 너무 긴 시간인 것 같아 '어색할 텐데'라는 걱정이 들어 좀 싫기도 했다. 그런데 막상 이야기를 시작하고 말문이 트이다 보니 원래 알던 친구들이랑 이야기하는 것처럼 좋은 시간이 되었다. 이야기 주제는 좋아하는 노래로 한정되었지만, 좋아하는 노래를 설명할 때의 말투를 통해 각 개인의 성향을 파악할 수 있었고, 그것이 친해지는 데 도움을 주었다.

가사 때문에 좋아하게 된 노래를 소재로 이야기를 나누었지만, 사실 노래를 가사만으로 좋아하게 되는 경우는 그리 많지 않다. 멜로디나 가사, 가수 등 다른 요소들이 모두 어우러져서 감동을 주는 것이기 때문이다. 하지만 이 장의 주제인 '대중문화의 텍스트와 콘텍스트'의 관계를 풀어나가기 위해서는 좋아하는 노래의 가사를 생각해보는 것이 꽤 유용한 방법이 될 수 있다고 생각했다.

다음은 학생들이 써낸 글에서 유추해낸 생각할 거리들이다. 이것이 대중문화에 관한 스스로의 생각을 형성하는 데 도움이 되기를 바란다. 텍스트와 콘텍스트의 관계는 대중문화를 공부할 때 가장 기본적으로 고려해야 할 주제인 동시에 매우 중요하면서도 흥미로운 주제이다. 대중문화를 이야기할 때 '텍스트'란 텔레비전 드라마, 영화, 대중음악, 예능 프로그램 등 대중문화 상품 그 자체와 내용, 메시지 등을 포괄하는 개념*이다. 그런가 하면 '콘텍스트'는 대중문화의 생산과 수용을 둘러싼 맥락을 의미한다. 여기에는 대중문화 수용자 · 소비자의 개인적 맥락이 포함될 뿐 아니라 그보다 거시적인 사회적 · 문화적 · 정치적 차원의 맥락도 포함된다.

대중문화의 텍스트와 콘텍스트 각각의 의미를 이해하고 둘 사이의 관계에 관심을 기울여야 하는 이유는 다음의 두 가지로 설명할 수 있다. 첫째, 콘텍스트를 잘 파악하고 있어야 텍스트가 내포하는 의미를 잘 이해할 수 있다. 둘째, 대중문화의 텍스트를 통해 나와 우리가 처해 있는 삶의 콘텍스트를 잘 읽어낼 수 있다. 한 학생은 다음과 같이 표현했다.

텍스트와 콘텍스트, 정말 끝없이 많은 이야기가 나올 만한 주제다! 텍스트를 통해 콘텍스트를 바라보고, 콘텍스트를 통해 텍스트를 읽을 수 있다.

---

* 텍스트는 기호를 통해 조직되면서 의미 구성을 야기하는 하나의 메타포이다. 이것은 이미지, 소리, 옷과 같은 사물, 춤과 스포츠 같은 활동 등을 통한 의미의 발생을 포함한다. 이미지, 소리, 사물, 실천은 언어와 동일한 기본적 메커니즘을 가지고 의미화하는 기호 체계이므로 우리는 이것들을 문화적 텍스트라고 말할 수 있다. 따라서 옷, 텔레비전 프로그램, 이미지, 스포츠 경기, 대중가수 등은 모두 텍스트로 읽힐 수 있다. 크리스 바커, 『문화연구사전』, 이경숙 · 정영희 옮김(서울: 커뮤니케이션북스, 2009), 327~328쪽.

본격적으로 텍스트와 콘텍스트의 관계를 이야기하기에 앞서, 음악이 우리에게 무엇을 주는지, 우리가 음악을 통해 무엇을 얻으려고 하는지에 대해 함께 이야기했다. 사실 20대가 '음악 세대(music generation)'라고 불릴 만큼 음악은 젊은 세대와 매우 가까운 대중문화이다. 아주 어렸을 때부터 음악을 접하며 자랐기에 그만큼 음악에 대한 전문성이 뛰어나다고 할 수 있다. 따라서 20대에게 음악은 어떤 의미가 있는지, 20대가 음악을 소비함으로써 얻는 것은 무엇인지, 충족하는 건 무엇인지에 대한 논의들은 하나의 주제로 따로 다루어야 할 만큼 중요할 것이다. 하지만 그것은 다음 기회로 미루고, 일단 여기서는 간단한 정리만을 하겠다.

학생들의 이야기를 통해 나온 키워드들은 '위로, 치유, 공감, 성찰, 삶의 지향점 확인, 인생 선배로부터 조언' 등이었다. 아마 여기에 더 많은 것들을 추가할 수 있을 것이다. 다음 코멘트들을 읽으면서 이 리스트에 덧붙여질 것들이 뭐가 있는지, 또 우리가 음악을 소비하면서 얻는 것은 무엇인지 좀 더 생각해보기 바란다.

나는 여러 노래를 듣는 게 아니라 좋아하는 가수의 노래만 듣는 편이다. 편협하다고 볼 수도 있지만, 대중음악을 듣게 된 계기가 그들이기에 충분히 납득이 가리라 생각한다. 나는 좋아하는 가수의 노래, 목소리를 들으면서 위로를 받고 즐거움을 느낀다. 팬심도 사랑의 한 유형이라고 생각한다. 행복감을 주는 노래를 다시 듣게 되고, 또 그렇게 들을 때 가사에 귀 기울이게 된다. 그리고 그 가사는 공감을 이끌어낸다.

영화 <비긴 어게인(Begin Again)>에는 사진을 찍듯 노래에 그 당시의 상황, 감정을 그대로 담을 수 있다는 대사가 나온다. 어떤 사람에게든 특정한 누군가를 온전히 느낄 수 있도록 하는, 또는 어느 특별한 날의 감정을 떠올리게 하는, 아니면 지나온 과거를 회상하게끔 하는 노래가 하나쯤은 있을 거라 생각한다.

나는 그 계절만의 분위기를 느끼기 위해 노래를 듣는다. 봄에는 봄만의 느낌, 여름에는 여름만의 느낌이 있듯이, 그 계절의 느낌을 노래로 먼저 느끼고 싶을 때 음악을 듣게 된다.

흥미로운 것은 날씨와 계절 같은 '기후적 콘텍스트'도 우리의 대중문화 향유에 영향을 준다는 점이다. 대중문화에 영향을 주는 다양한 콘텍스트에 대해 알아야 하는 이유는 이것들이 단지 음악에만 해당되는 것이 아니라 대중문화 일반으로까지 확장할 수 있기 때문이다. 콘텍스트는 대중문화가 우리에게 제공하는 것, 우리가 대중문화를 통해 충족하려는 것이 무엇인지에 대해 감을 잡을 수 있게 해준다. 이는 현대사회에서 대중문화가 갖는 의미를 설명하기 위한 좋은 수단이 될 수 있다. 즉, 현대사회에서 대중문화가 이렇게 큰 비중을 차지하게 된 연유를 설명할 실마리가 되는 것이다. 다음 학생의 글처럼 결국 대중문화란 대중과의 관계 속에서만 이해될 수 있는 것이기 때문이다. 당대의 대중을 이해해야 대중문화를 제대로 이해할 수 있으며, 당대의 대중문화를 통해 대중을 설명할 수 있다.

같은 노래를 듣더라도 그 노래에 담긴 내용이 자신의 경험과 부합할 때 비로소 듣는 이에게 더 큰 의미로 다가오는 것을 느꼈다. 그런 맥락에서 보면 우리가 대중문화를 통해 특정한 무엇을 얻기보다는 각자가 가지고 있는 문제, 관심사에 따라 대중문화가 생겨나고 또 그 대중문화가 다시 대중이 필요로 하는 피드백을 주는 것 같다. 즉,

대중문화와 대중의 관계는 일방적인 관계가 아닌 상호적인 관계라고 할 수 있을 것 같다.

정체성과 대중문화

다음의 글을 보면 학생들이 조별 토론을 통해 서로를 이해하는 데 많은 도움을 받은 것을 알 수 있다. 이는 자신이 좋아하는 노래를 소개하는 행위가 단순히 음악적 취향만을 드러내는 것이 아니라, 자신이 누구인지를 보여주는 행동이기 때문에 나타난 자연스러운 결과이다.

토론시간에 연애를 하고 있는 조원은 사랑에 관한 노래를 가져왔고 24~25세 정도의 조원들은 취업, 나이에 관한 노래를 가져왔다. 같이 이야기를 나누면서 사람들이 흔히 자신이 처한 상황과 연관된 대중문화를 접하게 된다는 것을 알 수 있었다.

그동안 몰랐던 음악들의 가사를 보면서 감상한 것이 정말 좋았다. 학우들의 경험, 심경과 관련된 음악들을 들으니 그 학우의 심정이 이해가 되는 것 같았다. 음악의 공감적 특성을 발견할 수 있었다. 음악은 비슷한 감정과 심경을 표현하고 공유할 수 있는 소통의 수단인 것 같다.

이렇게 음악을 통해 그 사람이 어떤 사람인지를 알 수 있는 이유는 자신이 좋아하는 노래(텍스트)가 그 사람의 개인적 맥락(콘텍스트)과 긴밀히 연결되어 있기 때문이다. 결국 그 사람이 어떤 사람인지에 따라 좋아하는 노래가 결정되며, 음악을 통해 그 사람이 현재 어떤 상황에 처해 있는지, 무엇이 필요한지, 무엇을 원하는지를 파악할 수 있다. 대중문화가 이러한 역할을 할 수 있는 건 대중문화 소비자로서 우리가 가지고 있는 능력 또는 자질 때문이다. 우리는 대개 본능적으로 자신이 처한 (개인적) 콘텍스트에 어울리는 음악을 좋아하는 경향이 있다. 사람들마다 좋아하는 음악이 다르고, 개인적인 상황과 당시의 감정에 따라 다른 음악을 선택하는 것을 보면 알 수 있다.

나는 지금 이 시기 또는 순간(?)의 내 감정과 생각들을 극대화하기 위해 음악을 듣는다. 그래서 내가 요즘 듣는 노래들은 나를 감싸고 있는 생각, 분위기를 대변한다고 볼 수 있다. 또 나중에 그 노래를 다시 들어도 그 시절의 모습이 떠오르면서 대변되기도 하는 것 같다.

대중문화 연구자들은 이것을 '정체성'이라는 말로 설명한다. 내가 '누구인지', 또는 '누구이기를 바라는지'의 문제가 대중문화에 대한 취향에 큰 영향을 미친다는 의미이다. 따라서 누군가가 어떤 음악을 좋아한다고 할 때, 그것을 이해하고 설명하기 위해서는 단순히 감성적인 측면만 고려할 것이 아니라 그 사람이 속한 집단, 세대, 지역, 성별, 종교, 인종, 민족 등 수많은 요소를 함께 고려해야만 한다.

이렇듯 대중문화에 대한 취향은 그 사람의 개인적 콘텍스트와 관련되어 있다. 이 점은 대중문화를 공부하는 우리에게 매우 중요한 점을 시사해준다. 한 개인이 대중문화를 통해 얻는 '즐거움(pleasure)'을 깊이 있게 이해하기 위해서는 그 사람이 처해 있는 개인적 콘텍스트와 정체성을 충분히 이해해야만 한다는 것이다. 그렇지 않으면 매우 피상적인 이해와 해석에 머물게 되며, 그에 따른 판단과 평가도 단편적이거나 왜곡될 위험성이 커진다.

그런데 흥미로운 것은 이런 개인들의 콘텍스트가 만들어내는 여러 대중문화적 취향 속에서, 우리가 충족하려는 것들의 공통분모를 찾을 수 있다는 사실이다. 물론 세상에는 다양한 노래가 있지만, 사람들이 그 노래들을 좋아하는 이유와 그 노래들이 우리에게 제공하는 것들에는 공통점이 많다. 그중 하나는 바로 '위로'이다.

우리는 위로를 주는 노래에 대해 이야기를 나누었다. 사람들은 대개 자신의 우울함과 고단함을 다른 사람과 나누기 어려워한다. 따라서 사람들의 감성을 자극할 뿐 아니라 가사를 통해 공감과 위로를 이끌어내는 음악이 있다면, 그것이야말로 좋은 음악이라고 정의(?)했다.

나는 가사 때문에 내가 가장 좋아하는 음악을 게시판에 올리지 않았다. 왜냐하면 최근에 그 음악에 별로 공감하지 않게 되었기 때문이다. 나는 요즘 음악으로 힘든 현실에 대한 위로를 얻으려고 하는 것 같다. 게시판에 올라온 음악들을 얼추 보니, 나와 비슷한 테마(?)의 곡들이 많이 올라와 있었다. 그걸 보면서 또 한 번 위로를 받았다. 오늘 밤에도 나는 음악을 틀어놓고 자기소개서를 채워나가겠지? 하하하…….

그렇다. 학생들이 수업 게시판에 올려준 곡들, 수업시간에 이야기한 노래들을 보았을 때, 지금 20대에게 필요한 것은 아마도 '이해와 위로', '용기와 치유' 등인 듯하다. 이것은 개인의 콘텍스트를 둘러싼 한층 거시적인 사회적 콘텍스트가 작동하기 때문이다. 즉, 현재 한국 사회에서 대학생으로 살아간다는 것은 앞의 키워드들 없이는 설명하기 어렵다. 그 이유에 대해서는 따로 설명할 필요가 없을 것이다. 젊은이들의 삶을 짓누르는 여러 사회적 현실들이 그들의 필요를, 욕망을 만들어내었으며 학생들은 대중음악을 소비하면서 그런 필요와 욕망을 충족하고 있다.

또 다음의 글에 나온 것처럼, 학생들은 음악의 이런 역할을 대신할 만한 다른 무언가를 찾기가 쉽지 않다.

음악이 주는 위로를 대신해줄 무언가가 있을까 하고 생각해보았는데 딱히 떠오르지 않았다. 각자가 처한 상황과 느끼는 감정에 따라 음악으로 얻는 위로가 다르다고 생각한다. 또 음악을 듣는 이유도 개인에 따라 다르다. 그렇기 때문에 당시의 기분과 필요에 따라 찾는 음악은 어떤 매체, 방법보다도 개인에게 큰 힘이 된다. 이것이 음악을 대신해줄 만한 다른 수단이 떠오르지 않는 이유인 듯하다.

이런 시각에서 보면 음악이 20대의 필요를 충족시켜준다는 점이 참 다행스럽게 느껴지기도 한다. 우리 삶에서 꼭 필요한 휴식, 이해, 위로, 용기, 치유를 쉽게 접근이 가능한 대중음악과 대중문화가 제공해주니 말이다. 더구나 여러 이유 때문에 향유할 수 있는 문화적 자원이 많지 않은 사람들에게 대중문화가 이런 역할을 한다는 건 매우 긍정적이라고 평가할 수 있다.

물론 이러한 기능이 궁극적으로 무엇을 가져다주는지에 대한 판단에 따라 최종 평가는 달라질 수 있다. 관점에 따라 대중문화가 제공하는 것들이 삶의 필요를 채워주는 근본적인 해결책은 될 수 없다고 볼 수도 있기 때문이다. 단지 잠시 동안 현실에서 회피하도록, 또는 현실을 망각하도록 할 뿐이라는 것이다. 이 외에도 대중문화가 결국 수용자에게 현실을 왜곡해서 인식하게 하는 '허위의식(false consciousness)'을 심어줄 뿐이라는 해석도 할 수 있다.

취향, 그리고 보여주고 싶은 모습

나는 최근 몇 년간 학생들이 추천한 노래들에서 '위로'라는 공통된 코드가 있는 것 같다는 인상을 받았는데, 이를 수업시간에 이야기했더니 반론의 입장을 보이는 학생도 있었다.

교수님은 점점 사람들의 패턴이 '위로'로 굳어진다고 (또는 그런 경향이 있다고) 하셨지만, 멜론이나 벅스 같은 음원 사이트에서는 여전히 아이돌 노래가 높은 순위를 차지하고 있다. 이는 단순히 아이돌을 좋아하는 팬들이 무한반복 재생을 해서 순위가 올라가 있다고 보기는 어려운 것 같다. 우리가 자유게시판에 올린 노래들 가운데 '위로'의 패턴이 많아 보이는 것은 학생들이 단순히 좋아하는 노래가 아닌, '가사' 때문에 좋아하는 노래를 올렸기 때문 아닐까?

충분히 일리가 있는 말이다. 그렇다면 아이돌 음악이 20대 대중문화 소비자에게 무엇을 제공하는지 궁금해진다. 흥미로운 것은 학생들이 자유게시판에 올린 노래 중에는 인디 밴드의 음악이 유독 많았던 반면, 실제 조별 토론에서 수다를 촉발한 노래들은 좀 달랐다는 점이다.

자유게시판에 음악을 올리진 않았지만 다른 친구들이 어떤 음악을 올렸는지 살펴봤더니, 아이돌 노래는 GOD의 「길」 하나밖에 없었다. 가사 때문에 좋은 노래를 소개할 때, 다들 뭔가 심도 있는 의미, 진지함이 묻어 있는 노래를 소개해야 한다는 마음을 가지고 있는 것 같았다. 그리고 다들 여대생이라 그런지 힙합보다 발라드, 인디 밴드 음악을 많이 추천했다는 것이 공감이 되면서도 다 비슷하다고 느꼈다.

학생들은 '요즘 아이돌'과 '예전 아이돌'이라는 흥미로운 구분법으로 좋아하는 음악의 특성을 설명하기도 한다.

우리는 아이돌 이야기로 한창 꽃을 피웠다. 우리 세대 기준으로 가장 오래된 아이돌인 GOD와 신화부터 대한민국 모두가 으르렁대던 엑소까지. 중간중간 모두의 탄식을 자아내던 '구' 동방신기까지. 추억에 젖을 수 있었다. 아이돌을 떠올리면 그 당시의 학교생활, 일상생활이 함께 떠오른다. 정말 추억 돋는 시간이었다. 정말 음악은 타임머신인가 보다.

우리 조에서는 예전 음악이나 아이돌 노래는 공감이 많이 된 반면, 요즘 아이돌 노래는 이해가 잘 되지 않고 공감하기 힘들다는 의견이 있었다. 아이돌 음악은 음악성이 떨어지고 대중성이 높다고 할 수 있는데, 이것 자체가 대중문화의 특징은 아닌지 생각해봐야겠다.

우리는 이러한 호불호를 보통 '취향(taste)'이라고 부른다. 입맛에 따라 저마다 좋아하는 음식이 다르듯 음악이나 드라마, 영화 같은 대중문화에서도 좋아하는 것과 그렇지 않은 것이 사람마다 다르다. 사실 취향의 개별성을 인정한다는 것은 아주 중요한 의미를 갖는다. 대중문화에 대한 호불호를 '우열'의 관계로 보지 않고 서로 '다름'으로 파악한다는 것을 의미하기 때문이다. 클래식을 좋아하든, 트로트를 좋아하든, 록을 좋아하든 그것은 취향이 다른 것일 뿐 누가 우월하고 누가 열등하다는 것을 의미하지 않는다. 다음 학생의 글은 그런 취향의 상대성을 인정하게 되었다는 내용이다. 각자의 대중문화관을 확립하는 데 있어 중요한 인식이 될 것이다.

처음에는 '가사가 좋아서 좋은 음악'을 고르는 게 어려웠다. 마치 예술적인 노래나 많은 사람에게 인정받고 공감을 얻을 수 있는 노래를 골라야 할 것만 같았다. 그러다 개인마다 콘텍스트가 다르고 그에 따라 느끼는 감정도 다르기에 '좋다, 나쁘다'에 정답이 있는 게 아니라는 걸 다시 한 번 깨달았다.

그런데 더 재미있는 사실은 취향의 개별성만으로 대중문화에 대한 우리의 선호를 충분히 다 설명할 수는 없다는 것이다. 우리가 무엇을 좋아하는지 밝힐 때에는 단순한 취향 이상의 의미가 담겨 있다. 그것은 그 사람의 성향, 소속감 등을 표현하는 것일 뿐 아니라, 자신이 어떤 모습으로 '보이기를 원하는지'가 표현된 것이다.

이렇게 인디 밴드에 대한 관심이 높아지고 그들이 인정받게 됨에 따라, 아이돌 음악을 즐기던 사람들에게서 새로운 경향이 발견되기 시작했다. 아이돌 음악을 좋아한다는 사실을 공공연히 밝히기 껄끄러워하게 되었다는 점이다. 이는 '어떤 모습으로 보이기를 원하는가'와 관련된다.

추천한 노래 중에 아이돌 노래는 드물었다. 생각보다 아이돌 노래가 없어서 놀랐다. 이런 이야기를 조별 시간에 했더니 조원들은 20대가 아이돌 음악을 좋아한다고 밝힐 경우, 소위 말하는 '아이돌 빠순이'로 보일까 봐 걱정된다고 했다. 또 20대는 아이돌을 좋아하면 안 된다는 식의 사회적 분위기가 있다 보니 듣는 음악도 변하는 것 같다고 했다. 나도 그렇기 때문에 이해가 되면서도 기분이 조금 묘했다. 대중문화의 소비는 본인이 하는 건데 그 소비에서 타인의 시선을 신경 쓰는 게 과연 옳은 것인지, 또 대중문화 자체가 원래 타인의 시선에 영향을 받는 것인지, 그저 대중문화를 소비하는 사람의 성향 탓인지 혼란스러웠다.

학생들은 아이돌 음악이 갖는 특성에 대한 몰이해와 평가절하를 안타까워하기도 했다. 그들은 인디 음악에 대한 열풍도 일종의 '허세'일지 모른다는 해석을 내리기도 했다. 어떤 주장이 맞느냐는 사실 중요하지 않다. 다만 우리가 어떤 음악을 좋아하는가의 문제는 단순한 취향을 떠나 내가 누구인지를 보여주는 '정체성'의 문제임을 기억해야 한다. 또 아이돌 음악의 가사는 의미 없거나 수준이 떨어지는 것이 아닌, 현시대가 갖는 특성이 반영된 것으로 이해할 수 있다.

아이돌 음악이나 후크송(hook song)*이 다른 음악 장르보다 질(quality)이 떨어진다고 평가하는 것은 문제가 있을 수 있다. 그동안 고급문화와 비교해 대중문화의 질이 떨어진다는 비판에 맞서, 대중문화 옹호론자들은 취향의 질을 높고 낮음으로 따질 수 없다고 주장해왔다. 그들이 이렇게 대중문화의 정당성을 역설해온 것을 고려할 때, 같은 대중문화 안에서 질의 높고 낮음을 논한다는 것 자체가 모순일 수 있다.

더욱 중요한 것은 이런 평가가 자칫 텍스트와 콘텍스트의 관계를 간과할 수 있다는 점이다. 자극적이고 감각적인 아이돌 음악이 대중의 사랑을 받고 있는 현상을 깊이 있게 이해하고 설명하기 위해서는 이런 논의에서 벗어나 콘텍스트와 연계한 설명이 반드시 필요하다.

학생들에게 제시한 글들 가운데 '노랫말이 아름다운 1990년대 가요'를 소개하는 기사가 있었다. 1990년대에 20대를 보낸 나는 그 노래들이 얼마나 좋은지, 또 그 가사들이 얼마나 서정적인지, 얼마나 뛰어난 음악성을 지니고 있는지 등을 강조하고 싶었다. 내가 속한 세대의 감수성에 아주 잘 들어맞는

* 가사나 멜로디를 계속 반복하는 후렴구를 통해 강하게 자극하는 방식의 음악을 말한다.

노래들이었기 때문이다. 하지만 텍스트와 콘텍스트의 관계를 고려하면 이러한 가사의 표현 방식이나 서정성 등은 상대적일 수밖에 없다. 즉, 시대적인 특성이 반영된 것일 뿐 질적인 우열을 논하기는 어렵다는 말이다. 요즘 젊은 세대의 감수성에는 오히려 직설적이고 공격적인 화법의 노래들이 더 잘 어울리는지도 모른다.

대중문화의 트렌드 읽기

이렇게 대중문화를 텍스트와 콘텍스트의 관계를 고려하면서 본다면, 대중문화의 흐름에 주목하게 되고 현재의 트렌드를 읽을 수 있는 눈이 생긴다. 나아가 다음에 올 트렌드를 미리 예측하는 능력도 기를 수 있다. 새로운 트렌드는 언제나 현재 대세를 이루고 있는 것에 대한 권태가 나타날 무렵에, 그 대세가 가진 결핍을 채워줄 수 있는 무언가로부터 시작하기 때문이다. 현재의 트렌드를 보며 과연 무엇이 대중의 마음을 사고, 그것이 사람들의 무엇을 충족해주는지, 또 그것이 결핍하고 있는 것은 무엇인지를 읽어낼 수만 있다면, 그것이 보완된 다음 트렌드를 예측할 수도 있고 아예 그것을 창출해낼 수도 있을 것이다.

다시 주제로 돌아와서, 대중문화의 텍스트는 그것을 둘러싸고 있는 콘텍스트를 읽을 수 있는 매우 좋은 자원이 된다. 대중문화는 우리가 살고 있는 시대, 사람들, 사회, 문화를 읽어낼 수 있는 데이터를 풍부하게 담고 있다. 처음부터 강조했듯이 이 책은 대중문화를 우리의 삶과 우리가 속한 사회에 대한 깊이 있는 이해(understanding)의 도구로 상정하고 있다.

대중문화를 이러한 관점에서 접근하는 것은, 단순히 좋다, 나쁘다 또는 옳다, 그르다의 윤리적·도덕적 틀로 쉽게 평가해버리고 마는 것보다 훨씬 생산적이다. 물론 1장에서도 언급했듯이 상대주의를 절대화하자는 말이 아니다. 자신만의 탄탄한 기준에 근거한 판단과 평가가 뒤따라야겠지만, 콘텍스트에 대한 깊이 있는 이해가 결여된 성급한 평가는 매우 위험하다. 이 책을 통해 '콘텍스트의 관점에서' 대중문화를 바라보는 연습을 하게 되길 희망한다.

좋은 문화와 나쁜 문화를 구분 지을 때 결국 주관적인 기준과 평가가 존재할 수밖에 없다. 원래 '문화'에는 생활방식의 다양성을 인정하는 개념이 내포되어 있다. 그렇기 때문에 옳고 그름, 좋고 나쁨을 판단할 때 과연 '나', '현재', '여기'의 기준으로 '타인', '다른 시대', '다른 공간'의 생활방식을 재단할 수 있는지에 대해 반드시 고민해봐야 한다. 우리가 가진 좋은 문화와 나쁜 문화를 구분하는 기준은 과연 정당한 것일까? 그렇다면 얼마만큼의 절대성을 지니고 있을까? 문화의 상대성과 다양성이 충분히 고려된 기준인지를 스스로 돌아볼 필요가 있다.

그동안 쉽게만 여겨졌던 것들이 어렵게 느껴진다면 그것은 당연하다. 별로 깊게 생각해보지 않았던 점들을 처음으로 진지하게 생각하게 되었기 때문이다. 다음 장들에서도 어떤 결론을 내리려 하지는 않을 것이다. 단지 화두를 던지고, 그에 대한 다양한 이야기들을 이끌어내며, 어떤 이야깃거리가 나올 수 있는지 확인하는 과정들이 전개될 것이다. 결론을 내리는 것은 각자의 몫이다. 그렇기 때문에 그 과정들이 다소 혼란스럽게 여겨질 수도 있다. 사실 그것이 지금 Part 1에서 목표로 삼은 것이기도 하다.

대중문화의 텍스트와 콘텍스트의 관계를 생각하다 보면 대중문화를 관심 있게 지켜보고 연구하는 일의 가치를 어렴풋이 알게 된다. 이것은 비단 대중문화 연구자에게만 해당되는 가치가 아니다. 대중문화 생산을 꿈꾸는 이들에게도 매우 중요한 능력이다. 나는 이 책에서 다루는 것들이 유능한 대중문화 생산자가 되는 데 유용하게 작용할 것이라고 감히 확신한다. 트렌드를 읽고 예측하며 창출해낼 능력을 길러줄 것이기 때문이다.

Ch.03

상업성을 향한 손가락질

대중문화의 상업성

KEYWORDS: 상업성, 정치성, 이데올로기, 엄숙주의, 혁신
생각해볼 문제: 나는 케이블 TV가 좋다/싫다. 왜냐하면…….

'대중문화의 상업성'이라는 매우 중요한 주제에 관한 토론을 풀어내기 위해 상업성의 전형이라고 할 수 있는 케이블 TV 이야기를 꺼냈다. 예전에는 케이블 TV가 지상파 방송을 재방송하는 정도의 역할밖에 맡지 못했지만, 몇 년 전부터는 자체 제작하는 프로그램이 늘어나고 시청률도 높아졌다. 이제는 도리어 지상파가 케이블의 인기 콘텐츠를 좇아가는 형국이 되었다. 그러는 가운데 '어떻게 이런 것까지 다룰 수 있을까?' 싶을 정도로 파격적이고 자극적인 콘텐츠도 많이 나오고 있다. 그런 케이블 TV에 대해 어떻게 생각하는지, '좋다' 또는 '싫다'로 평가하라고 한다면 어느 쪽에 손을 들고 싶은지 등을 토론해보기로 했다. 수업에 앞서 학생들이 케이블 TV의 명암에 관한 기사들을 미리 읽고 오도록 했다. 토론을 나누면서 상업성은 현재의 질서와 가치를 강화하는 이데올로기적 역할을 함과 동시에 엄숙주의를 깨고 혁신을 만들어냄으로써 기존 질서에 균열을 가하는 양가적인 기능을 한다는 것을 확인할 수 있었다. 또 이를 평가하기 위한 기준으로 상업성의 결과가 누구에게 유리 혹은 불리한지를 따지는 '정치성'이 제기되었다.

'상업성'이라는 괴물

세 번째 주제는 '대중문화의 상업성'이다. 우리 주변에서 쉽게 들을 수 있는 대중문화와 관련된 이야기들 중, 특히 '상업성'은 좀처럼 그 실체를 알기 어려운 '괴물' 같은 존재이다. 이에 이를 하나의 주제로 다뤄야겠다고 생각했다. 대중문화의 부정적 측면이나 문제점이 강조될 때마다 그 비판의 화살은 곧잘 '상업성'으로 향한다. 이러한 비판이 담긴 말과 글은 우리 주변에 넘쳐난다.

그런데 사실 사람들은 상업성의 실체에 대해 깊게 고민해보지 않은 듯하다. 우리는 실체에 대한 고민 없이 마치 중학교 국민 윤리 교과서에 나오는 (절대적인 것처럼 보이는) 규범과 같이, 대중문화의 상업성을 비판하는 주장들을 쉽게 받아들이고 그것을 별로 의심하지도 않는다.

그렇다고 20대가 상업성을 옹호하거나, 그것이 미디어 시스템을 운용하는 가장 적합하고 효율적인 방법이라고 주장하기를 바라는 것은 아니다(물론 그런 생각을 하는 것이 잘못되었다는 말도 아니다). 다만 상업성이 무엇인지에 대해 진지하게 고민하고 그것이 가져다주는 폐해를 따져보자는 것이다. '상업성'이 가져다주는 긍정적인 부분은 없는지도 논의하면서, 대중문화에 대한 우리의 사유와 이해의 폭을 넓히고 그 깊이를 더하기를 바란다.

학생들이 이 주제로 토론을 나눌 때 나 역시 평소보다 더 많이 개입할 수밖에 없었다. 종종 '악마의 변호사(devil's advocate)' 역할을 자청해 질문을 거듭하기도 했다. '도대체 저 사람은 어떤 생각을 가지고 있기에 이렇게 당연한 것까지 묻는 거야?'라고 생각하며 불편함을 느낀 학생도 있었을 것이다. 그러나 평소 자신의 생각이라고 굳게 믿었던 것이 사실 자신의 것이 아닐 수 있으며, 또 깊은 사유에서 나온 생각이 아닐 수 있음을 학생들 스스로 깨닫게 하고 싶었다. '상업성'에 대한 우리 생각의 뿌리가 매우 취약할 수 있기 때문이다.

내가 그동안 '상업성'에 대해 굉장히 부정적이었고, 그 부분만을 극대화시켜 보지는 않았나 하는 생각이 들었다. 토론을 하면서 상업성의 범위와 폭이 새롭게 확장되었다. 사고의 확장과 신선한 충격, 발견이 있는 시간이었다.

오늘 가장 많은 혼란이 온 것 같다. 지나친 상업성은 안 좋다고 여기면서도 상업성이 있는 채널들을 소비하고 있기 때문일까? 아니면 방송의 상업적인 측면에 장단점이 있는 걸 알지만 그 적절한 중간을 찾기가 어렵다고 느끼기 때문일까? 잘 모르겠다.

어쩌면 이런 반응은 마지막 학생의 말처럼 평소 우리가 가진 이중성 때문인지도 모른다. 상업성이라는 말만 나오면 쌍심지를 켜고 비판하지만, 사실 많은 경우 우리가 좋아하고 즐기는 것은 상업성의 전형을 보여주는 콘텐츠였던 것이다. 이런 모순적인 태도는 우리의 미디어 소비 행태 자체를 숨기거나 그것을 제대로 설명해내지 못하는 결과를 낳는다. 즉, 내가 좋아하는 것, 내가 즐기는 것을 부끄럽게 생각하고 당당하게 밝히지 못하는 것이다. 이는 대중문화를 진지하게 공부하고 이해하려는 사람에게는 결코 바람직한 태도라고 할 수 없다.

나는 케이블 TV가 좋다/싫다

쉽게 재단할 수만은 없는 '상업성'이라는 개념을 좀 더 깊이 이해하기 위해서는 상업성의 대표격으로 회자되는 케이블 TV에 대한 이야기를 나눌 필요가 있다. 케이블 TV는 최근 몇 년간 놀랍게 성장했다. 그에 따라 화제가 된 콘텐츠도 참 많았다. 그 때문에 우리의 이야기도 더 풍성해질 수 있었다. 학생들에게 케이블 TV에 나타난 상업성의 전형적인 사례로 어떤 것들이 있는지 생각해보도록 한 뒤 이야기를 나눠보니, 주로 케이블 TV의 광고, PPL 등이 거론되었다. 바로 다음과 같은 이야기들이다.

<겟잇뷰티>의 경우, 처음에는 '선입견을 버리고 보면 저렴한 제품이 더 좋다!'라는 콘셉트로 인기를 끌었다. 그런데 프로그램 자체가 거의 1시간 내내 광고의 형태를 띠고 있다 보니 비슷한 프로그램이 계속해서 생기기 시작했다. 가장 효과적이고 당당(?)하게 상업성을 드러낼 수 있으니 말이다. 그러다 보니 최초의 정보성과 분별력은 사라지고 제품 선정의 권위도 떨어졌다. 얼마 전 왓슨스(건강 · 미용 상품 전문 판매점)에 갔는데 거의 모든 제품에 'ㅇㅇ프로 1위' 표시가 붙어 있었다. 상업적인 측면을 표방한 모방 프로그램의 증가가 기존 프로그램의 긍정적인 면을 흐려놓았다고 생각한다.

물론 상업성이 드러나는 가장 대표적인 사례가 광고나 중간 광고, PPL이기는 하다. 하지만 이것이 상업성의 전부는 아니다. 오히려 우리가 더 중요하게 고려해야 할 부분은 바로 '상업성이 콘텐츠 자체에 미치는 영향'이다.

'상업성'이라는 개념을 이해하기 위해서는 먼저 미디어 상업주의를 생각해야 한다. 미디어 상업주의는 미디어 기업의 소득원을 상업적 방식으로 규정한 시스템을 말한다. 즉, 미디어 기업의 궁극적인 목적은 이윤 추구이고, 이를 위해 광고 등 상업적인 방식을 통해 그 목적을 달성하도록 하는 제도가 바로 미디어 상업주의이다. 따라서 상업성이란 이 같은 상업주의 아래 미디어가 선택과 행위를 할 때 '돈벌이'에 가장 높은 우선순위를 두려는 경향을 말한다. 즉, 단순히 광고와 PPL을 활용하는 것뿐 아니라 미디어 기업이 소재와 주제, 주장, 표현 방식 등을 선택하고 결정해 콘텐츠를 제작하는 과정을 전반적으로 포괄하는 말이 바로 상업성이다. 사실 케이블 TV와 관련한 현상 가운데 자주 기사화되거나 사람들의 입에서 오르내리는 부분들도 지상파와 차별화되는 해당 콘텐츠의 성격과 관련되어 있다는 사실을 기억해야 한다.

수업시간에 '나는 케이블 TV가 좋다/싫다. 왜냐하면……'이라는 어리석어 보일수도 있는 질문에 대한 답을 생각하면서, 케이블 TV에 부여된 의미들을 살펴보았다. 다음 학생들의 글에서 그 의미들을 확인할 수 있다. 먼저 케이블 TV를 싫어하는 사람들의 이야기이다.

상업성은 돈을 많이 버는 것, 이윤을 추구하는 것에 가장 큰 가치를 두기 때문에 보편적인 가치 또는 삶의 본질을 무시하는 경향이 있는 것 같다. 흥미를 불러일으키고 재미를 유발하기 위해 '인간을 상품화'한 프로그램들이 성행하고 있다. 만일 우리가 이러한 콘텐츠에 점점 더 노출되고 자극에 무감각해질 경우, 우리가 마땅히 취해야 될 가치를 역행한 콘텐츠를 담은 프로그램들이 우후죽순 생겨나지 않을까? 이런 흐름이 당연시될까 염려된다.

'왜 말초적이고 자극적이면 안 되는가?'라는 질문에 대해 '현실과 TV 사이의 괴리감을 만들기 때문'이라고 답할 수 있다. 아무래도 TV에서 자극적인 걸 많이 방영하면 그렇지 않은 우리 삶은 무미건조하고 재미없다고 느껴질 것이다. 실제 사회와 TV 속 사회 간의 격차가 커질수록 사람들이 현실에 발을 딛고 살아가기가 어렵게 되는 것 같다.

위의 글을 비롯해 케이블 TV를 싫어하는 이유로 제시된 말들은 주로 '재미 위주, 자극적, 선정적, 노골적, 과장, 왜곡, 진정성 결여, 책임감 결여, 보편적 가치 훼손, 윤리 · 도덕의 파괴' 등이었다. 이는 상업성이 만들어낸 부정적인 모습들이라고 할 수 있다.

그런가 하면 케이블 TV를 좋아한다는 의견도 많았다. 최근 케이블 TV의 활약으로 젊은 세대들의 인식이 많이 바뀌고 있는 듯하다. 다음의 의견들을 살펴보자.

케이블 TV는 지상파 TV의 전형적인 특성에서 오는 지루함을 해소시켜주었으며, 대중이 필요로 하고 원하는 것을 주면서 신선함을 느끼게 해주었다. 이런 점들 때문에 케이블 TV가 좋다고 생각한다. 지상파의 대부분을 차지하는 막장 요소나 아이돌 위주의 프로그램에서 대중은 싫증을 느끼고 있었다. 케이블 TV는 다양한 장르의 드라마를 선보이고 여러 세대가 즐길 수 있는 프로그램을 만듦으로써, 이러한 싫증을 해소시켰다. 또 케이블 TV가 지상파 TV에 비해 좀 더 다양한 것들을 추구한다는 점에서 트렌드를 만들어내고 대중문화를 발전시키고 있다고 생각한다.

나는 케이블 채널에 우호적인 편이다. 지상파 채널보다 스타일이나 포맷이 다양하고, 또 종편 채널 중 <유자식 상팔자>라는 프로그램을 보면서 부모님이랑 더 많이 대화할 수 있게 되었기 때문이다. 상업적 면에서 보면, 자극적인 소재나 속보이는 광고 등 때문에 여러 문제점이 있기도 하지만 긍정적인 면도 있다고 생각한다. 상업적인 특성 때문에 서로 경쟁하면서 더 좋은 프로그램, 다양한 프로그램을 만들 수 있을 것이기 때문이다. 즉, 상업성으로 인해 프로그램이 다양해지고 소비자에게 여러 선택권을 줄 수 있는 환경이 구축될 수 있다고 생각한다.

케이블 TV에는 지상파 TV에서는 보지 못했던, 또는 생각하지 못했던 프로그램들이 다양하게 나온다는 점에서 좋다고 생각한다. JTBC의 <마녀사냥>과 <비정상회담> 의 경우, 지상파에서 다룰 수 없었던 동거나 성적인 이야기 등을 솔직하게 나눔으로써 우리 사회의 개방성을 조금 더 확장시켜주었다고 생각한다(물론 청소년에게 악영향을 끼친다는 문제가 있지만). 또 JTBC의 <학교 다녀오겠습니다>나 tvN의 <오늘부터 출근> 등은 지상파에서는 없었던 포맷을 시도함으로써 시청자에게 새로움을 주었다고 생각한다.

이 외에도 많은 이유들이 언급되었지만 케이블 TV를 좋게 생각하는 사람들은 대체로 '신선함, 새로움, 현실적, 솔직함, 가볍게 즐길 수 있음, 재기 · 재치, 가식적이지 않음, 전문성, 다양성' 등을 매력적인 요소로 언급했다.

이렇게 케이블 TV의 특성을 살펴보려 했던 것은 그것이 긍정적이든 부정적이든, '상업성'이라는 가치를 기반으로 할 수밖에 없기 때문이다. 지상파 TV는 그 위상이 내포한 여러 가지 특성과 한계 때문에 상업성을 노골적으로 지향할 수 없다. 그러나 케이블 TV는 상업적인 성격을 더 강하게 가질 수밖에 없는 매체이다. 이 때문에 상업적인 성공을 위해 지상파와 차별화하려는 여러 가지 노력이 필수적이고, 그 속에서 우리가 부정적으로 또는 긍정적으로 평가하는 결과들이 나온 것이다.

우리 주변에는 대중문화의 상업성을 비판하는 목소리들이 아주 많다. 많은 사람들이 상업성을 평소 비판적인 입장으로 바라보았을 것이다. 비판적인 입장을 띤 대다수의 사람들은 많은 프로그램과 많은 대중문화 '상품'이 돈벌이에만 급급해 상업성을 띠게 되었다며 비판한다. 그런데 우리가 간과하기 쉬운 점은 사실 대중문화가 운용되는 시스템 자체가 상업성으로부터 자유로울 수 없는 구조라는 것이다. 그러나 이 점에 대해서 비판하는 목소리는 별로 크지 않다. 돈을 벌어야 생존할 수 있고 이윤 극대화가 최대의 목적이 될 수밖에 없는 구조하에, 대다수의 대중문화 상품들이 생산되고 있다. 일부 지상파 TV나 특수한 목적을 지닌 미디어 기업을 제외하면 대부분의 미디어 기업들은 자신들의 성과를 시청률과 청취율, 구독률만으로 평가한다. 이런 시스템 속에서 우리의 대중문화가 생산되는 것이다.

이미 구조를 그렇게 형성해놓고 그 속에서 생산된 대중문화 상품들만 상업적이라고 손가락질하는 것은 모순이 아닐까? 만약 구조적인 특성에 대한 근본적인 비판 없이, 상업성을 개별 프로그램의 문제로만 보거나 개별 제작자들의 양식 문제로 취급한다면 그런 비판은 너무 공허하지 않을까? 정말 상업성이 문제라면 대중문화가 만들어지는 구조, 시스템, 제도의 문제점을 지적하고 고쳐나가야 하는 게 아닐까? 즉, 케이블 TV의 상업성을 비판하는 사람들은 더욱 근본적이고 구조적인 부분에까지 비판의 영역을 확장해야 하지 않을까?

상업성의 양면적인 결과

앞서 말한 환경과 구조 속에서 상업성이 가져오는 결과는 가히 양면적이라고 할 수 있다. 또 이중적이라고도 할 수 있다. 긍정적인 효과도 있고 부정적인 효과도 있다. 사실 세상의 모든 일이 어느 한 측면만으로 설명될 수는 없는 노릇이다. 대부분 이중적인 측면을 모두 갖고 있기 때문이다. 다음의 글은 그런 구조적인 측면에 대한 인식을 바탕으로 상업성의 긍정적인 측면에 대해 이야기한다.

나는 상업성이 방송에 필요하다고 생각한다. 그래야 경쟁이 되고 더욱 양질의 콘텐츠가 나오기 때문이다. 상업성이 가진 두 얼굴 가운데 과도한 상업성보다는 경쟁 쪽을 지향해야 한다고 생각하다.

케이블 TV의 상업적인 모습을 비판하는 여론이 많았는데 나는 좀 다르게 생각한다. 상업성이 있어야만 우리가 원하는 즐거움(?), 재미(?)를 충족시킬 수 있는 콘텐츠가 나올 수 있다고 생각하기 때문이다. …… <마녀사냥>이라는 케이블 TV 프로그램이 음지(?)의 이야기를 꺼내 불편하다고 한 학생이 있었다. 물론 그렇게 생각할 수도 있다. 하지만 말 그대로 음지(?)의 이야기라는 이유로 친구들끼리 이야기를 하지 않는 것보다는 겉으로 이야기하는 것이 더 낫지 않을까? (다소 민망할 수는 있지만) 알아야 하는 내용들을, 토론을 통해 긍정적 · 부정적 측면을 구분하며 이야기할 수 있는 계기가 되어 좋았다. 다만 지나친 상업성을 지양하고, 적절한 수위(?)를 유지하는 것이 중요하다고 생각한다(지상파와 케이블의 중간 정도?).

TV 프로그램의 타깃은 '시청자', '대중'이다. '대중'을 끌어들이기 위해서는 '좋은 작품', '특이한 차별성을 가진 작품'이 필요하다. 이런 특징을 갖춘 프로그램을 만드는데 좋은 작가, 실력 있는 PD, 여러 포맷이 필요하다. 그리고 이 과정에서 상업성을 띨 수밖에 없다. 상업성을 띤 프로그램이 무조건 좋지 않다고는 할 수 없다.

그런가 하면 상업성을 긍정 · 부정이라는 이분법적인 틀을 넘어서 새로운 차원으로 해석해야 한다는 의견도 있다. 특히 2장에서 다루었던 대중문화의 텍스트와 콘텍스트의 관계와 연결 지어볼 수 있다.

대중문화의 상업성에 대해 생각하면서 지난 강의 때 읽을거리로 제공되었던 칼럼이 생각났다. 자극적인 요소로 무장된 케이블 TV 프로그램이 '상업적'일 수 있는 이유는, 결국 그 자극적인 콘텐츠를 소비하는 대중이 많기 때문이고, 이는 칼럼에서 지적한 대로 당대의 욕망이 반영되었기 때문인 듯하다. 그래서 케이블 TV의 상업성이 문제가 된다면 대중도 그 책임에서 자유로울 수 없다. 또 정치적 측면에서 볼 때 대중만 일방적으로 자극적인 콘텐츠에 노출된다고 할 수 없다. 그들의 욕망이 케이블 TV에 투영되기 때문이다. 어찌 보면 대중이 케이블보다 우위에 있다고 할 수도 있다.

나는 케이블 TV의 상업성에 대해 부정적이지 않다. 오늘 사람들과 대화하면서 느낀 점은 모두 케이블 TV의 상업성이나 콘텐츠에 대해 부정적인 생각을 갖고 있으면서도 결론은 결국 '본다'는 점이다. 어찌 되었건 간에 수요가 있기에 공급이 있는 것인데, 대중은 욕을 하면서도 수용한다는 것이다. TV가 이토록 상업적이게 된 데에 대중의 반응과 피드백이 가장 큰 요인으로 작용했다고 생각한다. 따라서 케이블 TV의 상업성에 대해 비판만 할 수는 없다고 생각한다.

그런가 하면 비슷하지만 조금 다른 논리의 주장도 있다. 상업적 시스템은 인정하되, 그 폐해를 줄이기 위해서 시청자들의 책임을 부각시켜야 한다는 것이다. 상업적 대중문화 시스템이란 결국 소비자 · 시청자들의 행위에 따라 움직이기 때문에 상업성이 만들어내는 문제점이 있다면 그것의 해결도 시청자들에게 달려 있다는 논리이다.

방송사(지상파, 케이블 포함)도 하나의 기업이기 때문에 부를 창출할 때 상업적인 선택을 할 수밖에 없다고 생각한다. 그래서 방송 프로그램이 다른 매체나 상품 등으로 상품화되는 것은 당연하다고 본다. 콘텐츠의 수위나 내용이 자극적으로 변화하는 것도 마찬가지다. 그런데 이때에는 생산하는 방송사의 문제도 있지만, 그를 수용하는 시청자에게도 문제가 있다. 흔히 취지나 목적이 불순해서 마음에 안 드는 상품을 '보이콧'하듯이, 시청자들은 프로그램을 '똑똑하게' 수용해야 한다. 내용이 자극적이고 선정적이어도 높은 시청률이 나오고 사람들 사이에서 자꾸 회자되면, 그 후의 프로그램들도 더욱 자극적으로 제작되는 것 같다. 물론 사람들의 취향이 다양한 만큼 내용, 수위, 자극의 정도도 다르고 원하는 프로그램도 달라 자극적인 프로그램들이 필요하기도 할 것이다. 따라서 시청자들은 케이블, 지상파 등 다양한 채널이 있는 상황에서 프로그램을 받아들이는 자신의 생각을 정립하고, 구별해 선택하는 바람직한 눈을 가졌으면 좋겠다.

여기서 먼저 이해해야 할 것은 상업주의가 기반을 둔 시장주의에서는 소비자의 선택 자체를 선(善)으로 간주한다는 점이다. 즉, 소비자의 선택을 가늠하는 지표인 시청률, 청취율, 구독률, 관객 수에 따라 좋은 콘텐츠와 그렇지 않은 콘텐츠가 구분된다. 많은 소비자의 선택을 받아 시장에서 살아남은 콘텐츠는 그 내용이 아무리 자극적이고 선정적이고 소위 '막장'이어도, 시장이라는 질서가 인정한 좋은 콘텐츠로 간주된다. 이런 관점에서 시청률, 청취율, 구독률, 관객 수 등 시장에서의 성패를 보여주는 지표들은 매우 중요한 의미를 지닐 수밖에 없다. 상업주의 구조가 요구하는 콘텐츠의 품질을 감별해낼 수 있는 핵심적인 잣대가 되기 때문이다. 따라서 위에서 언급한 대로 대중문화의 상업성에 대한 논의는 이런 상업주의 대중문화 생산 시스템을 승인할지에서부터 출발해야 한다. 이런 구조적이고 근본적인 이야기는 무시하거나 간과한 채 상업성의 지엽적인 측면만을 평가하는 것은 공허할 뿐이다.

상업주의적 환경과 구조 속에서 상업성이 가져다주는 결과가 양면적 · 이중적이라고 해서 그 양면을 모두 인정해야만 하거나, 아예 가치판단을 하지 말아야 한다고 주장하는 것은 아니다. 긍정적 측면, 부정적 측면 모두의 경중을 따져본 후, 자신의 가치관에 따라 어느 것이 더 중요한지를 판단해서 그에 대한 입장을 정하는 것이 옳다.

나는 그런 판단을 내릴 수 있는 기준으로 '정치성'을 들 수 있다고 생각한다. '정치성'이라는 개념을 쉽게 규정하면 누구(어느 집단)에게 이익이 되는지, 누구(어느 집단)에게 해악이 되는지를 따져보는 것이라고 할 수 있다. 이를 상업성과 연결해본다면, 상업성이 만들어내는 결과가 결국 누구에게 유리하고 누구에게 불리한 것인지를 생각해보는 일이라 하겠다. 여기에서 말하는 '누구'는 사회를 구성하는 여러 집단을 의미한다. 각 집단이 가지고 있는 '권력(power)'과 관련지어 생각해볼 수 있다. 학생들은 수업시간에 정치성이라는 기준을 들은 후, 새로운 관점에서 대중문화를 바라보게 되었다고 말했다.

상업성을 피우하는 것은 현재의 기득권이라고 생각한다. 상업성이 짙어질수록 약자가 나설 자리는 더욱 좁아지고 '약자의 뒤집기'가 불가능해질 것이다.

수업의 마지막에 '정치성'에 대한 이야기를 나눈 뒤, 전과는 다른 시선으로 대중문화를 바라보게 되었다. 최근 대중문화에서 중요한 키워드인 '힐링' 또한 정치성을 가지고 있다는 생각이 든다. 예전에 보았던 드라마 중에 "'아프니까 청춘이다'라는 말을 믿지 말고 왜 아픈지 제대로 알아야 해"라는 대사가 있었는데, 이 대사가 대중문화의 정치성을 잘 설명해주는 것 같다. 대중문화에서 계속되는 힐링이 결국 일시적인 위로의 기능으로만 그칠 뿐 정작 현실의 문제를 고민해볼 기회는 줄이기 때문이다.

이러한 틀에서 생각해볼 때 가장 쉽게 짐작할 수 있는 것은 상업성이 현재 기득권층에게 유리하다는 점이다. 이는 두 가지로 나누어 생각해볼 수 있다. 첫째, 상업성의 목적을 극대화시키기 위해서는 무엇보다 더 많은 사람들이 좋아할 만한 콘텐츠를 생산해내야 한다. 그런데 더 많은 사람이 좋아하려면 누구의 심기도 거스르지 않아야 하며, 그렇게 하려면 정치적으로 민감한, 심각한, 불편한 이슈는 건드리지 않는 것이 유리하다. 이런 측면에서 해석해볼 때 상업적인 콘텐츠가 대체로 오락적이고 자극적인 측면이 강한 것도, 대중의 관심을 현실 정치와 구조적인 문제로부터 사변적이고 표피적인 문제로 전환시키려는 지배 권력의 의도에 부합하는 것이라고 볼 수 있다.

둘째, 상업성은 본질적으로 돈의 흐름에 민감할 수밖에 없다. 따라서 상업성이 강한 콘텐츠를 생산할 때에는 문화 산업의 돈줄인 광고주들에게 의존적이기 마련이다. 또 광고주들은 자신의 상품을 소비할 여력이 되는 집단이 선호할 만한 콘텐츠를 원한다. 따라서 상업성이 목표가 될 때, 경제력과 소비력을 갖춘 집단의 입맛에 맞는 성격의 대중문화 콘텐츠가 생산될 가능성이 커진다. 나아가 결국 그런 집단의 정치적 이익에 봉사하는 목소리만이 대중문화에 담기는 결과가 초래될 가능성이 커진다. 결국 상업성은 현 질서, 현 권력에 봉사하는 기제로 작동하게 된다.

한편 상업성의 정치적 함의를 다른 측면으로도 생각해볼 수 있다. 다음의 글들을 읽어보자.

상업성과 '정치'를 연관시켜 생각해보니 대중문화 콘텐츠의 경쟁이 과열될수록 차별성을 띤 소재나 아이템을 찾게 되고, 이것이 결국 '주류'가 아닌 '비주류'에 주목하는 결과를 낳지 않았나 하는 생각이 들었다. 방송이라는 막강한 영향력을 가진 매체가 비주류에 관심을 갖게 되었다는 것은 여러 측면에서 큰 의미를 지니고 있는 것 같다. (인디 음악, 일반인을 주요 패널로 삼는 프로그램, 저예산 드라마 등이 비주류에 관심을 보이는 사례라 할 수 있다) 결국 확장시켜보면 이러한 대중문화의 흐름은 거대 정당보다는 군소 정당, 소통이나 인간애를 중시하는 정치적 집단에 유리하지 않을까 하는 생각을 해보았다.

'정치적'이라는 말을 조금 다르게 해석해볼 수도 있다. 케이블 텔레비전은 '덜' 정치적이기에 오히려 그동안 너무도 정치적이어서 '소수를 억압하던' 방송 풍토를 바꿀 수 있었다고 생각한다. 그 예로서 케이블 TV가 '동성애'를 처음으로 다룬 것을 들 수 있다. 물론 동성애를 '어떤 모습으로 그리느냐' 하는 문제는 여전히 남아 있지만, 소수자 논의에 대한 물꼬를 텄다는 점에서 긍정적으로 볼 수 있다.

위의 글들이 말해주듯이 케이블 TV는 지상파와의 경쟁이나 다른 채널들과의 경쟁에서 생존하기 위해, 즉 상업적 이익을 위해 '새로움'과 '차별성'을 추구하게 된다. 그 결과 기존 지상파에서는 배제될 수밖에 없었던 목소리가 나올 수 있는 여지가 생기기도 한다. '정말 사람들이 원하는 것은 무엇일까'를 찾기 위해 부단히 노력하는 과정에서, 그동안 지상파에서 간과되었던 것, 무시되었던 것, 돈이 안 된다고 포기했던 것을 찾아 끄집어낼 수 있다. 그리고 사람들에게 그것이 의미가 있다고 평가되면 사랑을 받게 되고 결과적으로 상업적인 이윤도 얻을 수 있게 된다. 지상파처럼 다수의 사람들이 좋아하지는 않더라도 수지만 맞으면 그들을 위한 콘텐츠를 생산할 수 있다. 이를 '틈새시장(niche market)'이라 부른다.

또한 케이블 TV는 본질적으로 사회적 규범에 민감할 수밖에 없는 지상파의 한계를 뛰어넘어, 그 규범에 도전하는 이야기들을 표출시킬 수 있다. 지상파와 케이블에 대해 우리가 설정해놓은 기대 수준에는 차이가 있다. 케이블 TV에 적용되는 유연한 기준으로 인해, 지상파에서 금기로 여겨졌던 것들이 케이블에서 다루어지곤 한다. 객관성 · 중립성 · 과학성 · 보편성 · 합리성 등의 이름으로 강제되었던 규제가 느슨해지기 때문이다. 우리가 위에서 자극적 · 선정적 · 노골적이라고 표현했던 것들이 케이블에서 비로소 가능해진 것도 그런 까닭이다. 즉, 지상파가 지켜야만 하는 일종의 '엄숙주의'를 깰 수 있었던 것은 사실 케이블의 상업성 때문이다. 우리가 케이블 TV를 보면서 느끼는 일종의 '쾌감'은 어쩌면 그런 점에서부터 출발하는지도 모르겠다. 그렇다면 이런 규범 파괴가 가져오는 정치적 효과는 과연 무엇일까?

수업 중 토론에서 케이블 TV를 싫어하는 이유로 '책임감 결여'를 지적하는 목소리도 있었다. 케이블 TV를 보면 기존의 사회규범, 질서, 윤리, 도덕을 따르지 않는 무책임한 모습이 보이기도 한다는 것이다. 현재 질서의 정당성을 인정하고 그것의 파괴를 염려하는 입장에서 볼 때 케이블 TV의 행태가 부정적일 수밖에 없는 근본 이유이다. 그런데 문제는 기존의 사회규범, 질서, 윤리, 도덕이라는 것도 그 자체로 절대적이지 않다는 사실이다. 이것들은 사회의 역사, 권력관계, 시대적 배경에 따라 변화하는 상대적인 것이다. 즉, 우리의 규범, 윤리, 질서도 시대에 따라, 사회에 따라 달라질 수밖에 없다. 또한 입장에 따라서는 기존의 규범과 질서 자체가 본질적으로 현재의 기득권층에게 유리하게 조직되어 있다고 생각할 수도 있다. 이런 입장에서 본다면 그것에 도전하고 그것을 깨려는 케이블 TV의 시도는 정치적으로 매우 의미 있고 긍정적인 일이라고 해석할 수 있다. 현재의 질서를 대신할 새로운 규범과 질서, 가치가 나타나고 공유되며 힘을 얻을 수 있는 가능성과 잠재력을 보여준다는 점에서 그러하다.

물론 이런 입장에서 볼 때에도 한계가 많은 것이 사실이다. 위에서 낙관하듯 케이블이 과연 우리가 선택할 수 있는 '모든 것'을 갖추었는가를 생각해보면 꼭 그렇지만은 않기 때문이다. 현재 케이블 TV가 다양한 세대, 인종, 취향, 성향 등을 가진 사람들을 위한 콘텐츠를 얼마나 제공하고 있는지를 꼼꼼히 따져보면 그리 낙관적일 수만은 없다. 그런 의미에서 '다양성'이라는 개념은 상업성이 가져다준 정치적 결과를 평가하기 위한 또 하나의 기준이 된다. 다음은 케이블 TV가 가져온 다양성에 대한 서로 다른 의견들이다.

나는 상업성이 충분히 다양성에 기여한다고 생각한다. 다양성의 한 예로 생각되는 프로그램인 <비정상회담>도 대중문화의 새로운 틀을 만드는 데 역할을 했다고 생각한다. 과거의 리얼리티 프로그램, 오디션 프로그램, 육아 프로그램이 자리를 잡는 데 상업성이 큰 영향을 끼치지 않았을까?

지상파에서는 예능 프로그램이나 토크쇼 프로그램이 20대를 겨냥해 편성, 기획되고 있다. 반면, 케이블에서 방영하고 있는 <동치미쇼>나 <황금알>, <엄지의 제왕> 같은 예능 프로그램들은 요새 볼 것 없다는 부모님들이 즐기기에 좋은 프로그램들이다. 이렇게 다양한 연령대를 타깃으로 한 프로그램이 다양하게 나온다는 점에서 케이블 TV가 좋다고 이야기할 수 있다.

나는 상업성을 추구하는 대중문화의 경향 때문에 다양성이 없어진다는 느낌을 받는다. <아빠 어디가>가 잘 되었기에 KBS2의 <슈퍼맨이 돌아왔다>나 SBS의 <오마이베이비> 등 비슷한 포맷의 프로그램이 만들어졌다고 생각한다. <슈퍼스타K>가 높은 시청률과 인기를 얻자 지상파에서 <K팝스타>와 <위대한 탄생>이 나왔듯이, 방송사는 이미 증명되어서 어느 정도 시청률이 나올 거라 예상되는 프로그램을 만드는 경향이 있는 것 같다. 즉, 다양한 프로그램보다 비슷한 프로그램이 나오게 된다. 그래서 상업성이 다양성을 흐리게 만든다고 생각한다.

사실 '다양성'도 상업성만큼이나 만만하게 볼 수 있는 개념이 아니다. 우리가 다양하다고 말할 때 그 '다양'은 무엇을 의미할까를 깊게 따져봐야 한다. 그래야 그것의 의미가 분명히 드러나기 때문이다. 채널이 많아지고 시청자 타깃이 전문화된 것으로 다양성이 확보되었다고 판단하는 사람도 있을 수 있겠지만, 그 수많은 채널들에서 보여주는 것들이 결국에는 다 비슷한 (정치적) 목소리 아니냐고 생각하는 사람도 있을 수 있다. 그렇다면 무엇으로 그 다양성을 평가할 수 있을까? 이것은 대중문화론에서 진지하게 고민해야 할 또 다른 숙제이다. 앞으로 이 부분에 대한 이야기를 더 많이 하게 될 것이다.

이렇게 우리의 논의가 다양성에까지 이르게 되면, 대중문화를 논하면서 흔히 나오는 '대중성'이라는 개념의 의미에 대해서도 다시 한 번 고민할 수밖에 없다. 대중성이라면 많은 사람들이 좋아하는, 많은 사람들이 즐기는 것을 말한다. 그렇다면 대중문화가 되는 데 '대중성'이 정말 꼭 필요한 것인지, 대중적이지 않으면서도 좋은 '대중문화'일 수 있는지, 오히려 '좋은' 대중문화가 되는 것이 결코 대중적일 수 없음을 의미하는 것은 아닌지 등의 질문을 해볼 수 있다. 우리가 계속해서 씨름해야 하는 질문이다.

1장에서 많은 학생들이 좋은 문화와 나쁜 문화는 구분 지을 수 있는 것이 아니라는, 상대주의적인 태도를 밝혔다. 그런데 상업성이라는 주제와 관련해서는 많은 학생들이 대중문화의 상업성을 비판하면서 은연중에 대중문화의 저급성, 대중 취향의 저급성을 전제로 하고 있었다. 그런데 만약 한 사람이 이 두 가지 태도를 함께 견지한다면 이는 서로 모순이지 않을까? 문화는 상대주의적으로 평가해야 한다고 말하면서 동시에 상업적 대중문화는 자극적이고 노골적이어서 문제라고 말하는 것은 모순이지 않느냐는 것이다. 다음 장에서는 이렇게 말하는 입장들이 기초하고 있는 다양한 논리들에 대해 더 알아볼 수 있을 것이다.

Ch.04

대중문화를 바라보는 시각의 여러 갈래

KEYWORDS: 다원주의, 대중문화 긍정론·비판론, 마르크스주의, 문화연구, 엘리트주의
생각해볼 문제: 다른 사람들은 나의 대중문화관을 '무엇'이라고 부를까?

이 장을 다룬 수업에서는 처음이자 마지막으로 강의를 했다. 학생들에게 미리 예고하지 않고 진행된 이 강의에는 '깜짝 강의'라는 이름을 붙였다. 이 강의는 '혼란스러워지기'를 목표로 했던 Part 1을 마치면서, 학생들이 지금까지 느낀 혼란스러움의 원인을 찾도록 하기 위해 마련된 것이다. 사실 여러 사람이 함께 대중문화에 관한 이야기를 나눌 때 혼란스러움을 느꼈던 것은 대중문화를 바라보는 다양한 시각이 존재하기 때문이다. 대중문화를 바라보는 시각과 관점은 매우 다양하며 그런 관점들은 서로 조화를 이루기도 하지만 때로 충돌하기도 한다. 각각의 시각들은 저마다 대중문화에 대한 독특한 정의와 평가를 지닌다. 강의에서는 먼저 대중문화라는 개념의 범위를 살펴본 후 이를 '비어 있는(open)' 개념으로 규정했다. 그리고 이를 다시 두 개의 긍정론과 두 개의 비판론으로 나누어 설명했다. 대표적인 대중문화 저서인 『대중문화의 이해』(김창남, 2010)를 참조해 엘리트주의적 비판론, 마르크스주의적 비판론, 다원주의적 긍정론, 문화연구의 긍정론으로 구분했다. 엘리트주의적 비판론은 대중문화를 고급문화를 파괴하고 훼손하는 저급문화로 규정하며 그 윤리적·도덕적 저급성을 비판적으로 바라본다. 마르크스주의적 비판론에서는 대중문화가 자본주의와 정치권력에 의해 조작된 것이며 결국 대중의 비판의식과 올바른 현실 인식을 방해하는 도구로 작용한다고 비판한다. 한편 다원주의적 긍정론에서는 대중문화를 다원화된 사회의 진보가 문화 영역에 반영된 것으로 파악하며 이를 통해 다양한 부류의 사람들이 문화적 선택권을 갖게 되었다고 옹호한다. 문화연구의 긍정론은 대중문화가 갖는 저항적 실천의 잠재력을 높이 평가하며 이를 통해 사회변동의 가능성을 모색한다. 물론 이러한 구분은 매우 큰 범위에 따른 것이며, 각 관점 내에도 다양한 시각들이 존재한다. 더 자세한 내용은 위의 책을 참조해보기 바란다. 대중문화를 공부하는 학생이나 대중문화에 관심 있는 사람이라면 꼭 읽어볼 만하다. 여기서 우리가 질문해봐야 할 것은 '대중문화를 바라보는 나만의 시각이 존재하는가?', '만약 있다면 다른 사람들은 그것을 무엇이라고 부르는가?'일 것이다.

아!! 아……??

엘리트주의, 마르크스주의, 다원주의, 문화연구 등 대중문화를 바라보는 관점에 관한 깜짝 강의가 학생들의 혼란스러움을 완전히 해소해주지는 않은 듯했다. 오히려 점점 더 혼란스러워진다는 의견이 많았다.

이 수업은 '아……!!'가 되었다고 느낄 때쯤 교수님의 몇 가지 질문, 이야기에 금세 다시 '아……??'가 되어버리는 것 같다.

이전까지는 마냥 재밌고 편한 수업이라고 생각했는데 지금은 오히려 대중문화관에 대해 더 혼란스러워졌다. 이 수업이 결코 쉬운 수업은 아니구나 하는 생각이 들었다.

이 수업을 설계한 사람으로서 학생들의 이러한 반응을 확인하고는 오히려 안심이 되었다. 내 의도가 학생들에게 어느 정도 통하고 있다는 것을 확인했기 때문이다. 지금까지 이 책을 읽으며 위의 학생들과 비슷한 감정을 느꼈다면, 이 혼란스러운 과정이 생각을 탄탄히 하기 위해 한 번은 반드시 겪어야 하는 것임을 알아야 한다. 지금까지 한 번도 의심해보지 않았던, 너무나 당연하게 생각했던 것들을 처음으로 진지하게 생각해보게 되었으니 그런 혼란이 생기는 것이 자연스럽다. 사실 지금 그런 과정을 겪지 않는다면 앞으로 대중문화에 대해 진지하게 고민하거나 문제의식을 갖는 일 없이 그저 무심한 눈으로 지나치게 될지도 모른다.

이 혼란스러움은 곧 나아질 것이다. 하지만 가만히 있는 것으로는 저절로 나아지지 않는다. 그만큼의 고민과 치열한 사유가 뒤따라야만 한다.

'깜짝 강의'를 통해 혼란스러움을 완벽하게 없애주는 '정답'을 전달하려 한 것은 아니었다. 그동안 우리가 해왔던 이야기들, 앞으로 할 이야기들, 우리 주변에 있는 대중문화에 관한 수많은 논의들을 이야기하는 동시에 대중문화가 나아가야 할 방향과 대중문화의 수작(秀作)* 등과 관련해 도움을 얻을 수 있을 만한 내용들을 소개했을 뿐이다. 이것은 특히 학생들 각자의 대중문화관을 만들어가는 데 참고가 되기를 바라는 마음에서 설계한 강의였다.

물론 이 강의를 통해 혼란스러움의 이유를 찾았다는 반응도 있었다.

이번 깜짝 강의를 통해 내가 혼란스러웠던 이유가 무엇인지 어렴풋이 알게 되었다. 내가 생각하는 대중은 무엇인지, 나는 대중문화를 긍정적으로 평가하는지 등 내가 혼란스러웠던 점들을 생각해보는 기회가 되었다. 이제 어느 정도 머릿속에 정리가 된 것 같다.

그냥 강의로 대중문화 설명을 들었다면 이렇게 집중할 수는 없었을 거다. 궁금한 걸 해소하는 기분이 어떤 느낌인지 알 것 같다. 내가 대중문화를 보는 눈에는 부정적 시선과 긍정적 시선이 모두 조금씩 존재해서, 듣는 동안 '내가 모순적인 건가?' 하는 생각도 들었다. 그렇지만 이것도 나만의 대중문화관을 다지는 과정이라고 생각하니 조금이나마 마음이 놓였다.

다음 글들처럼 이 강의에서 다루었던 여러 관점들이 학생들의 대중문화관을 만들어가는 과정에 도움이 되었다는 반응도 있었다.

---

* 이 수업의 일환으로 학생들이 조를 이루어 대중문화의 수작 하나씩을 선정해 발표하도록 했다.

오늘 강의를 듣고, 그동안 막연하게 생각으로만 존재했던 것들이 '아, 이런 관점이구나'라는 걸 알게 되어서 좋았다. 오늘 배운 이론을 잘 이해하면 앞으로 대중문화에 관해 더 잘 생각할 수 있을 것 같다.

그런가 하면 강의를 듣고 오히려 더 많은 고민거리들이 생기고 혼란이 가중되었다는 반응도 있었다. 하지만 그 고민과 혼란은 충분히 가치가 있다고 생각한다. 자신의 생각을 다른 관점들과 비교해볼 수도 있고, 혹시 그 안에 있을지 모르는 모순과 비논리를 성찰할 수도 있기 때문이다.

대중문화의 범위는 어디까지인가, 대중은 누구인가, 대중문화란 무엇인가 등 여러 개념들이 혼재되어 있어 더욱 혼란스럽다. 다 받아들이기에는 모든 것이 대중문화가 되어버린다. 그렇다면 내가 생각하는 모든 것이 대중문화인가? 아니다. 아닌 것부터 차근차근 정리해보고 나의 가치관을 정립해야겠다.

Part 2를 잘 따라갈 수 있을까 걱정이 앞선다. 대중문화란 정말 무엇일까? 학기가 끝날 때쯤이면 명확하고 경쾌한 정의를 내릴 수 있게 될까? 오늘도 많은 것을 생각하고 제대로 된 정리와 정의를 내리지 못한 채 수업이 끝났다. 불안하기도 하고 답답하기도 하다.

사람과 사회를 보는 눈으로 말하는 대중문화

깜짝 강의 때 소개한 개념들과 생각의 갈래들은 그동안 대중문화를 연구한 많은 사람들, 특히 대중문화에 학문적으로 접근하려 했던 사람들의 사유를 분류하고 정리한 것이다. 하지만 그 가운데 어느 것도 절대적일 수는 없다. 따라서 이러한 입장들을 공부하면서 다음과 같은 경험을 했다면 하나도 잘못된 것이 아니다. 오히려 이렇게 느끼는 것이 당연하다.

'대중문화를 바라보는 여러 시선들'을 크게 네 가지로 분류한 설명을 들었다. 그런데 부정론 (1), (2)와 긍정론 (1), (2)의 설명을 들을 때마다 마치 내가 다중인격인 것처럼 모든 이론에 설득을 당하는 것 같았다. 내 나름대로 대중문화를 어떻게 생각해야 하는지 정립하려 했는데, 지금까지 내가 정립한 것이 정말 바다 한가운데서 떠올린 물 한 컵만큼 작은 거라는 걸 깨달았다. 네 가지의 부정론과 긍정론도 상황에 따라 다르게 적용될 것 같다. 그럼 나의 정치관, 세계관, 가치관에 의거해 대중문화관을 정립하고 난 다음에도, 상황에 따라 변형할 수 있는 것일까? 한 학기 내내 내 생각이 이랬다, 저랬다 할 것 같아서 고민된다.

대중문화에 관한 여러 시각들 중 어떤 것이 옳고 그른 것은 아니다. 서로 다른 입장과 관점에 근거한 주장을 담고 있기 때문에 그 어느 것도 정답이 될 수는 없다. 다만 우리 각자의 대중문화관을 만들어가고 탄탄하게 하는 데 이런 생각들이 참고가 되고 길잡이가 된다면 충분할 것이다. 여기서부터는 우리 각자의 몫이다.

대중문화를 바라보는 시선의 여러 갈래에 덧붙여 나만의 대중문화관을 또 하나 만드는 것이 잘못된 것 아니냐는 질문도 있었다.

나만의 대중문화관을 가지라고 하셨는데 나만의 방식으로 대중문화를 멋대로 정의는 것도 잘못된 정의 아닐까?

내 생각은 이렇다. 대중문화에 대한 '잘못된 정의'는 있을 수 없다. 강의에서 소개한 정의들도 누군가에 의해 처음 규정된 것이며, 다른 사람들의 동의를 얻고, 비판을 받아 수정되는 과정을 거치면서 만들어진 것들이다. 앞으로도 수많은 정의들이 새롭게 나오고 또 서로 경합할 것이다. 우리가 그런 역할을 한다고 해서 잘못된 것일 리 없다. 오히려 남의 생각을 아무런 성찰 없이 그저 받아들이고, 그것이 마치 자신의 것인 양 치부하는 것만큼 어리석은 일도 없다. 그런 대중문화관은 자신에게 아무런 힘을 행사하지 못할 테니 말이다. 물론 각자의 대중문화관이 완전히 새로울 수는 없다. 기존에 소개된 생각들과 어떻게든 맥을 같이 할 수 있을 것이다.

한편 다음과 같이 걱정하는 학생들도 있었다.

오늘 특강이 좋기는 했지만 아직 내 생각이 굳어지지 않은 상태에서 들은 탓에 기존의 이론 틀 안에 갇히게 될까 봐 걱정이 앞선다.

대중문화를 바라보는 대표적인 시각들을 배우고 나니, 내 생각과 비슷하다고 생각되는 기존의 (정리된) 시각에 내 시각을 끼워 맞추게 되는 것이 없지 않아 있었다.

이런 영향은 사실 나도 우려하는 바였다. 그래서 이 수업과 이 책에서는 되도록 이론적인 부분을 다루지 않았고, 나 자신의 생각도 가급적 주장하지 않으려고 애썼다. 이런 이론적인 틀은 자칫 학생들 각자가 자신의 생각을 바탕으로 대중문화관을 만들어가는 데 방해가 될 수도 있기 때문이다.

한편 다음과 같은 질문들이 생기기도 했다. 강의에 소개된 시각들 중 어느 하나만 '정답'이고 나머지는 잘못된 시각인 것인지, 또는 어느 하나만을 신택하고 나머지는 버려야 하는지에 대한 의문이었다. 매우 좋은 질문이라고 생각한다.

대중문화관이 꼭 하나의 시각에만 국한되어야 하나? 예를 들어 대중을 볼 때는 문화연구의 긍정론적 시각으로 바라보고, 대중문화 콘텐츠를 바라볼 때는 마르크스주의적 비판론적 시각으로 바라봐도 괜찮을까?

대중문화를 매스컬처로 정의하니, 왠지 내가 그동안 해왔고 앞으로 하려 했던 것들이 모두 부정당하는 것 같은 기분이 든다. 왜일까? 내가 만들어나갈 대중문화가 저급하게 평가되는 것이 싫어서일까? 아니면 나 자체가 부정적인 의미의 '대중'이기 때문일까? 초기의 대중문화가 매스컬처의 형태를 띠었다는 점에는 동의하지만 지금은 꼭 그렇지만은 않은 것 같다. 대중문화가 매스미디어 문화이자 파퓰러컬처인(?) 현재로서는 파퓰러컬처적인 성격이 가장 강하고 다른 요소는 여기에 종속된 것 같다. 셋 중 하나를 선택해야만 하는 걸까? 허위의식이 담긴 저급한(?) 부정적인 대중문화도 있고 대중이 스스로 창조해낸 그런 대중문화도 대중문화인 것 같은데……. 그래서 대중문화를 좋다 · 나쁘다라고 말하지 못하겠다. 바람직한 대중문화의 방향은 말할 수 있지만 말이다. 이 이야기를 들으면 이 말도 맞는 것 같고, 저 이야기를 들으면 저런 측면도 이해가 되어서 더 혼란스럽다. 정리하자면 나는 그나마 '저항하는 대중문화'에 가까운 것 같다. 그런데 그 저항하는 대상이 만든 문화가 (또는 대중이 만든 것처럼 보이지만 사실은 엘리트 계층의 의도가 반영된 문화가) 결국 대중문화 아닌가? 왠지 선명하게 의견이 잡히는 듯하면서도 더 혼란스럽다.

앞의 질문에 좀 더 부연을 하자면, '문화연구'가 바라보는 대중문화는 '의미(meanings)의 투쟁'이 벌어지는 장이라고 할 수 있다. 여기서 투쟁이라는 개념은 대중문화라는 영역 속에서 다양한 세력들이 자신의 이익을 극대화하기 위해 서로 경쟁하고 다툼을 벌인다는 시각에서 출발한다. 즉, 기존에 권력을 쥐고 있는 세력들은 대중문화를 통해 그 지배력을 더욱 확장시키려 노력하고, 지배를 당하는 세력들 역시 가만히 앉아 그 영향력에 조작당하는 대신 그러한 시도를 간파하고 방어하거나 저항하려 노력한다. 문화연구는 이런 시각에서 대중문화의 어떤 부분에서 지배 세력의 영향력이 행사되는지, 또 어떤 부분에서 저항의 잠재성이 드러나는지를 탐색하고 그 힘의 크기와 의미를 밝히는 데 큰 관심을 둔다. 따라서 위에서 고민하는 학생들의 입장은 이러한 '문화연구적 입장'으로 수렴될 수 있다. 반면 '마르크스주의적 비관론'이라고 이름을 붙인 입장에서는 대중이 가지는 저항의 잠재력을 그다지 인정하지 않는다. 또 대중문화를 자본가 계급의 힘이 강력하게 행사된 것, 그들의 이해가 반영된 것으로 보고 지배 이데올로기가 일방적으로 영향을 미치는 대상으로 간주한다. 따라서 대중문화를 일반적으로 평가할 때는 부정적일 수밖에 없다.

물론 여기에 소개한 시각들은 지금까지 대중문화를 바라보는 관점들 가운데 대표적인 것 몇 가지만을 정리한 것이다. 따라서 이 외에도 더 많은 관점이 존재할 수 있으며, 각 관점들 내에도 더 세부적인 입장에서 차이를 보이는 시각들이 존재한다.

다시 말하지만, 이 시각들 중 어느 하나만 정답이고 다른 것들은 틀렸다고 말할 수도 없다. 다만 우리는 어떤 전제(assumptions)에 따라 그런 입장을 갖게 되었는지를 살펴보아야 한다. 그런 전제들은 대체로 '사람'과 '사회'를 바라보는 특정한 시각에 따라 달라진다. 따라서 우리가 해야 할 일은 위에서 소개한 대중문화관이 전제하고 있는 사항들이 우리 각자의 생각과 얼마나 일치하는지를 따져보는 것이다. 자신의 입장과 비슷한 관점(들)을 발견했다면, 대중문화와 관련해 그 관점이 말하는 여러 생각들로써 자신의 관점을 더욱 탄탄히 해나갈 수 있을 것이다.

스스로의 대중문화관을 만들어가는 과정에서 책, 자료, 타인의 생각 등 여러 가지로부터 도움을 받을 수 있기에, 자신에게 도움이 될 만한 것들을 적극적으로 찾아 활용하려는 노력이 필요하다.

깜짝 강의로 나만의 대중문화관이 정립된 듯했는데, 나의 가치관, 세계관을 다시 한 번 더 생각해봐야 할 것 같다! 많은 고민을 한 뒤에라야 나의 대중문화관이 탄탄해진다는 걸 알게 되었다.

생각보다 '대중문화란 무엇인가'에 대한 정의를 빨리 찾은 것 같다. 다른 개념보다 정의하기가 쉽지 않은 대중문화라는 개념을 정의하려 했는데, 그냥 나만의 사전 속에 있는 단어라고 생각하니 편하다. 이제 나만의 사전을 채우는 일만 남은 것 같다.

이때 긍정론 또는 부정론으로 구분 짓는 방법은 '대중문화를 포괄적으로 보았을 때'의 입장이라는 점을 기억해야 한다. 따라서 특정 대중문화 상품 하나하나, 대중문화 관련 현상 하나하나에 부여할 긍정적 · 부정적 입장은 또 달라질 수 있다는 점을 간과하지 말아야 한다. 예를 들어 대중문화 전반에 대해 긍정적인 시각을 갖고 있는 사람도 특정한 대중문화 상품이 긍정적 측면을 훼손한다고 판단되면, 그 상품에 대해서는 부정적인 태도를 취하게 된다. 반대로 대중문화의 어떤 측면 때문에 부정적인 입장을 취하는 사람도,

부정적인 측면을 완화하고 새로운 가능성을 보여주는 특정한 대중문화 상품을 접한다면 그 상품을 긍정적으로 평가할 수 있을 것이다. 즉, 대중문화 전반에 대한 긍정적 · 부정적 태도와 개별 문화 상품에 대한 긍정적 · 부정적 태도는 일치하지 않을 수 있다. 대중문화 긍정론은 언제나 긍정적인 입장을, 부정론은 언제나 부정적인 입장을 고수해야 하는 것으로 오해하지 말아야 한다.

목적이 있는 혼란스러움

한 학생이 써낸 다음의 글에서 이번 주제와 연결 지을 수 있는 부분이 드러난다.

나의 대중문화관을 정리하는 데 많은 도움이 된 것 같다. 대중문화관에서 한 걸음 더 나아가 사회관, 정치관에 대해서도 생각해볼 수 있는 기회가 되었다. 더불어 어깨가 더 무거워진 기분이다.

'대중문화관'을 확립할 때는 인간에 대한 성찰, 사회에 대한 진단을 바탕으로 해야 하는데 그동안 대중문화에 대해 생각할 때 너무 지엽적으로만 접근했던 것이 아닌가 하는 반성을 하게 됐다.

나의 가치관을 정립하는 일은 내가 속한 사회를 떠나서는 불가능하다. 그 사회에 대한 진단과 평가 위에서 비로소 내가 지향할 (개인적) 삶의 방향을 정할 수 있기 때문이다. 대중문화에 대한 생각도 마찬가지다. '대중문화를 보는 시각의 여러 갈래'와 관련해 결론을 내릴 수 있다면, 대중문화의 정의나 그에 대한 평가는 결국 주관적일 수밖에 없다. 우리 각자가 인간(대중)을, 또 사회를 어떻게 바라보느냐에 따라 대중문화의 의미는 달라질 수밖에 없다. 따라서 자신만의 '대중문화관'을 갖기 위해서는 각자가 가지고 있는(모두 이미 갖고 있기를 바란다) 인간관, 사회관을 자꾸 대중문화와 연결 지어보려는 노력이 필요하다. 대중문화와 관련해서도 20대에게 사람과 사회를 바라보는 각자의 눈을 꾸준히 키워나가라고 강조하고 싶다. 나아가 그런 눈을 가지고 자신의 삶을, 우리의 삶을 일관되게 바라보기를 바란다. 다음의 학생이 남긴 글을 보면 이런 취지가 어느 정도 전달된 듯하다.

깜짝 강의를 들으니 신입생 때 했던 각오가 생각이 난다. 이 학과를 오면서 '사회를 바라보는 눈'을 키우겠다고 다짐했는데 취업, 스펙, 토익 점수, 학점에 스트레스를 받는 내 모습을 발견하고는 체념하는 기분까지 든 적이 있다. 그래서 다시 '초심'을 생각하게 됐다. 특히 대중문화를 바라보는 네 가지의 시선을 공부하면서 나의 대중문화관을 찾는 데 큰 도움이 되었다. 대중문화 + 사람 + 사회를 함께 바라봐야 한다는 것을 느꼈다.

지금까지의 나의 가치관, 사회관을 만드는 데 많은 시간을 들이고 혼란의 과정들을 겪은 것 같다. 하지만 앞으로도 많은 과정을 겪어야 될 필요성을 느낀다. 특히 '대중문화'에 관해 더욱 정리해나가야겠다. 현 장소, 현시대, 과정 그리고 앞으로 나아갈 미래, 끊임없이 움직이고 변하는 사회의 흐름에서 결국 모두가 동의하는 정리를 낼 수는 없다고 생각한다. 평생 바라보고 느끼고 생각해야 하는 문제인 것 같다.

이렇게 대중문화에 대해 심도 있게 논의하다 보면 대중문화라는 영역에서 훨씬 더 나아가 우리의 삶을 바꾸어놓을 수도 있다. 어찌 보면 무서운 결과일 수도 있다. 하지만 '배움'이라는 것, '학문'이라는 것은 단순히 학교와 학점에만 머물러서는 안 되며, 우리의 생각, 행동, 가치와 연결되어야만 한다는 점에서 고무적이다.

이제 이 책의 3분의 1인 Part 1이 끝났다. '혼란스러워지기'라는 목표를 완수하고, 이제 Part 2의 목표인 '생각의 지평 넓히기'를 향해 갈 것이다. 다음 학생처럼 이 글을 읽는 각자가 Part 1을 돌아보고, 자신만의 대중문화관을 만들어가는 과정에서 스스로가 어디쯤 와 있는지 점검해보기 바란다. 그리고 남은 과정들을 기대해보자.

'대중문화', 평소에 많이 들은 익숙한 단어이기에 마냥 재밌고 흥미로울 거란 나의 예상이 완전히 깨졌다. 대중문화를 바라보기 이전에 나만의 대중문화관을 갖지 못한다면 대중문화를 수동적으로 소비할 수밖에 없음을 깨닫게 되었고, 다양한 시각을 가지고 대중문화의 실체를 파악하기 위해 더욱 '혼란스러워'져야겠다는 생각이 든다. 목적이 있는 혼란스러움은 참 가치가 있다!

'목적이 있는 혼란스러움'! 참 멋진 말이다. 수업에서 한 주제, 한 주제를 다루어나가며 조금씩 자신만의 관점을 갖게 되는 사람들이 발견되었다. 아직은 거친 원석 같지만 대중문화에 대한 자신만의 생각들을 하나씩 정리해나가는 학생들의 글이 눈에 띄기 시작했다. 매우 좋은 징조라고 생각한다. 이렇게 매 주제를 통해 자신의 생각을 하나씩 만들고 다듬어나간다면 모든 주제를 다 마칠 즈음에는 뭔가 손에 잡히는 것들을 가지고 나갈 수 있을 것이다. 모두 그렇게 되기를 응원하며 Part 2의 첫 주제인 '불륜 드라마'에 관한 이야기로 넘어가보겠다.

Part 2

생각의 지평 넓히기

Ch.05

불륜 드라마는 정치적이다

대중문화와 사회 변화 (1)

KEYWORDS: 불륜, 윤리·도덕, 저질문화, 쾌락·즐거움, 막장 드라마, 사회 변화
생각해볼 문제: 불륜 드라마를 좋아하는 우리 엄마(이모, 언니, 내) 이야기

이번에는 흔히 '막장 드라마'로 불리는 불륜 드라마에 대해 이야기해보겠다. 이 장은 대중문화를 통해 사회 변화를 짚어보는 첫 번째 주제이기도 하다. 사회 변화에 관해서는 뒤에서 다시 한 번 다루어볼 것이다. 불륜 드라마와 관련한 이야기를 풀어나가기에 앞서, 학생들에게 이런 유형의 드라마를 좋아하는 엄마, 이모, 언니 또는 나 자신의 이야기를 생각해보도록 했다. 이런 드라마를 유독 좋아하는 이유는 무엇일까? 무엇이 우리를 '욕하면서도 반드시 보고 싶도록' 만들까? 물론 이런 종류의 드라마를 싫어하는 사람들의 이야기를 할 수도 있을 것이다. 그렇다면 싫어하는 이유는 무엇일까? 학생들은 불륜 드라마를 다루는 신문기사들과 2001년 KBS에서 방송되었던 불륜 드라마 〈푸른 안개〉를 다룬 라디오 프로그램을 미리 접한 뒤 수업에 임했다.

불륜 드라마는 비난받아야 마땅한가?

이제 우리는 이 책의 두 번째 Part로 접어들었다. Part 2의 목표는 '생각의 지평 넓히기'이다. '혼란스러워지기'를 목표로 한 Part 1에서 우리의 생각인 줄 알았던 것이 실상은 그렇지 않을 수도 있다는 것을 알게 되었고, 확고한 생각이었던 것이 흔들리는 것을 경험하기도 했다. 이제부터는 새로운 주제들을 다루면서 대중문화에 관한 다양하고 폭넓은 시각들을 다룰 예정이다. 이를 통해 우리 자신의 생각의 지평을 넓힐 수 있을 것이다.

이를 위한 첫 번째 화두는 '불륜 드라마'이다. 이를 시작으로 대중문화관을 만들기 위한 자원이 확장되기를 바란다. 내가 수업의 주제를 정할 때 가장 염두에 두는 것은, 그동안 우리가 너무 쉽게 생각해서 아무런 문제의식을 갖지 못하던 것들을 다시 생각해보고 정리해볼 수 있는 기회를 갖는 것이다. 그런 과정을 통해 대중문화의 의미에 대해 다시 한 번 깊이 있게 생각해볼 수 있다. 다음 글을 읽어보면 불륜 드라마에 대한 이야기가 얼마나 많은 의미를 담고 있는지가 짐작된다.

엄마한테 왜 아침마다 아침 드라마(불륜 드라마)를 보냐고 물었더니, 보는 게 아니라 그냥 틀어놓는 거라고 하셨다. 분명히 밥하시다가도 극적인 장면이 나오는 것 같으면 뛰어나와 보시면서 왜 굳이 안 본다고 하시는지 모르겠다. 엄마 스스로도 아침 드라마가 뭔가 나쁘고 고상하지 못하다고 생각하시는 것 같기도 하다. 아니면 불륜 드라마를 좋아한다고 하면 이상하게 볼까 봐 그러시는 건가?

이 학생 어머니의 반응처럼 불륜 드라마는 그 존재, 인기, 개인적인 호불호, 사회적인 평가 등 많은 이야기들을 담고 있다. 따라서 불륜 드라마는 우리 대중문화의 여러 측면을 생각해볼 수 있는 좋은 사례가 된다. 수업은 불륜 드라마를 좋아하는 엄마, 이모의 이야기에서부터 시작되었다. 학생들이 써낸 다음 글들을 읽어보면, 왜 이런 드라마들이 인기를 얻는지에 대해 그 나름대로 설명해보려는 모습과 함께 엄마를 이해하려는 모습이 보인다는 점이 흥미롭다.

<아내의 자격>을 보면서, 내가 머릿속으로 상상하던 불륜의 모습이 사회 통념하에 만들어진 모습이라는 걸 느꼈다. 그것도 사랑이라고 한다면 꽤 아름다운 사랑이니까 말이다. 엄마는 그 드라마를 보면서 "40대 이상의 사랑이 진짜 사랑일 수도 있어"라고 이야기하셨다. 엄마는 <아내의 자격>을 보는 순간만큼은 완전히 김희애에게 빙의가 되었다. 중년으로 접어든 '엄마'로서가 아닌 '여성'으로서의 욕망이 표현된 게 아닐까 생각한다. 그런데 그 빙의의 순간은 드라마를 보는 순간뿐이지, 아빠를 보는 순간이나 나를 대하는 순간에도 그런 것은 아니다. 다시 현실로 돌아와 가족과의 사랑을 충실히 하고 계신다. 수업 전에 읽은 자료처럼, 대중이 불륜 드라마를 보고 불륜을 저지르는 일을 합리화할 것이라고 생각하는 건 '대중'을 무시하는 처사라고 생각한다. '대중'은 개인이 모인 것이고 그 개인은 불륜 드라마를 이유로 가족의 아픔을 무시하는 수동적 인물들이 아니니 말이다.

'불륜'이라는 소재를 가장 잘 공감하고 이해할 수 있는 세대가 바로 주부라고 생각한다. 어쩌면 자신에게도 생길 수 있는 일이니 말이다. 우리 엄마는 불륜 드라마에서 나오는 싸움(아내와 불륜녀의 몸싸움)에 굉장히 통쾌해하신다. 세상에서 가장 재밌는 구경이 싸움 구경인데 드라마에 나오는 이런 싸움을 보면서 엄마는 스트레스가

해소된다고 하셨다. 그런데 나는 이런 불륜 드라마가 너무 자주 등장하니까, 어쩌면 현실에서도 불륜이 많아지지 않을까 하는 생각이 든다. 물론 대부분의 불륜 드라마는 해피엔딩이 아니며, 권선징악의 메시지를 전하며 끝난다. 하지만 사람들은 그럼에도 자신만은 예외일 거라고 생각할 수 있지 않을까?

수업 중에 학생들에게 '불륜 드라마는 비난받아야 마땅한가? 또는 그렇지 않은가? 그렇게 생각하는 이유는 무엇인가?'라는 질문을 했다. 사실 굉장한 우문(愚問)일 것이다. 왜냐하면 그렇게 둘 중 하나로 규정할 수 있는 단순한 문제가 아니기 때문이다. 하지만 이런 질문에 답해보면서 불륜 드라마에 대한 우리의 생각을 살펴볼 수 있을 뿐 아니라, 우리가 대중문화 일반을 어떻게 규정하고 있는지, 또 대중문화에 무엇을 기대하는지 등을 읽어볼 수 있다. 다음은 이 질문에 대해 '비난받아야 한다'는 입장을 가진 글들이다. 토론에서 많은 학생이 밝혔던 것처럼 이러한 입장을 가진 사람들은 대부분 불륜 드라마가 개인적 · 사회적 차원에 미치는 도덕적 · 윤리적 '영향력'을 그 이유로 들었다.

요즘 불륜 드라마들은 주인공을 권선징악의 주제에 따라 벌주기보다는 '진실한 사랑'이라는 명목 아래 마치 그들의 불륜이 이해받을 수 있는 것인 양 포장하는 것 같다. 지난번에 한 학생이 <밀회>라는 드라마에 대해 이야기한 게 생각난다. 그 드라마가 이슈가 되었을 때 엄마는 "도대체 무슨 드라마야"라고 하며 잠깐 본 반면, 아빠는 "요즘은 저렇게 불륜을 미화시켜 드라마로까지 내보내는 거냐!"라고 하며 가족들에게 호통을 치고 드라마를 못 보게 했다는 이야기다. 나는 아빠에게 공감이 간다.

<밀회>는 괜찮고 '반도의 흔한 아침 드라마'는 안 된다? <밀회>는 불륜을 미화하며, '내가 하면 로맨스, 남이 하면 불륜'이라는 논리 속에서 시청자들로 하여금 '나'의 입장에 이입하게 만든다. 여성들에게 충분히 매력적인 20대 배우 유아인을 남자 주인공으로 내세우며 음악적 · 예술적 소재 등을 통해 감정이입을 하고 싶게끔, 또 할 수 있게끔 연출한다. 반면 아침 막장 불륜 드라마 속의 불륜은 흔히 숱김에 일어나며, 피해자인 주인공 여성은 복수를 한다. 이런 드라마들은 시청자가 피해자에게 감정을 이입해 분노한 상태로 드라마를 보도록 연출한다. 결국 드라마의 평판을 정하는 것은 다음과 같은 질문들이다. '내 상황, 내 사랑'이라는 느낌을 주는가? '사랑의 진정성'을 느끼게 하는가? 시청자를 어디에 이입하게 만드는가? 하지만 결국 둘 다 불륜 드라마일 뿐이다. 환영받을 만한 소재는 아니라고 본다. 불륜은 명백한 규범 파괴이다. 규범, 법과 질서가 있기에 인간으로 대우받을 수 있는 것이다. 규범은 지키는 것이 맞다. 차라리 이혼을 하고 다른 사랑을 하는 게 낫다. 규범을 파괴하는 건 아니니까.

나는 불륜 드라마가 아무리 불륜의 폐해, 심각성을 보여준다고 해도 한계가 있다고 생각한다. <따뜻한 말 한마디>는 다른 불륜 드라마와 달리 불륜 때문에 고통을 받는 가족에 초점을 뒀기 때문에 방영 초기에 화제가 되었다. 그런데 결국 결말은 여느 드라마와 다를 바 없이 해피엔딩으로 끝났다. 불륜의 실체를 보여준다고 해도 결국 미화된 것이라고 느껴진다.

(순수문학을 좋아하는 한 사람으로서) 불륜 드라마는 비난받아야 마땅하다고 생각한다. 비단 드라마뿐 아니라 영화, 문학, 대중음악 가사까지 불륜 코드가 광범위하게 쓰이고 있다. 꼭 '불륜'이라는 자극적인 소재를 통해서만 '사랑'의 의미를 찾고 '권선

징악'이라는 교훈을 전할 수 있는 걸까? 어느 정도의 시청률과 수익을 보장받을 수 있기에 '불륜'이라는 소재에 집착하게 되는 것 아닌가? 불륜이라는 식상한 소재에서 벗어나 인간의 삶, 사랑의 본질을 참신하게 풀어낼 작품은 진정 없을까? 일부일처제라는 사회적 규범이 정해져 있고, 사회적으로 불륜이 잘못된 행위라는 인식이 자리 잡은 분위기 속에서도 계속해서 불륜, 막장에 집착하는 우리 대중문화의 흐름이 참 아쉽다. 그래도 언젠간 메마른 현대사회에 더욱 본질적으로 갈증을 해소해줄 따뜻한 작품이 나올 것이라고 기대해본다. 우리나라는 황순원의 「소나기」가 탄생한 따뜻하고 순수한 곳이니까.

위의 의견들에는 '불륜'을 소재로 한 콘텐츠가 수용자들에게 미치는 '영향력'을 강조하는 측면이 나타난다. 그와 함께 불륜 드라마가 사회에 미치는 부정적인 영향력을 야기하는 장치로서, '불륜의 미화'라는 비판이 눈에 띈다. 그런가 하면 나쁘지 않다는 의견도 있었다.

나는 불륜 드라마가 나쁘지 않다고 생각한다. 불륜 드라마가 불륜을 조장하는 것은 아니라고 생각한다. 결국 불륜을 저지른 놈들이 당하는 작품이 더 많기 때문이다. 오히려 불륜 드라마를 보며 불륜을 욕하는 사람들 쪽이 더 많고 말이다.

불륜 드라마는 말 그대로 드라마일 뿐이다. 보통 트렌디 드라마(trendy drama)를 보면 항상 재벌 2세가 등장하는데 실제 우리 주변에서 재벌 2세를 흔히 볼 수 있는 건 아니다. 또 누구나 드라마 속 여자 주인공처럼 백마 탄 왕자를 쉽게 만날 거라고 기대하지도 않는다. 막장 드라마도 일반적인 드라마처럼 그냥 드라마일 뿐이다. 나도 한 번쯤 저질러보고 싶다고 누구나 생각할지 모르지만 그게 현실에서 이뤄지리라고 생각하는 사람은 적다. 즉, 불륜 드라마가 사회에 미치는 영향이 그렇게 크지 않을 것이기 때문에 불륜 드라마를 나쁘다고 볼 수만은 없을 것 같다.

개인적으로 불륜 드라마가 나쁘다고 생각하지 않는다. 불륜이라는 소재도 재미를 위한 소재일 뿐이다. 이미 드라마에서 다루고 있는 불륜은 현실성이 거의 없는 듯하다. 사람들도 이미 그것을 알고 있는 것 같고 말이다. 점 하나 찍었다고 다른 사람이 되어 불륜을 저지른 남편에게 복수하고, 치매 걸린 시어머니를 두고 간통을 하는 등 드라마 속 소재들이 현실에서 일어난다면 뉴스에 당장 나왔을 것이다. 드라마 속 소재들은 막상 현실에서는 거의 찾아볼 수 없다. 따라서 이런 드라마를 통해 사람들이 영향을 받는다 하더라도 큰 영향을 받지는 않을 거다. 드라마의 불륜이라는 소재는 단지 우리가 곱씹고, 웃고 떠들 수 있는 하나의 이야깃거리 아닐까?

결국 '불륜 드라마는 나쁘지 않다'라는 입장에서 든 근거는, 불륜 드라마들이 담고 있는 메시지가 '권선징악'이기 때문에, 또는 수용자들이 불륜 드라마에 큰 영향을 받지는 않기 때문에 정도로 요약할 수 있다.

불륜 드라마를 '나쁘다' 또는 '나쁘지 않다'라고 보는 의견들을 살펴보면 모두 조금씩 다른 논리와 근거를 가지고 있는 것을 알 수 있다. 그리고 대체로 그 차이의 밑바닥에는 미디어의 영향력에 대한 서로 다른 평가가 존재하는 듯하다. 주로 미디어의 영향력을 크게 규정하는 측에서는 수용자들이 불륜 드라마로 받는 영향이 클 것이라고 생각하기에, 불륜 드라마를 부정적으로 본다. 반면 미디어가 수용자에게 미치는 영향력이 크지 않다고 생각하는 측에서는 굳이 부정적으로 볼 필요가 없다는 의견을 내놓고 있다.

이는 굉장히 중요한 쟁점이다. 대중문화의 효과 또는 영향력의 크기를 어떻게 규정하느냐의 문제는 미디어 학자들 사이에서도 언제나 갑론을박이 되고 있으며, 정확한 크기가 어떻다고 답하기도 매우 어렵기 때문이다. 미디어 학자들이 모두 동의하는 대중문화 영향력의 크기란 존재하지 않는다. 결국 대중문화를 어떻게 보느냐에 대한 개인의 관점에 따라 그 영향력도 달라진다고 보는 것이 정확하다.

한편 불륜 드라마 속 불륜의 모습이나 빈도가 과연 현실을 반영한 것이냐의 문제도 부각된다. 현실을 과장, 왜곡한다고 보는 측에서는 부정적으로 평가하는 반면, 현실을 반영한 것뿐이라는 측에서는 그렇지 않다고 반박한다. 오히려 '현실이 더 막장'이라는 이야기도 나왔다.

불륜 드라마가 현실을 반영하고 있다고 생각한다. 주위에서 들려오는 '드라마보다 더 드라마 같은' 막장 이야기들을 접할 때마다 드는 생각이다. TV 속에서 재현되는 모습만 봐도 눈살이 찌푸려지거나 불편해진다. 그런데도 불륜 드라마를 계속 보게 되는 이유는 호기심 때문인 것 같다. 보기에 썩 불편한 것들, 이를테면 싸우는 모습이나 흉측한 외모를 가진 사람 등을 마주할 때, 우리는 안 보려고 하면서도 자꾸만 그쪽으로 시선이 간다. 이것과 비슷하지 않을까?

불륜 드라마가 나쁘다고 생각하지 않는다. 나만 불륜을 소재로 한 막장 드라마는 문제가 있다고 본다. '불륜'이라는 건 일반적으로 나쁜, 비도덕적인 행위로 간주되는데 현실에서는 생각보다 불륜 커플이 많다는 이야기를 들었다. 드라마 자체가 꼭 현실을 반영하는 건 아니지만, 이미 현실에 더한 경우도 있기 때문에 불륜 드라마를 무조건적으로 비난할 필요는 없다고 생각한다. 불륜 또한 사람의 삶 속에 녹아 있으니 말이다.

그런가 하면 불륜 드라마 자체를 '나쁘다' 또는 '나쁘지 않다'고 평가할 수는 없으며, 각각의 드라마가 어떤 드라마인지를 이야기해야 한다는 의견도 있었다. 즉, 불륜을 다루는 것 자체를 문제 삼을 수는 없으며 그것을 어떻게 다루었느냐가 더 중요한 문제라는 입장이다. 이런 관점을 가진 사람들은 모든 불륜 드라마를 '막장'으로 치부하는 것에 반대한다. '불륜 드라마를 다루었으니 막장 드라마'로 판단하는 대신, 드라마적 장치나 인과관계에서 얼마나 타당한 설득력을 지니느냐로 작품을 판단해야 한다는 입장이다.

불륜은 드라마의 소재일 뿐이다. 불륜 드라마 자체가 나쁘다고 생각하지는 않는다. 하지만 '불륜'이라는 소재를 모두 비슷한 방식으로, 그것도 소위 '막장'으로만 표현하는 것은 문제라고 생각한다. 불륜이라는 자극적인 소재를 극단적으로 표현하니 더 욕을 먹는 것 같다.

<아내의 유혹>과 <욕망의 불꽃> 둘 다 막장 소재를 다루고 있긴 하지만 같은 선상의 드라마로 느껴지지는 않는다. <아내의 유혹>은 사실 재밌긴 하지만 너무 억지스러운 반면 <욕망의 불꽃>은 스토리 전개가 자연스럽다. 막장이긴 한데 이해가 되는 막장이랄까? 불륜 드라마도 불륜이란 소재를 어떻게 풀어내느냐에 따라 달라지는 것 같다.

불륜 드라마로 읽는 사회와 시대

'좋다/나쁘다, 옳다/그르다'의 규범적 틀에 갇히지 말고 이런 유형의 드라마들을 통해서 우리 사회의 모습을 읽을 수 있어야 한다는 의견도 있었다.

사실 대중문화를 바라보는 우리 모두에게 이런 태도는 매우 유용하다. 대중문화에 대한 규범적 비평(좋다/나쁘다, 옳다/그르다의 틀을 가지고 평가하는 것)도 그 나름대로 유익하겠지만, 나는 그런 비평이 근본적인 한계를 지닌다고 생각한다. 비평은 분명한 기준과 근거를 바탕으로 해야 하고, 그 기준과 근거는 타인의 동의를 얻어야 한다. 그래야만 비로소 그 비평이 상대방에게 설득력을 지닐 수 있기 때문이다. 더구나 그런 기준은 시간과 장소에 따라 큰 변화를 보이기도 한다.

그에 비해 이렇게 대중문화로 사람을 읽고, 사회를 읽고, 시대를 읽으려는 노력들은 좀 더 깊이 있고 의미 있는 이야기를 할 수 있도록 만들어준다. 불륜 드라마를 통해 결국 우리가 살고 있는 현실에 눈을 돌리게 된다. 다음은 그러한 의견이 담긴 글이다.

일반적으로 사람들은 불륜 드라마를 나쁜 것으로 규정하지만 계속해서 그런 장르가 만들어지는 사회 모습 자체도 아이러니하다고 본다. 특히 아침 드라마에 불륜이 주 소재가 된 이유는 그 시간대의 주 시청자인 주부와 불륜이 밀접하게 연관되기 때문이다. 결혼 생활에서 일어날 수 있는, 즉 허구의 세계가 아닌 실제 삶에서 일어날 수 있는 소재라 공감대가 더 많이 형성되는 것 같다.

불륜 드라마가 좋다/나쁘다를 떠나서 이런 게 나온다는 것 자체가 조금 슬프다. 불륜 드라마에는 남자가 바람을 피우고 여기에 여자가 반발하거나 복수하는 경우가 상대적으로 많이 등장하는데, 이런 요소를 통해 억압받는 주부들의 현실이 분출된다는 생각이 들었다. 유교적 가정관이 지배적인 우리 사회에서 여자는 참고 살아야 한다거나 희생해야 한다는 강요를 받는 것 같다. 이런 사회적 분위기가 여성의 억압을 은연중에 조장한다. 어쩌면 주부들이 불륜 드라마에 열광하는 이유도 일종의 해방감 때문 아닐까?

💬 대부분 불륜 드라마의 남자 주인공은 세련된 여자와 바람이 나는 것 같다. 그리고 여자 주인공 또는 불륜남의 아내는 새로운 자신의 삶을 살면서 일을 시작하고 연하남을 만나는 것으로 드라마가 끝이 난다. 이러한 패턴은 우리 사회에서 여성의 능력, 지위가 향상되었음을 보여주는 것 같다. 바람난 남편을 용서하고 기다리는 게 아니라 자신의 새로운 꿈을 찾아 제2의 인생을 산다는 내용이기에 주부들이 환상을 가지고 더 열광하는 게 아닐까?

이렇게 불륜 드라마를 통해 현실에 대한 생각을 하다 보면 결국 한층 근본적인 차원인 '불륜' 그 자체에 대해서도 생각하지 않을 수 없게 된다. 다소 도발적인 질문일 수 있지만, '불륜이 정말 그 자체로 나쁜 것인가?'라는 질문도 생각해볼 수 있다.

💬 난 불륜이 너무 싫다. 연애든 결혼이든 믿음을 바탕으로 관계가 이루어지는 것인데 그 신뢰가 깨져버린다면 둘의 관계를 회복하긴 어려울 것 같다! 현실 세계의 불륜은 나쁜 것이다. 불륜 드라마는 시청자들로 하여금 불륜의 폐해를 한 번 더 생각해볼 수 있게 해주기 때문에 무작정 비난받아야 할 건 아니라고 생각한다.

💬 불륜 드라마상에서 악의 축은 항상 여자로 그려지지만 사실 이면에는 남자에 대한 분노가 숨어 있는 것 같다. 즉, 바람피우는 주체가 남자인 드라마의 경우, 현모양처가 있는데도 다른 사람을 만나는 스토리가 나오면서 모든 잘못이 남자의 탓인 것으

로 묘사된다. 반면 여자가 바람을 피우는 경우에는 못난 남편 때문에 불륜을 저지르게 된다는 식으로 이야기가 전개된다. 불륜의 원인을 남자에게 두면서 상대적으로 여자가 동정을 받는다는 점이 흥미롭다. 나 또한 아빠가 불륜을 한다면 절대 용서하지 못하고, 미워할 것 같지만 엄마의 불륜은 이해(?)할 수도 있을 것 같다. 그러니까 한 번쯤은 용서해줄 수도 있을 것 같다는 생각이 든다. 이런 생각에서 불륜 드라마에 대해 생각해보니 참 새롭다!

불륜도 불륜 드라마도 무조건 나쁜 것이라고 비난할 수만은 없는 것 같다. '교통사고'라는 말처럼 불륜도 누구에게나 갑자기 일어날 수 있는 일이라고 생각한다. 불륜 드라마는 단지 그것을 알려주고 그런 사실을 반영할 뿐이다. 막장 요소는 비난받을 만하지만 그런 과장적인 요소들을 제외하고는 굳이 비난할 필요가 없는 것 같다.

한 가지 분명히 해야 할 것은 불륜 자체에 대한 생각도 한 가지가 아니라는 사실이다. 이런 질문을 던진 이유는 불륜을 미화하거나 정당화하려는 게 아니라 규범, 윤리, 도덕이라는 것이 얼마나 상대적인지, 또 그에 따라 어떤 정치적 결과가 초래되는지를 생각해보도록 하기 위함이다. 우리가 규범, 윤리, 도덕, 법이라고 정해놓은 것들도 엄밀히 말하면 사회 구성원 사이의 '약속'이다. 약속이라는 것은 원래 절대적인 것이 아니기 때문에 '그렇게 약속하지 않았을 가능성' 역시 존재하고 있음을 전제로 한다.

또 그 약속은 시간에 따라 달라지기도 한다. 불륜 드라마를 하나의 장르로 규정한다면 그 안에 포함시킬 수 있는 드라마의 내용이 시대에 따라 크게 다르다는 것을 알 수 있을 것이다. 불륜 드라마가 등장하기 시작한 초창기에는 주로 '바람피우는' 남편을 둔 아내의 아픔이 주요 소재로 다루어졌고, 이를 잡아내며 가정을 지키는 노력을 그리는 경우가 대부분이었다. 이것은 현재 불륜 드라마들의 스토리와 크게 다르다. 또 가정을 떠난 여성의 행복이 묘사되고, 외도의 주체가 남성에게만 국한되지 않는 현상들도 불륜 드라마에 나타난 변화이다. 즉, 불륜 드라마 역시 각 시대에 따른 사회 변화의 산물인 것이다.

따라서 그 약속은 모든 인간, 모든 사회 구성원이 인정하고 합의한 것이 아닐 수 있을뿐더러 특정인 또는 특정 세력에게 이익이나 피해가 돌아갈 수 있는 것이기도 하다. 이런 의미에서 보면 불륜 자체에 대한 생각도 모두 다를 수 있다는 사실이 지극히 당연해 보인다.

처음에 A를 좋아하다가 그 사랑이 끝나지 않은 채로 다른 B가 좋아지는 것이 과연 잘잘못을 따질 수 있는 문제인지 의문이 든다. 마음이 움직이는 것은 (물론 정말 괴롭지만) 어쩔 수 없는 부분인 것 같고 사람이 사람을 좋아하는 것도 컨트롤할 수 있는 부분이 아닌 것 같다. 실제로 외국 영화나 드라마에서는 이혼이나 재혼이 더 자유롭고 아름답게 묘사되는 반면, 우리나라에서는 유교 사상의 영향(?) 때문인지 '결혼'이나 '연애'에 더 큰 책임감을 지우는 것 같다.

불륜 드라마의 정치성

이렇게 불륜 자체에 대한 생각이 모두 같지 않음에도, 우리는 대체로 그런 생각(예를 들어 '불륜은 나쁜 것이다')이 모두 같거나 또는 같아야 한다고 여긴다. 그런 생각이 가져올 '정치적' 결과에 대해서도 민감해질 필요가 있다. 이는 규범과 도덕, 윤리 등을 반드시 지켜야 한다는 대중의 생각을 강화하는 것 자체가 갖게 될 '정치성'에 대해서도 생각해보게 만든다. 여기서 정치성이란 앞에서 규정한 대로 '누구에게 이익이 되고, 누구에게 손해가 되느냐'의 문제를 말한다. 사람들이 현재의 윤리와 규범을 철저히 따르고 지키려 한다면, 결국 현재 질서의 유지를 통해 가장 큰 이익을 얻는 사람들에게 매우 유리한 결과를 가져다줄 것이다. 반대로 사람들이 윤리와 규범의 경계를 변경시키려 한다면, 이는 사회 변화를 위한 첫 단계가 될 수도 있다.

우리가 흔히 말하는 불륜은 결혼 제도를 벗어난 이른바 '외도'를 말한다. 그런데 불륜(不倫)의 의미를 좀 더 확장시켜보면 윤리적 기준을 어기는 것, 즉 '일탈'로 설명할 수 있다. 대중문화에서 윤리와 규범, 일탈을 어떻게 다루는지의 문제는 대중문화의 정치적 역할을 설명하는 중요한 쟁점이 된다. 학생들이 써낸 다음 글들은 이러한 측면에서 불륜 드라마를 바라보는 데 도움을 준다. 여기 나타난 생각들은 나아가 일탈을 다루는 대중문화 전반의 정치성에 대한 생각으로 확장시켜볼 수도 있다. 차근차근 읽어보자.

불륜 드라마에 대한 읽을거리를 접하며 지금 사회가 얼마나 고착화되어 있는가를 생각해보게 되었다. 아내는 아내로서, 학생은 학생으로서 각자 제 위치에 맞게, 분수에 맞게 사는 것에 익숙해진 듯하다. 불륜 드라마는 그런 전형을 깨주기 때문에 불륜 드라마에 나온 온갖 소재가 흥미를 불러일으키는 것 같다. 이렇게 대중문화는 현실에 존재하는 불륜에 대한 문제나 논쟁거리를 드러내주고, 결혼이라는 제도가 현재 의미하는 바가 무엇인지를 생각하게 만드는 것 같다. 대중문화가 생각의 폭을 넓힐 수 있는 또 다른 통로라는 생각이 든다.

불륜 드라마를 보진 않았지만 여러 가지 이야기를 들어보면, 우리 사회가 생각하는 이상적인 가정의 형태가 상당히 분명하게 고정되어 있다는 생각이 든다. 가정은 반드시 유지되어야만 하는 신성(?)한 것이라는 느낌이 든다. 그런데 가정에 대한 그런 고착화된 생각이 과연 절대적인가 하는 의문이 생긴다. 예를 들자면 '불륜→가정 파괴→불행한 자녀'라는 공식이 많이 성립되는 것 같은데 가정 파괴가 반드시 불행을 가져오는 것은 아니라고 생각한다. 그걸 불행이라 규정짓는 것은 사회다. 우리 사회가 이혼 가정의 자녀에 대해 불쌍하다고 규정하고 있고 그게 '나쁘다'고 정의하고 있다. 만약 사회가 가정이라는 개념에 조금 더 열려 있다면 불륜 드라마의 양상도 조금 다르지 않았을까?

욕을 하면서도 막장 드라마를 놓지 못하는 이유가, 현실과 달리 막장 드라마에서는 금기를 깨는 것이 가능하기 때문인 것 같다. 현실에서는 정해진 규범에 따르려고 모두 노력하고 있고 정해진 선을 넘지 않으려고 애를 쓴다. 물론 그 선을 넘는 소수의 사람들도 있지만 모두 손가락질을 받는다. 상상 속에서나 가능한 금기시되는 행동들이 막장 드라마에 반영되기 때문에 사회 구성원들은 그 드라마를 시청함으로써 욕구가 해소되는 통쾌함을 느끼는 것 같다. 그리고 불륜 드라마, 막장 드라마에는 다소 과격하고 극적인 부분이 많은데, 자극적인 것을 원하고 찾는 시청자들의 욕구에 대해 주목할 필요도 있을 것 같다.

나는 드라마보다 영화를 사랑하고 그중에서도 김기덕 감독을 사랑한다. 김기덕의 영화 <뫼비우스>는 사람들의 본능, 욕구를 수면 위로 떠올리는 스토리를 가지고 있어서 좋아하게 되었다. 비상식적인 관계, 잔인한 행위를 연출한 장면을 보며 쾌감을 느끼는 것을 발견하고 나 자신한테 조금 충격을 받기도 했지만, 본능을 숨기며 사는 게 자연스러운 한국 사회에서 그것을 간접적으로 드러낸 영화를 보며 욕구를 충족했던 것 같다. 대중문화는 사람들의 잠재된 욕구를 드러낸다.

한 걸음 더 나아가보자. 페미니즘(feminism: 여성주의)의 입장에서 불륜에 대한 사회적 인식을 어떻게 평가해야 할지의 문제도 생각해볼 수 있다. 우리는 통상적으로 불륜의 피해자가 여성이라고 생각하지만, 오히려 반대로 윤리와 도덕이라는 이름으로 강요되는 것들이 사회적 약자로서 여성들에게 더 큰 희생을 가져올 수도 있다. 이것은 불륜 드라마 자체가 아니라 그렇게 불리는 콘텐츠들이 여성을 어떻게 그리고 있는지를 따져봐야 하는 중요한 이유가 된다.

이런 생각을 하다 보면 결국 '불륜 드라마' 또는 '막장 드라마'라는 타이틀로 불륜이 등장하는 모든 드라마를 한통속으로 몰아버리는 것은, 그 속에 있는 다양하고 다면적인 의미들을 간과해버리는 큰 오류를 낳는다는 것을 깨닫게 된다. 불륜 드라마 자체를 나쁘다 또는 나쁘지 않다고 한마디로 평가할 수는 없다. 다만 각각의 드라마가 어떤 드라마인가를 이야기해야 한다. 즉, 불륜을 다루는 것 자체를 문제 삼을 수는 없다. 불륜 또는 '제도 밖의 사랑'을 '어떻게' 표현하느냐가 더 중요한 문제이기 때문이다.

한편 불륜 드라마의 의미를 평가하는 일과는 별도로, 비슷한 유형의 내용과 형식이 남발되며 TV를 도배하는 현상에 대해서는 또 다른 평가를 할 필요가 있다. 대중문화가 획일화되는 것은 결국 여러모로 긍정적일 수 없기 때문이다. 불륜 드라마 자체를 비난할 수는 없지만, 상업적 성공을 꾀한 많은 드라마가 이런 코드를 담아서 결국 대중문화가 획일화된 것은 우려해야 한다는 의견도 있었다.

불륜 드라마가 비난받을 이유는 없다고 생각한다. 하지만 불륜이란 소재에 자극적 요소가 더해져 결국 '어떤 드라마가 더 막장 불륜인가 = 얼마나 재미있나?'로 판단하는 태도는 충분히 비난받을 만하다고 생각한다. 요즘처럼 여기저기서 불륜 드라마가 제작되고, 어느 드라마가 더 막장 요소를 갖고 있나 경쟁하듯 드라마를 만드는 것은, 분명 대중문화에 악영향을 끼칠 것이다.

불륜을 조장하는 것도 비판받을 만하지만 사실 '불륜'이라는 소재의 남발이 드라마 내용의 획일화를 낳는다는 점에서 더 안 좋은 것 같다. 불륜이라는 소재뿐 아니라 내용이 진행되는 패턴마저 예측이 가능하고 진부해서 드라마의 발전, 다양성을 저해하고 있다. 연속극, 일일극이 미니시리즈보다 수준이 낮다고 치부되는 데에는 '뻔한 소재(불륜)', '항상 같은 패턴 유지'가 한몫하고 있는 것 같다.

대중문화와 '사람'

다음은 한 학생이 수업시간에 나누었던 토론을 정리한 글이다. 이는 매우 중요한 발견이자 통찰이다.

대중문화론 시간에 나누는 주제들을 파고들다 보면 결국 사람의 이성과 본성에 대해 생각해보게 된다. 다들 '불륜'이 나쁘다고 생각하지만 불륜을 소재로 한 드라마를 보면서 카타르시스를 즐기는 것 자체가, 규정되어 있는 이성적인 무언가를 벗어나고 싶어 하는 인간의 본성이 드러나는 대목 아닐까 하는 생각이 들었다.

언제나 우리의 관심이 '사람'을 향하도록 만드는 것. 나는 이것이야말로 대중문화를 '공부 · 연구'하는 일의 미덕이라고 생각한다. 대중문화를 살펴보고 그것이 의미하는 바를 사유하는 과정을 통해 사람에 대한 이해, 특히 나와는 다른 사람에 대한 이해가 더욱 깊어질 수 있다. 이 주제에 관한 토론을 엄마, 이모, 언니 이야기로 시작하려 했던 것도, 사실 불륜 드라마에 관한 이야기를 '사람'에 관한 이야기로 풀어보려는 의도였다. 우리의 엄마, 이모, 언니에 대한 관심은 한 단계 더 나아가 '엄마 · 아빠 세대, 할머니 · 할아버지 세대'에 대한 관심으로 확장되기도 한다. 즉, 그 세대에 속한 이들에게 대중문화가 어떤 의미를 갖는지를 생각해보게 된다.

우리 아빠는 드라마를 매우 즐겨보신다. 현재 60대인 아빠가 갑자기 드라마나 예능 프로그램을 즐겨보시게 된 이유가 무엇인지 평소에 생각해보지 못했었다. 토론시간을 통해 아빠가 막장 드라마 또는 연애 관련 예능을 즐기시게 된 현상에 대해 한 번쯤 생각해볼 수 있었다. 예전에 아빠에게 왜 그런 프로를 보시는지를 여쭤봤을 땐 그냥 "재밌잖아"라고 하셨다. 물론 내용상의 흥미로움도 있을 것이다. 하지만 내 생각에는 실제로 아빠에게 일어나지 않을 비현실적인(?) 스토리를 다루고 있어서 마음 편히, 남의 일처럼 욕하며 볼 수 있기 때문이 아닌가 싶다. 다시 생각해보면 불륜 드라마를 보는 대중은 '불륜'이 비도덕적인 일임을 알고 있음에도 그 이야기가 자신에게는 일어나지 않을 남의 일, 가상 스토리이기 때문에 마음 편히 볼 수 있는 게 아닌가 싶다. 불륜 드라마는 모두가 알고 있는 도덕적인 경계를 다시 한 번 일깨워주는 요소인 것 같다.

고 3 때 <아내의 유혹>이 방영됐다. 당시 이 드라마에 빠졌던 반 친구들이 공부하는 척하며 라디오로 <아내의 유혹>을 청취(?)하는 걸 본 기억이 있다. 민소희가 복수에 실패하던 반 전체가 탄식의 한숨으로 뒤덮였고, 쉬는 시간에는 신애리를 욕하는 소리가 사방에서 들렸다. 매일 공부만 하던 나와 친구들의 일상에서 <아내의 유혹>이 방송되는 시간은 가장 자극적인 시간이었다(야자 1교시). 왜 그렇게 열광했을까 생각해보면 '화낼 대상'을 찾았던 게 아닐까 싶다!

따라서 우리는 대중문화와 사람들의 관계를 이해하기 위해 '불륜 드라마를 통해 사람들이 소비하려고 하는 게 과연 무엇일까?'라는 질문은 해봐야 한다.

불륜은 약속을 넘어 상대방에 대한 최소한의 예의를 저버리는 행위이기 때문에(연인에게 줄 수 있는 최악의 상처라고 생각한다) 절대 좋게 평가할 수 없다. 그런 의미에서 불륜 드라마는 현실에서 이룰 수 없는, 하지 못하는 것을 대신 풀어주는 역할을 한다고 생각한다. 드라마 속의 신데렐라 스토리를 보면서 현실에서는 이뤄지기 힘든 욕구를 대리만족하는 것처럼 말이다!

불륜 드라마를 즐기는 사람들은 불륜 드라마를 '감정을 직접적으로 표출하는 수단'으로 소비하는 것 같다. 현실에서 자신의 감정을 직접적으로 표출하기란 쉽지 않은데, 불륜 드라마를 보면서 현실에서는 드러내기 쉽지 않은 감정들을 자유롭게 표출할 수 있기 때문이다. 남녀 주인공을 보면서 사랑의 감정이나 스릴, 자극을 대신 느낄 수 있고, 불륜의 피해자 입장에서는 분노의 감정을 대신 직접적으로 표출할 수도 있다. 많은 드라마 중에서도 불륜 드라마를 시청하는 것은 그 드라마를 통해 여러 감정을 대신 느끼고, 표출할 수 있기 때문 아닐까?

사람들이 불륜 드라마를 소비하는 이유는 그것이 '훌륭한 썹을 거리'가 되기 때문이라고 생각한다. 사람들(특히 여자들)은 다른 사람과 함께 이야기를 나누고 소통하는 것을 좋아한다. 그런 사람들에게 불륜이라는 소재는 매우 자극적인, '헐 대박! 이렇게 됐어'라고 이야기할 수 있는 훌륭한 이야깃거리이다.

같은 원리로 우리의 관심은 '나와 다른 연령, 성별, 계층(급), 인종, 성적 정체성, 정치적 지향성을 가진 타인들'에 대한 관심으로 확장될 수 있다. 그런 관심의 확장을 통해 대중문화에 대한 우리의 생각은 매우 커질 뿐 아니라 튼튼해진다. 따라서 이제 우리의 관심은 자연스레 대중문화의 '수용(reception)' 또는 '소비(consumption)'로 옮겨간다. 이것은 대중문화를 즐기거나 즐기지 못하는 '사람'들의 이야기이다. 다음 장에서 그런 이야기들을 다룰 것이다.

대중문화에 대한 우리의 관심은 대중문화 콘텐츠에서부터 출발한다. 하지만 대중문화를 이해하는 데에는 콘텐츠 자체에 대한 관심만으로는 부족하다. 즉, 대중문화를 이해할 때는 사람, 사회, 사람들의 행위, 인식, 규범, 윤리 · 도덕 등을 복합적으로 이해해야만 한다. 이 책에서는 대중문화를 '우리의 삶과 우리가 속해 있는 사회에 대한 깊이 있는 이해의 도구'로 상정한다는 것을 기억할 필요가 있다. 대중문화를 통해 사람과 사회를 이해하는 방법을 알게 되는 것이 우리가 이 책을 통해 달성하고자 하는 가장 큰 목표이다.

Ch.06

팬덤과 '덕밍아웃'

대중문화의 소비

KEYWORDS: 스타, 소비, 팬덤, 욕망, 정체성
생각해볼 문제: 난 사실 ○○○의 팬이었다!

이제 우리의 관심은 대중문화의 '수용' 또는 '소비'로 옮겨왔다. 이 주제로 토론을 하며 '우리는 왜 대중문화를 소비할까?', '거기서 무엇을 얻으려 하는 걸까?', '어떠한 욕망(desire)을 충족하려는 걸까?'와 같은 질문들을 해보았다. 특히 이와 관련한 이야깃거리들을 끌어내기 위해 가장 적극적인 수용의 형태라고 할 수 있는 팬덤(fandom)을 사례로 삼았다. 20대들이 지금까지 직간접적으로 경험한 '팬질' 사례는 매우 유용한 도구가 되기 때문이다. 주제가 주제인 만큼 학생들은 매우 흥분된 분위기에서 시간이 모자랄 정도로 많은 이야기를 나누었다. 청소년기에 아이돌 팬클럽 임원이었던 학생들의 '자랑질'을 비롯해, 부모님과 선생님의 눈을 속이며 거침없이 행한 '무용담'도 술술 나왔다. 서로의 이야기를 하다 보니 '몇 년 몇 월 며칠 어떤 공연장에서'와 같이 시간과 공간을 공유했던 동료가 재회하는 신기한 일도 심심찮게 일어났다.

• 흔히 동성애자가 자신의 성 정체성을 공개하는 것을 '커밍아웃'이라고 부른다. 여기에 어떤 대상을 매우 열정적으로 좋아하는 행위를 뜻하는 '덕후질'을 합성한 말이 바로 덕밍아웃이다. 이는 젊은 세대 사이에서 '자신이 특정한 인물, 장르, 매체의 열렬한 팬이라는 사실을 공개하는 행위'를 일컫는 용어이다.

세상에는 '덕후'들이 많다!

이번 주제는 '팬덤과 덕밍아웃: 대중문화의 소비'이다. 대중문화와 관련한 논의에서 가장 중요한 부분이라고 할 수 있는 소비에 대한 생각을 20대에게 굉장히 익숙한 팬덤 현상을 통해 끌어내보았다. 특히 청소년 시기에 팬덤 활동에 참여했던 자신의 이야기를 함께 나누도록 했다. 다른 때에 비해 흥미로운 이야기들이 정말 많이 나왔고, 한 학생의 다음 말처럼 무궁무진한 팬덤의 이야기들이 쏟아져 나왔다.

세상에는 '덕후'* 들이 너무 많다!

먼저 나에게 '스타 ㅇㅇㅇ'은 어떤 의미였는지, 왜 그런 팬덤 활동에 빠졌는지에 대한 이야기부터 하도록 했다. 모든 학생들이 경험담을 나누기에 시간이 부족할 정도로 재미있는 시간이었다. 수업시간에 채 못다 한 이야기들을 강의 쪽지에 적어낸 학생들도 많았다.

나는 빅뱅 팬이었는데 그냥 인터넷에서 사진을 찾아보는 정도의 팬이었다. 지방에 살고 있어서 사생팬이 될 수는 없었다. 당시 나는 사랑을 줄 만한 대상이 필요했던 것 같다. 그때가 중 3이었는데 빅뱅을 마치 남자친구처럼 생각했던 것 같다. 그냥 마냥 좋아하는, 짝사랑하는 남자아이처럼.

---

* 일본어 '오타쿠(お宅)'가 한국에 전해지면서 변형된 말 '오덕후'를 다시 줄인 말로 어떤 대상에 대한 열정적인 팬을 가리킨다.

초·중 시절, 다른 아이들이 동방신기나 빅뱅을 좋아할 때 나는 SS501을 좋아했다. 이들의 팬이 전교에 단 세 명뿐이어서 우리 셋은 똘똘 뭉쳐 다니곤 했다. 다른 두 명은 어떻게 해서든 SS501을 보러 가려 했지만 나는 멀리서 응원하는 '안방순이'였고 그냥 조용히 좋아하는 아이였다. 결코 덜 좋아하는 것은 아니었지만 그렇게 좋아했다. 팬레터도 쓰고 스케줄도 다 보고 TV 꼭 챙겨보고 그랬다.

나는 동방신기의 열렬하고 오래된 팬이었다. 집에 앨범, 브로마이드도 많았고 그들이 광고하는 것을 거의 다 샀을 정도로 좋아했다. 내 주변 사람들이 모두 내가 팬인 걸 알고 동방신기와 관련된 선물을 줄 정도였다. 정말 엄청난 사랑이었다. 왜 그렇게 그들을 좋아했을까? 그들에게 빠졌던 이유를 생각해보니 이유가 따로 없었던 것 같다. 아무 이유 없이 나도 모르게 좋아하게 된 것 같다. 그렇지만 그렇게 오랜 시간 식지 않는 팬심을 발휘할 수 있었던 건 타 팬들과의 소통 때문이었다. 이렇게 많은 사람들이 좋아하는 사람들을 나도 좋아한다는 자부심, 그리고 그들을 좋아하는 다른 이들과의 소통이 나에게 긍정적으로 작용했기 때문이다. 다시 생각해보니 나는 동방신기를 보러 다니거나 하는 것보다 팬 언니들과 이야기하고 새로운 언니들을 만나 인연을 맺는 것에 더 큰 즐거움을 느꼈던 것 같다.

사실 60명이 넘는 수강생이 서로에 대해 잘 알게 되기는 힘들다. 그런데 이런 주제로 토론을 하다 보면 학생 하나하나의 캐릭터를 조금씩 더 깊게 파악할 수 있게 된다. 덕분에 예전보다 학생들이 더 가깝게 느껴지는 효과도 거둘 수 있었다.

오늘 팬덤에 대해 이야기하면서 보니, 다들 너무 귀여웠다. 전체적인 분위기가 꽤 좋았다.

팬덤 문화에 대해 '흑역사'의 '커밍아웃 스토리'라고 표현한 것이 재밌다. 우리 또래에 아이돌을 이야기하기가 쉽지 않은데 무척 즐거운 시간이었다. 어린 시절(?)을 추억하고, 새로운 시각으로 그때 일을 회상할 수 있어서 좋았다.

이 수업에서 추구하는 바가 바로 이것이다. 친구들, 가족들과 수다 떨듯 자유롭게 이야기하는 것. 그러나 이 수다는 아무 의미가 없거나 공허한 것이 아니다. 나의 이야기, 우리의 이야기, 우리가 살고 있는 사회의 이야기이기 때문에 매우 큰 의미가 있고 가치가 있다. 이런 점에서 이 수업의 토론은 매우 훌륭했다고 평가된다. 다들 공허한 이야기가 아닌 자신의 이야기를 중심으로 주제를 풀어나가려고 노력했다는 점에서 특히 더 그랬다. 특별히 팬덤에 참여한 경험이 전혀 없는 학생들도 다음과 같은 반응을 보일 정도였으니 말이다.

오늘 팬덤에 대해 토론한 것을 들으면서 개인적으로 연예인을 열정적으로 좋아해본 적은 없지만 어떤 것을 열정적으로 좋아하고, 그것에 빠져 있다는 것이 그 대상이 무엇이든 간에 전체 삶을 되돌아보았을 때, 참 의미 있고 가치 있다는 생각을 하게 되었다. 팬덤, 팬질이라는 열정을 통해 삶에 의미 있는 퍼즐 한 조각을 맞추어나갈 수 있을 것 같다.

이런 이야기들이 단순한 수다에 그치지 않으려면 나의 청소년기를 그렇게 사로잡았던 스타에 대한 애정과 그 열정적인 표출이 나에게 어떤 '의미'

로 남는지를 허투루 지나치지 말아야 한다. 그것은 '대중에게 대중문화는 과연 어떤 존재인가'를 깊이 있게 탐구하기 위한 출발점이 될 수 있다. 즉, 대중문화 소비에 대한 이해가 여기서부터 시작된다. 내가 직간접적으로 경험하고 느꼈던 것들을 세심하게 살펴보면서 그 실마리를 찾는다면, 그것을 바탕으로 내가 아닌 다른 사람들에게까지 의미를 확장시켜보는 능력도 생길 수 있다. 특히 다음과 같은 질문들이 도움이 될 것이다.

'팬질'은 대중이 대중문화에 대한 선호도를 표현하는 방법 중 하나인데, 이를 드러내지 못하고 '일반인 코스프레'를 하고 숨기는 이유는 무엇일까?

사실 난 수업에서 말한 것보다 더 '덕후'이다. 그렇지만 대학생이 되어 덕후력(力)이 떨어진 건 사실이다. 이유를 생각해봐도 잘 모르겠다. 여전히 덕후이지만 그때만큼은 아닌 것 같다. 내 친구에게 우리 수업에 대해 이야기하고 내가 커밍아웃을 했다고 하니 '머글•들은 덕후를 경시해'라고 말했다. 그런데 누구나 한 번쯤은 덕후였던 적이 있지 않을까? 지금은 비록 '머글'일지라도.

이번 토론이 더욱 흥미로운 건, 친한 친구들이 아니고서는 좀처럼 자기의 '팬질' 경험에 대한 이야기를 대놓고 드러내지 못하는 분위기가 우리 가운데 존재한다는 사실 때문이다. 이 때문에 일반적인 수업과 같은 환경에서는 보통 이런 이야기들을 터놓지 못한다. 굉장히 중요하고 가치가 있는 이야기임

• 소설 『해리 포터(Harry Potter)』 시리즈에서 마법사들이 평범한 인간을 가리킬 때 사용하는 말로, 여기서는 덕후가 아닌 일반인을 지칭한다.

에도, 그것이 갖는 중요성과 의미를 제대로 깨달을 수 있는 기회를 놓치는 것이다. 사실 대중문화와 스타를 열성적으로 좋아하는 것 자체를 '자랑스럽게' 여기지 못하는 분위기 자체도 대중문화와 관련해 진지하게 생각해봐야 할 점이다. 왜 사람들은 그렇게 반응하는 것일까? 왜 '머글'들은 '덕후'를 경시할까? 왜 한 번쯤은 '덕후'였을 사람들도 마치 '머글'인 것처럼 행동할까?

아이돌 팬덤 문화에 대한 이야기를 나눌 수 있어서 즐거웠다. 나도 내 경험담을 이야기했는데 굉장히 부끄러웠다. 내가 이렇게 부끄러워하는 건 아마 대중이 가지고 있는 팬덤 문화에 대한 부정적인 이미지 때문일 것이다. 나는 팬덤 문화가 한국에서 유달리 부정적으로 여겨지고 있다고 생각한다. 실제로 미국의 팝이나 영국의 브릿팝(Brit-Pop) 문화에도 팬덤 문화가 존재한다. 규모나 활동 측면에서 보면 한국의 팬덤 문화와는 다를 수 있지만, 누군가를 좋아하고 열광한다는 근본적인 마인드는 똑같지 않을까? 한국의 대중은 '빠순이'라는 단어를 써가면서 팬덤 문화를 비하하기도 한다. 물론 팬덤 문화가 가져오는 부정적인 측면을 무시할 수는 없지만 대중가수를 좋아하는 팬으로서 긍정적으로도 여길 수 있는 팬덤 문화를 부정적으로만 여기는 분위기가 안타깝다.

한편 여전히 '덕밍아웃'이 결코 쉽지 않다는 걸 깨닫기도 한다. 학생들이 적어낸 강의 쪽지를 읽으면서, 머뭇거리다가 자기 이야기를 아예 꺼내지도 못한 사람이나 발표를 하긴 했지만 하고 싶은 이야기를 모두 쏟아내진 못한 사람들이 꽤 많다는 것을 발견했다. 이는 팬덤, 팬심, 팬질에 대한 주위의 시선을 의식하기 때문에 나오는 현상이다. 또래끼리 모인 곳에서도 이렇게 느끼는데 사회의 일반적인 시선을 의식해야 하는 상황에서는 그 부담이 훨씬 큰 것이다.

모두 알다시피 청소년 팬덤에 대한 우리 사회의 시선이 그리 곱지만은 않다. 한창 성장해야 하고 공부해야 할 시간에 '쓸데없는 것'에 정신이 팔려 귀한 시간을 낭비하고 있다는 시선이 보편적이다. 팬 활동에 적극적으로 참여했던 이들의 이야기를 들으면서 그런 시선들에 대해서도 다시 한 번 생각해 보면 좋겠다. 그런 시선들이 우리의 청소년들을 '어떤 존재'로 규정하고 있는지, 그들에게 '어떤 존재가 되라'고 강요하고 있는지, 그런 존재가 되기 위해 그들에게 요구하는 것은 무엇인지, 그런 요구와 기대는 청소년들의 실제 삶을 얼마나 잘 '이해'하고 있는지 등을 생각해볼 필요가 있다. 다음 학생은 이런 점을 지적하며 질문을 던진다.

왜 학창 시절의 팬덤 활동을 한심하다고 할까? 나는 팬덤도 다른 동호회와 같이 한심한 문화가 아니라고 생각한다. 팬덤 활동을 하면서 본인의 꿈을 찾는 사람, 나아갈 방향을 얻는 사람도 있다. 또 만일 스타를 바라보며 맹목적으로 그(들)만을 위해 사는 것이 목표인 사람이 있다면, 그 사람(팬)을 '한심'이 아닌 '인정'의 시선으로 바라봐야 하지 않을까? 팬덤에 속하지 않은 사람의 시선에서 보면 이런 모습이 이해가 되지 않겠지만, 팬덤 속의 팬은 그게 우선시되는 사람들이고 구체적인 내용이 다를 뿐 모두 목표를 가지고 있는, 궁극적으로 '바라는 것이 있다'는 점에서 같다. '이해'는 아니더라도 그들의 취향을 '존중'해줘야 한다고 생각한다.

앞에서 살펴보았듯이 대중문화를 호의적인 시선으로 바라보려는 문화연구자들은 문화의 '상대성'을 강조하는 동시에 다른 문화에 대한 깊이 있는 '이해'를 추구한다. 즉, 자기중심적 시각, 자문화 중심주의로부터 벗어나 타인과 다른 집단, 또 그들의 문화가 갖는 가치를 그들의 눈을 통해 바라보려 하는 것이다. 이런 관점에서 본다면 청소년들의 팬덤을 제대로 이해하기 위해서는 먼저 그들의 목소리를 통해, 그들의 눈을 통해 그 현상을 보려고 노력해야 한다. 따라서 이런 이야기를 나누는 것은 큰 의미가 있다고 생각한다. 불과 몇 해 전 그 자리에 있었던 20대들은 청소년들의 목소리를 잘 대변할 수 있는 위치에 있기 때문이다.

그렇다고 모든 것을 이해하고 상대화해야 한다는 의미는 물론 아니다. 어떤 기준에 의해, 어떤 근거에 의해 평가하고 판단하느냐가 무엇보다 중요하다. 지금쯤이면 못이 박힐 정도로 많이 듣는 말이겠지만, 나는 이 책을 통해서 우리 모두 대중문화를 평가하는 자신만의 기준과 근거를 마련해야 한다고 생각한다. 20대들 사이에서도 청소년들의 팬덤 문화에 대해 부정적으로 평가하는 사람들이 많다. 사실 부정적으로 볼 수 있을 법한 사례들이 우리 주변에 많기 때문이다. 또 그런 시각이 충분히 타당한 것도 사실이다. 다만 각자의 기준에 비추어 왜 그렇게 봐야 하는지에 대한 자신의 입장을 분명히 해야만 한다.

내가 ○○○에게 빠진 건……

나는 팬덤 현상 자체에 대한 호불호를 떠나 선행되어야 할 것이 있다고 본다. 바로 팬덤 현상을 통해 우리 사회와 대중문화 전반에 대한 이해를 높여야 한다는 점이다. 스타와 팬덤이라는 일종의 텍스트를 통해 대중문화 전반, 더 나아가 우리 사회 일반이라는 콘텍스트를 읽어낼 수 있어야 한다.

그런데 스타 자체에 대한 논의 또는 청소년들의 팬덤 행위에 대한 논의만으로는 그것을 충분히 이해하기가 어렵다. 특히 청소년들의 팬덤 현상은 한국 사회에서 청소년들이 자리하고 있는 '매우' 특별한 위치와 상황을 잘 드러내고 있기 때문에, 그런 맥락을 고려하지 않으면 안 된다. 수업시간에 '지금 돌이켜보면 내가 ○○○에게 빠진 것은 이런 이유 때문이었다'에 대해 이야기를 나누었는데, 이는 20대가 청소년기에 참여했던 팬덤 행위에 대한 각자 나름의 해석을 말한다. 20대가 청소년 시기에 어떤 상황과 처지였는지를 돌이켜보고 그런 맥락 속에서 팬덤 현상의 의미를 해석하는 것은 매우 중요하다. 학생이 쓴 다음 글들을 읽어보면서 청소년 팬덤에 관한 자신의 설명은 무엇인지 생각해볼 수 있기를 바란다.

나는 인피니트를 좋아했는데 그렇게 빠진 이유를 생각해보면 24시간 수능 공부를 하면서 스트레스를 많이 받아서인 것 같다. 또 당시 인기가 없었던 그룹이 점점 인기가 많아지는 걸 보면서 함께 기뻐하고 동질감을 느꼈던 것 같다.

나는 '집-학교-학원-집'이 무한히 반복되던 청소년기의 지루한 일상과 단편적인 생활이 팬심에 많은 영향을 끼쳤다고 생각한다. 나는 한때 동방신기 팬이었고 지금은 JYJ 팬인데 내가 팬질을 제일 간절한(?) 마음으로 한 건 재수할 때였다. 만날 공부만 하던 지루한 일상에서 그들의 영상을 보고 노래를 듣는 건 나한테 한 줄기 빛이었다. 중·고등학생 때도 그랬던 것 같다. 청소년들은 학교에서 야자(야간자율학습)까지 하며 하루의 대부분을 학교에서 보내는데, 그들에게 학교는 휴식처가 아니니 마음으로부터 기댈 곳이 필요하지 않았나 하는 생각이 든다.

사실 매일 똑같이 반복되는 일상 속(학교-학원-집)에서 그런 격렬한(?) 감정을 언제

느끼겠나. 기쁨의 눈물, 슬픔의 눈물, 행복한 웃음, 감동, 분노 등 그때의 감정들이 지금의 나를 만든 것 같다. 가치관 형성이랄까. 아무튼 난 숨길 필요 없이 뿌듯하다. 지금도.

스타는 공부와 입시에 갇힌 시기를 겪는 청소년들을 답답한 일상으로부터 해방시키는 일종의 탈출구이다.

중 · 고등학교 시절에는 '나'라는 사람을 표현할 수 있는 방법이나 정도에 제약이 있다. 똑같은 교복을 입고 머리나 외모를 꾸미는 것에도 한계가 있으니 말이다. 이런 시기에 '나'라는 사람을 가장 효과적으로 표현할 수 있는 방법은 바로 '누군가의 팬'이 되는 게 아닐까? 내가 좋아하는 트렌디하고 인기 있는 가수를 통해 '나는 이런 사람이야'라고 말하는 부분도 있는 것 같다.

돌이켜 보면 감정을 쏟아낼 대상이 필요했던 것 같다. 나는 약간 애정 결핍(?)이 있어서 누군가를 좋아하면서 활력을 얻는데, 걔네(스타)도 우리한테 좋다고 하니까 주고받는 느낌(?)이 좋았던 것 같다. 그러다 첫 팬 미팅 때 '쟤네는 날 모르는구나'를 깨닫고 나선 좋아하지 않게 되었다.

팬심이 '나'를 드러내고 표현하기 위한 방법이고, 그런 표현을 통해 나의 존재와 살아 있다는 느낌을 확인한다는 설명이 흥미롭다. 다른 어떤 시기보다 나에 대한 고민과 혼란이 많은 시기에 이를 풀어낼 마땅한 도구가 주어지지 않는 청소년들에게는 그런 수단이 당연히 필요할 것이다. 그런가 하면 팬심을 이성에 대한 관심으로 설명하기도 한다.

내가 신화를 선택하고 좋아했던 이유는 뭘까? 그때 나는 사춘기가 일찍 왔고 이성에 눈을 뜨면서 2~3년이란 시간 동안 신화의 '여자'가 되는 상상을 한 번도 빠짐없이 했다. 단순하게 생각하면 스타를 넘어 이성의 존재로 인식했기 때문이 아닐까?

그런가 하면 좀 더 정치적인 측면에서 해석해야 할 필요가 있다고 주장한 학생들도 있었다.

나는 반항심이라고 이야기하고 싶다. 내가 에픽하이를 좋아했던 이유도 그들이 불렀던 노래 가사가 '꼭 뭐든 잘할 필요는 없고, 그냥 그렇게 넘어가자'라는 내용이기 때문이었다. 그냥 그 시기에 분출하고 싶은 여러 가지 것들이 포함되지 않았나 하고 생각한다.

나는 슈퍼주니어 팬이었다. 오늘 수업을 들으며 여러 추억이 새록새록 떠올랐고 때로 얼굴이 붉어지기도 했다. 그 시절의 일은 지금도 나에게 정말 좋은 추억이다. 그 무렵 나는 선생님을 속이고 조퇴까지 하며 공방(공개방송)을 다녔다. 매해 회장을 도맡았던 모범생인 나는 팬이 되고 나서부터 엄청난 쾌감을 느꼈고, 항상 심장이 두근거렸다. 살아있다는 느낌을 받았던 것 같다. 또 공방에서 슈퍼주니어를 최대한 가까이서 보기 위해 싸웠던 무용담이나 여러 연예인을 본 경험담들을 친구들에게 자랑하면서, 내가 친구들에게 주목을 받고 뭔가 우두머리가 된 느낌을 즐겼던 것 같다. 이게 내가 팬 활동을 한 근본적으로 이유이다.

성인이 된 지금 돌아보면, 당시 부모님이 연예인을 좋아하지 못하게 하고 혼냈기 때문에 그 오기로 더 그들에게 빠졌던 것 같다. 못하게 하는 것이 오히려 아이돌에게 더 매달리며 현실을 탈피하고 싶어 했던 이유가 되지 않았나 하는 생각이 든다.

청소년들에게 팬덤 활동은 부모님, 선생님 등 그들의 삶에 권력을 행사하는 대상에 대한 첫 번째 저항을 가져오기도 한다. 매우 사소한 반항에 그칠지 모르지만, 부모님의 생각을 거스르고 때로는 수업을 빠지면서까지 드러내려 했던 스타에 대한 애정은 어쩌면 청소년이 그들의 인생에서 처음으로 주체적인 선택과 결정을 실행에 옮긴 것으로 볼 수 있다. 사회가 기대하고 요구하는 청소년의 전형으로부터 스스로 벗어나려는 몸짓인 것이다. 대중문화는 그런 실천의 통로가 된다. 그런가 하면 조금 다른 의미도 있었다.

내 청소년 시절에 그 스타는 '활력소'였다. 그들은 나를 더 열심히 공부하게 만들고 해야 할 일들에 책임감을 갖게 했다. 왜냐하면 내가 해야 할 일에 책임을 지지 못하면 그 스타가 욕을 먹게 되기 때문이다. 그런 이유에서 내 할 일에 대한 책임감이 생기기 시작했던 것 같다.

스타에 대한 애정과 팬덤 활동이 일상을 위한 활력소가 되었다는 설명이다. 이는 앞서 말했듯이 대중문화가 기존 사회의 권위와 요구에 저항할 수 있는 힘을 줄 뿐 아니라, 반대로 사회의 요구에 따라 일상과 현실로 돌아가게 만들 수도 있음을 보여준다. 이렇게 누구의 열렬한 팬이라는 비슷한 상황에서도 참 다른 결과가 나타난다. 대중문화를 둘러싼 다양한 모습들이 언제나 흥미로운 것은 바로 이러한 점 때문이다.

스타는 청소년기에 쉽게 찾을 수 없는 열정을 쏟을 대상이 되기도 하고, 사춘기 시절의 변화무쌍한 감정 표출의 대상이 되기도 한다. 또 다음의 글들을 통해 알 수 있듯이 팬덤은 또래 집단의 강력한 문화로서 자리 잡고 있기 때문에, 누군가의 팬이 되어야 그 속에서 소외당하지 않을 것이라는 압력도 작용하는 듯하다.

지금 와서 생각해보니 아이돌 가수는 청소년 시기의 우리가 정체성을 형성하는 과정과 굉장히 밀접하게 연관이 있었던 것 같다. 가수 중심으로 일종의 파(예를 들어 GOD파나 신화파 등)가 생기고, 그 친구들끼리 똘똘 뭉치고 했던 기억을 떠올리면 그렇다. 초 · 중 · 고등학교라는 사회 안에서 또 다른 사회를 만들어내고 있다는 생각이 들었다. 그 안에서 자신이 무엇을 원하고 무엇을 싫어하는지에 대한 가치관을 형성하고 추구하면서 말이다. 청소년 사회 안에서 나타나는 또 하나의 사회화 과정이 아닐까 생각한다.

이렇듯 스타를 좋아하는 것의 의미는 결코 '개인의 영역'에만 머물지 않는다. 팬이 됨으로써 다른 사람으로부터 인정을 받고, 사회 속에 있는 나의 존재와 능력을 발견하며, 같은 취향을 공유하는 사람들과 공동체를 형성할 수 있다. 이는 매우 '사회적인 영역'이다.

앞의 글들을 통해서 팬덤, 팬질이 가져다주는 다양한 효과들이 무엇인지 정리해볼 수 있을 것이다. 그런데 10대 때와 비교해 20대의 팬덤은 그렇게 활발하거나 적극적이지 않은 것처럼 보인다. 이런 차이가 나타나는 이유는 무엇일까? 이 질문을 통해 청소년 팬덤을 이해하는 데 도움을 얻을 수 있다.

10대 청소년 시절에 연예인을 좋아하는 행위는 '나'의 정체성을 표출하는 도구로 이해할 수 있을 것 같다. 단조로운 청소년 시절에 자신이 좋아하는 연예인을 알리고 표현하면서 자신의 이미지를 나타내는 측면도 있는 것 같다. 그 당시 친구들은 모두 각자 좋아하는 연예인이 있는데 나만 없으면 왠지 나만의 뭔가가 없는 느낌(?)이 들었다. 하지만 성인이 된 지금은 정체성을 나타낼 수 있는 더 유익하고 직접적인 방법(의복, 가방, SNS)이 있기에 더 이상 팬덤 문화에 열광하지 않게 되었다.

10대 시절 우리의 팬질은 지금의 우리보다 더 열정이 넘쳤던 것 같다. 좋아하는 사람을 위해서 나 자신을 변화시키기도 하고, 내 삶을 그들과 동일시했을 정도니 말이다. 어렸을 때는 내가 누구를 좋아하는지 당당히 밝히면서 팬 활동을 했는데 왜 지금은 사람들이 당당히 팬이라고 말하지 못하는지 생각하게 되었다. 팬클럽 활동을 보는 사회의 시선이 부정적이기에 그런 게 아닌가 한다. 그런 활동을 철딱서니 없는 애들의 활동이라고 보는 사회의 시선 때문에, 20대인 지금의 우리는 이전처럼 열정적으로 당당하게 팬클럽 활동을 못하는 것 같다.

또 생각해볼 수 있는 것은 팬덤이 끊임없이 '현실'과 '판타지' 사이의 긴장을 보여준다는 점이다. 즉, 현실에서는 찾아볼 수 없는 무언가를 발견함으로써 스타를 좋아하게 되지만, 또 그들의 모습이 우리의 현실과 별반 다르지 않다는 것을 발견하는 데서 오는 즐거움도 크다는 말이다. 대중문화 속 스타는 우리에게 현실과 판타지 사이를 절묘하게 오가는 즐거움을 허락한다. 사실 우리가 드라마나 영화 등 픽션에서 즐거움을 느끼는 것도 같은 맥락이다.

GOD가 큰 인기를 얻게 된 데에는 <육아일기>를 통해 보여준 그들의 리얼한 모습의 영향이 컸다고 생각한다. 연예인으로서 꾸며진 모습만이 아닌, 우리와 비슷한 그들의 모습을 발견함으로써 더욱 그들에게 공감할 수 있었다. 개인적으로는 그 후에 팬 문화나 리얼 버라이어티 프로가 발전했다고 해도 과언이 아닌 거라고 생각한다. 팬질이란 게, 내가 좋아하는 사람에 대해 더 많이 알고 싶고 가까이하고 싶은 본능적인 욕구에서 나오는 것은 아닐까?

내가 신화를 왜 좋아했나 돌이켜보면, '이미지' 때문이었던 것 같다. 연예인들은 현실에서 보기 힘든 이미지를 가졌기 때문에 좋아했던 것 같다.

학생들의 말을 들으며, 팬덤을 통해 청소년들이 얻으려 하는 것들을 다음과 같이 정리할 수 있다. '관계 · 공동체의 형성', '다른 사람과의 차이 추구', '자신의 모습 투영', '제한된 삶에서 누리는 최소한의 문화생활', '금기로부터의 탈피', '부모와 학교 등의 권위에 대한 저항', '매달릴 무언가를 추구' 등. 이 외에도 다른 많은 것들을 나열할 수 있다. 이를 통해 청소년들을 이해할 수 있을 뿐 아니라 그들의 삶을 설명할 수도 있다.

이 책 초반에 우리가 대중문화의 의미를 너무 과장하거나 확대 해석하는 게 아닌가 하는 의문을 제기한 적이 있는데, 앞에서 정리한 것들을 하나씩 확인해보기 바란다. 이제 막 청소년기를 벗어난 20대가 직간접적으로 경험한 것들과 비교해보면서, 이러한 해석이 얼마나 실제적인 의미를 지니고 있는지 평가해보기 바란다. 나아가 이런 해석들이 현재를 살아가는 한국 청소년들의 실제 삶을 얼마나 잘 설명하고 있는지 확인해볼 수 있기를 바란다.

종합해보면 무한 경쟁과 승자독식의 사회를 혹독하게 체험하기 시작한 청소년들이, 그 속에서 채워지지 않는 여러 차원의 욕망을 대중문화를 통해, 스타를 통해, 스타에게 쏟는 애정을 통해 채우려 한다고 설명할 수 있다. 이것은 입시지옥, 학원, 석차, 경쟁 등이 강요하는 삶을 살아가는 한국의 청소년들이 처한 특수한 맥락이 만들어낸 현상인지도 모르겠다. 다만 한 가지 아이러니한 것은, 이렇게 경쟁으로부터 탈피하기 위한 몸짓이라 할 수 있는 팬덤 안에서조차 팬클럽 사이에 치열한 경쟁이 나타난다는 점이다. 학생들의 입에서 '나는 ○○○의 팬들이 죽이고 싶을 정도로 싫었다'라는 말이 나올 정도였으니까. 전쟁에서 살아남아야만 한다는 가치가 이미 청소년들의 뼛속 깊숙이 내면화되었기 때문일까?

나는 이런 팬덤이 좀 안 좋게 보였던 적이 있다. 예전에 여러 가수가 모인 콘서트가 열렸는데, 특정 가수가 무대에 오르자 한 무리의 관객들이 야광봉을 끄고 그 가수가 퇴장할 때까지 침묵했던 일이 있었다. 나중에 들어보니 그 가수는 평소 다른 가수들을 무시하는 듯한 언행을 보였는데, 이에 반발한 다른 가수의 팬덤에서 사전에 계획하고 이 같은 일을 벌인 것이라고 한다. 팬덤이 그 스타를 나타내는 얼굴이 되어버린 상황에서 과도한 스타에 대한 사랑이 잘못된 방향으로 나아가고 있는 것 같아 안타깝다는 생각이 들었다.

20대가 과거 청소년 시절 스타에게 품었던 열정은, 지금 돌이켜보면 그저 흐뭇한 미소로 회상할 수 있는 추억에 지나지 않는 것 같다. 부모님들이, 선생님들이, 어른들이 걱정하듯 그렇게 심각한 것이 아닐지도 모른다는 것이다. 바라보고 동경할 만한 대상이 필요한 상황에서 매우 가시적인 방식으로 눈앞에 등장한 스타는, 애정과 관심을 쏟기에 더할 나위가 없는 대상이었다.

청소년기를 지난 지금도 누구를 좋아하는 팬의 모습을 여전히 유지하는 친구들도 있었다. 그들이 팬덤을 통해 충족하는 것은 무엇인지 보고, 또 자신의 경험과 비교해보길 바란다.

나는 사실 김연아 선수의 광팬이다. 내가 김연아 선수를 좋아하는 이유는 바로 그녀를 통해 '마음의 위안'을 얻을 수 있기 때문이다. 많은 장애물과 한계를 극복하고 세계 정상에 오른 김연아 선수를 보며 용기를 얻었던 것 같다. 한창 힘든 일이 있었을 때 김연아 선수의 경기 영상을 100번 정도 돌려 봤었던 것 같다. 나와 같은 이유로 누군가의 '팬'이 된 분들이 분명 더 있을 거라 생각한다. 누군가의 노래가, 누군가의 연기가 마음을 동요할 정도의 감동과 위안을 준다면 진심을 다해 그들을 응원하고 사랑할 수 있게 된다고 생각한다!

나는 버스커버스커의 팬이다. 대중문화, 스타를 좋아하는 행위를 통해 단조로운 삶에 즐거움과 활력을 얻을 수 있게 되는 것 같다.

스타가 나에게 어떤 존재였냐는 질문에, 왠지 창피해서 발표를 못했다. 나는 지금도 2PM을 좋아한다. 작년까지만 해도 시험기간에 새로운 앨범을 살 정도로 열렬히 좋아했다. 그렇게 계속 '팬질'을 할 때 보다 못한 친구가 "현실로 좀 돌아와"라고 말한 적이 있다. 나는 그 대답으로 "2PM이 내 현실이야, 이 년아!"라고 했다. 언젠가는 엄마가 "걔네가 밥 먹여주냐!"라고 하기에 "수저 들 힘은 주잖아, 먹여주네"라고 했던 적도 있다.

학생들의 이야기를 들으며 한 가지 흥미로웠던 것은, 20대의 대다수가 자신의 팬 활동을 과거지사인 '추억'으로 규정하며, 그 정도에 그치고 더 깊이 빠지지 않은 것을 '다행'이라고 표현했다는 점이다. 한때의 '치기'일 뿐, 결국 자신의 성장에는 방해가 될 뻔했다는 평가이다. 뭐, 매우 당연한 평가일 수 있겠지만 그렇게 팬덤 활동을 하다가 적절한(?) 시기에 그만두는 것을 다른 관점에서 해석할 수도 있다. 즉, 팬덤이 갖는 '저항적' 성격이 결국 현실과 타협했다는 해석이다. 팬덤 활동이 부모, 학교, 학원, 입시지옥, 현실, 나아가 현재 질서와 규범에 대한 청소년들의 거부와 저항을 상징한다고 본다면, 거기에서 빠져나온다는 것은 결국 기존의 질서로 복귀한다는 의미일 테니 말이다. 대중문화 연구자들 가운데는 팬덤을 저항의 가능성으로 파악하는 이들이 많이 있다. 그들은 이런 여러분의 평가를 어떻게 설명할까?

다시 팬덤 이야기로 돌아가자. 어쩌면 내가 좋아하는 스타나 내가 좋아하는 음악, 드라마, 영화 등은 사실 '나는 누구인가'의 문제와 맞물려 있는 듯하다. 더 정확히 말하면 '나는 누구이기를 원하느냐'와 맞닿아 있다고 할 수 있다. 내가 나에게 투영하는 정체성을 잘 드러낼 수 있는 스타, 음악, 드라마, 영화가 내가 좋아하는(혹은 좋아한다고 말하는) 대상이 된다는 것이다. 각자가 좋아하는 대중문화 상품들을 돌아보면서 정말 그런지를 확인해보는 것도 재미있는 일이 될 것이다. 팬덤이란 그렇게 비슷한 정체성을 가진 이들이 모여서 서로의 공통점을 확인하고 하나의 공동체를 형성함으로써 공통의 즐거움을 생산하는 현상이라고 할 수 있다.

대중문화는 우리에게 무엇을 제공하나?

앞서 이야기했듯이 청소년들의 팬덤에 대한 부정적·비판적 시선이 많이 존재한다. 물론 인정해야만 하는 부정적 측면이 많은 것도 사실이다. 하지만 비판 이전에 살펴야 하는 것은, 그런 현상을 만들어내는 그들의 현실이다. '그런 현실 가운데 그들에게 대중문화가 채워주는 것은 무엇인가?' 이 질문의 더 궁극적인 형태는 '대중문화가 사람들에게 제공하는 것은 무엇일까?'

일 것이다. 이를 통해 대중문화가 나아가야 할 길이라든지, 그런 길을 잘 보여주는 대중문화의 수작은 무엇인가에 대한 우리의 질문도 풀어갈 수 있을 것이다. 다음 글들은 대중문화 전반으로 사고의 범위를 확장해 대중문화가 제공하는 것이 무엇인지에 대해 말하고 있다.

사실 대중이 대중문화를 통해 충족하려는 욕망이 무엇인지 한마디로 정의하기는 어려운 것 같다. 오늘 이야기들을 들으면서 대중은 대중문화를 처음 수용할 때, 전체가 아닌 한 단면을 보고 관심을 갖게 되고, 그 이후 조금씩 수용의 범위를 넓혀가는 것 같다는 생각이 들었다. 이런 측면에서 대중은 처음부터 어떤 욕망을 가지고 그것을 대중문화로부터 충족해나가기보다, 자신도 몰랐던 욕망에 부합하는 대중문화를 발견하고 자신의 욕망을 분출해나가는 것이라 말할 수 있지 않을까.

그런가 하면 문화적 세계화(cultural globalization)의 영향이 이제 20대의 주변에서도 쉽게 발견됨을 확인할 수 있다. 이제 팬덤 활동은 한 국가의 영역 안에서만 이루어지는 게 아니라는 이야기가 나왔다. '글로벌 팬덤'이라 부를 만한 경험을 하는 사람이 적지 않았다.

내 친구는 일본 가수인 아라시 팬인데, 마쓰모토 준이 다니는 게이오 대학교를 꼭 가야 한다며 고등학교 3년 내내 공부해 그 대학교를 가기도 했다. 나는 그 친구와 3년 내내 고등학교 단짝으로 다니면서 아라시의 모든 뮤직비디오와 앨범, 영상을 보게 되었다. 재밌는 점은 그 친구가 그렇게 원하던 게이오 대학교에 가서는 한국의 동방신기를 다시 좋아하게 되었다는 점이다. 그 친구는 현재 한국 대기업 취업을 준비 중이다.

나는 외국 가수의 팬이다. 지금은 아니지만 예전에는 국내에 앨범이 정식으로 수입되지 않았기 때문에 직수입 사이트에서 세금과 고액의 배송료를 들여가며 앨범을 구입하곤 했다. 게다가 한정 앨범이 나오면 앨범 하나에 수십만 원씩 하더라도 덥석덥석 사곤 했다. 비싸다는 생각은 했지만 그보다 소장하고 있다는 우월감에 뿌듯한 마음이 더 컸다. 돌이켜보면 그때의 내 모습이 좀 무섭게 느껴진다.

위의 글들을 읽어보면 싸이의 「강남스타일」이 전 세계를 강타했던 일과 최근 유럽이나 중동 등을 중심으로 다시 K-POP 열풍이 부는 것, 제2의 한류 등에 대해서도 다시 한 번 생각해보게 된다. 그동안 한류에 대한 논의는 우리 대중문화의 우수성에만 집중되어 있었고, 이를 통해 문화적 우월감을 충족하는 선에서 그쳤다. 하지만 이제는 우리 대중문화를 소비하는 해외 팬에게 관심을 둘 필요가 있다. 그들이 왜 한국의 대중문화를 그렇게 적극적으로 소비하는지, 그들을 그렇게 만든 그들만의 맥락은 무엇인지, 한국 대중문화의 특징이 무엇이기에 그런 욕망을 충족할 수 있는지, 궁극적으로 한국 대중문화에 대한 열광적인 반응이 의미하는 바는 무엇인지 등을 그들의 눈을 통해서 해석하고 설명해보려 해야 한다.

한편 다른 학생들의 이야기를 들으면서 팬덤에 대한 생각에 변화가 생긴 친구도 있었다. 대중문화의 수용과 팬덤에 관한 우리의 생각을 정리하는 데 참고가 될 만한 글이다.

누군가의 팬이 된다는 것! 어린 시절에는 누구나 한 번쯤 해봤을 법한 경험이지만 나는 아니었다. 그래서인지 오늘 학우들의 다양한 이야기를 들으면서 놀라웠고 내 입장에서는 이해하기 힘든 부분도 많았다. 고등학교 시절까지도 많은 친구들이 내가

> 딱히 누군가를 열렬히 좋아하지 않는 것이 너무 신기하다고 이야기했다. 이번 시간을 통해 나는 왜 그렇게 누군가에게 열광하지 못했나 고민해보았다. 수업 때 교수님은 '내가 ○○○을 좋아했던 것은 ×× 때문이다'라고 발표해보라고 하셨는데, 이때 든 생각이 '내가 아무에게도 열광할 수 없었던 것은 무언가에 깊이 빠져드는 일을 두려워했기 때문이다'였다. 나는 개인적으로 일명 '팬질'을 하는 것을 부정적으로 보아 왔다. 사생팬들도 결국 팬질의 한 양상이라고 생각하는데, 오늘 수업을 통해서는 오히려 팬질이 긍정적으로 팬들의 모습을 변화시킬 수 있다는 점을 깨달았다. 그러한 인식의 전환과 함께 나 자신의 모습을 깨달을 수 있었던 시간이었다.

마지막으로 명심해야 할 것은, 우리의 관심사가 팬덤 현상 자체에만 머물지 않아야 한다는 점이다. 팬덤은 대중문화 수용의 가장 극단적인 모습이기 때문에, 대중문화를 수용한다는 자체가 어떤 것인지를 헤아리는 데 도움이 되는 매우 좋은 사례이다. 하지만 우리의 관심은 여기에서 그치지 않고 '소소하게 영상을 보고 즐거워하는' 수용자에게도 향해야 할 것이다.

이 수업에는 1년 전에 졸업한 졸업생이 참관을 왔었다. 이 수업을 수강한 적이 있는 친구인데 '팬덤과 덕밍아웃: 대중문화의 소비' 주제에 맞춰 일부러 찾아와 청강을 한 것이다. 이 졸업생은 현재 대중문화 팬덤과 관련된 스마트폰 앱을 개발하는 벤처 회사에 다니고 있는데, 자신이 좋아하던 일이 지금은 직업이 된 케이스이다. 대중문화를 좋아했다가 그 가치를 알게 되고, 이젠 일로써 그 가치를 실천하고 있는 삶이 행복해 보였다. 귀띔해준 바로는 학생들이 나눠준 추억 이야기 덕에 새로 개발할 아이템도 여럿 얻었다고 한다. 그 친구는 다음과 같은 글을 남기고 갔다.

팬덤을 기반으로 한 서비스를 만드는 것이 얼마나 가치 있는 일인지 배우고 간다. 회사에서 '일'이라는 걸 하면서, 나도 모르게 사업가로서 멋을 부리고 싶었던 것 같아 부끄러웠다. 팬들의 마음을 조금 더 잘 알고 있다는 것을 무기삼아 자만하고 있었던 것은 아니었는지 반성도 많이 했다. 오늘 여러 친구들이 '일반인 코스프레'를 해지해 준 덕분에 좋은 아이디어를 많이 얻었다. 다시 제자리로 돌아가 또 다른 어린 팬들을 위해 열심히 내 역할에 임하겠다. 좋아하는 수업을 듣고 바로 현장에 적용할 수 있다는 것이 즐겁다. 내년 팬덤 강의에도 참여할 수 있으면 좋겠다.

다음 장에서는 청소년이나 20대와는 다른 세대의 대중문화 수용의 모습들을 살펴보고 그 의미를 생각하게 될 것이다. 그들의 대중문화 수용은 대체로 이만큼 적극적인 팬덤의 모습으로 드러나지는 않지만, 그들에게 대중문화가 갖는 의미가 그렇게 간단하지만은 않을 것이다.

Ch.07

아줌마, 그에게 꽂히다

대중문화와 여성

KEYWORDS: 젠더, 현실, 차별, 억압, 저항
생각해볼 문제: 아줌마가 그에게 꽂힌 건…….

이번 주제는 '대중문화와 여성'으로, 젠더와 대중문화의 관계에 대해 생각해보려 한다. 젠더는 대중문화를 논의할 때 절대 간과할 수 없는 매우 중요한 주제 중 하나이다. 수업시간에는 이야깃거리를 풍성하게 하기 위해 2009년 MBC에서 방송되었던 〈MBC 스페셜: 아줌마, 그에게 꽂히다〉를 학생들과 함께 시청했다. 이 프로그램은 아이돌 가수와 배우들을 열렬히 좋아하는 30~40대 여성들을 심층 인터뷰해, 이른바 '아줌마 팬덤'의 의미를 그들 자신의 입을 통해 들려주는 다큐멘터리이다. 이어지는 토론에서는 아줌마 팬덤에 대한 학생들의 의견을 들어봤다. 아줌마 팬덤과 관련된 각자의 사연, 방송을 보고 난 이후의 생각 등을 나누던 자리가, 곧 사회 속에서 억압 받는 여성과 이러한 여성의 대중문화 소비 전반에 관한 논의의 장으로 바뀌었다.

우리 엄마 이야기

'대중문화와 여성'의 주제를 다룬 수업에서는 다큐멘터리 〈MBC 스페셜: 아줌마, 그에게 꽂히다〉를 시청한 뒤에 토론을 했다. 토론 수업 이후에 자신의 생각에 뭔가 변화가 있었다고 말하는 학생들이 꽤 많았다.

전에는 아줌마 팬덤이라고 하면 트로트 가수나 비슷한 연배의 가수들만 좋아할 거라고 생각했고, 아이돌을 좋아하는 경우에는 '정말 순수하게 좋아하는 걸까?'라는 의문이 있었다. 하지만 다큐멘터리를 통해 '아줌마 팬들도 별다를 게 없구나', '우리처럼 좋아할 수가 있구나'라는 것을 느꼈다. 사실 약간의 편견을 가지고 있었는데 긍정적인 방향으로 바뀌었다.

내가 연예인을 좋아하는 것보다 훨씬 더 열성적으로 좋아하시는 모습을 보면서 정말 놀라웠다. 지금까지는 무의식적으로 팬심의 열정이 젊음과 비례한다고 생각했던 것 같다. 정작 나 자신이 나이를 먹고 나서 연예인을 엄청 좋아하게 될지도 모를 일인데 말이다! 오늘의 다큐는 내가 생각하고 있던 나이와 팬덤, 또는 팬심의 관계에 큰 변화를 줬다고 생각한다.

이 영상은 학생들의 생각에 큰 영향을 주었다. 그만큼 이 다큐멘터리를 보며 여러 가지를 생각했다는 방증일 것이다. 또 그들의 글을 자세히 보면, 우리에게 아줌마 팬덤에 대한 편견이나 선입견이 존재하고 있다는 사실도 확인할 수 있다. 이 이야기는 뒤에서 다시 하도록 하겠다.

학생들의 반응 중에서 흥미로운 점이 하나 있었다. 영상을 보면서 많은 학생들이 '우리 엄마' 생각을 하게 되었다고 말한 것이다. 이것은 사실 '대중문화와 여성'이라는 이번 주제를 수월하게 풀어나갈 수 있는 열쇠이기도 하다. 우리 사회에서 여성이 차지하는 위치와 특징, 대중문화 수용과 여성의 관계를 피부로 느낄 수 있는 가장 손쉬운 방법이 바로 '우리 엄마'를 다시 한 번 바라보는 것이기 때문이다. 독자 또한 '엄마'가 대중문화를 소비하는 모습을 세심하게 살펴보면, 거기에서 많은 것을 깨달을 수 있을 것이다.

수업 내내 대중문화에 대한 것보다는 우리 '엄마'에 대한 생각이 많이 났던 것 같다.

자꾸만 엄마가 나의 엄마이기 전에 '○○○'이라는 이름을 가진 여자라는 사실이 떠올랐다. 나와 더불어 많은 것을 위해 자신의 이름으로 사는 것을 포기한 엄마에게 도움이 되어드려야겠다고 생각했다.

엄마가 요즘 들어 자주 "나는 이제껏 다 포기하고 이렇게 살아왔는데 이제 이 나이 먹고 이것도 못해? 이제부터는 날 위해 살 거야"라고 말씀하시는데, 오늘 수업을 듣고 나니 그 말이 계속 떠오른다. 엄마를 내 주관적인 관점에 가두고 있었던 것 같다. 대중문화가 정말 일상생활에 큰 역할을 하는 것 같다. 대중문화를 가지고 이런 생각까지 할 수 있다니…….

나도 고등학교 때 팬 활동을 한 적이 있는데 그 당시 거기에 아주머니가 한 분 있었다. 당시에는 진짜 이상하다고 생각했다. 그런데 요즘 들어 형제들이 대학 때문에 따로 살게 되면서 어머니가 외로워하거나 우울해하시는 모습을 보니, 차라리 무엇을 보고 다니든지 좋아하는 무언가를 찾았으면 좋겠다고 생각했다.

그렇다. 대중문화는 우리의 삶과 떼려야 뗄 수 없기 때문에, 대중문화를 이야기하다 보면 자연스레 우리 삶의 온갖 일면들이 나올 수밖에 없다. 대중문화를 단순하고 쉽게만 볼 수 없는 것도 이런 이유 때문이다.

왜 ‘삼촌 팬’도 있는데 ‘아줌마 팬’에 대한 이야기를 하느냐, ‘대중문화와 남성’을 토론할 수도 있는데 왜 하필 여성이냐는 질문을 할지도 모르겠다. 그 이유는 여성이 남성보다 대중문화와 관련해 더 많은 이야깃거리를 제공한다고 생각하기 때문이다. 사회에서 여성이 차지하는 지위와 그들의 대중문화 수용 사이에는 밀접한 관계가 있기 때문에, 미디어 학자들도 지속적으로 여기에 관심을 기울여왔다. MBC에서 방송된 〈아줌마, 그에게 꽂히다〉라는 다큐멘터리는 이 관계를 잘 반영했다고 할 수 있다. 그 둘 사이의 관계에 대해 많은 이야깃거리들을 던져주고 있다.

아줌마, 그리고 아줌마 팬덤

그런데 사람들 가운데는 ‘아줌마’라는 말의 어감이 마음에 안 드는 이도 있을 것이다.

‘아줌마 팬덤’은 왠지 어감이 부정적인 것 같다. 긍정적 의미를 지닌 ‘이모 팬덤’이나 다른 대체 단어를 찾아야 할 것 같다.

먼저, 이 다큐멘터리의 제목에서 ‘아줌마’라는 단어를 사용했다는 것을 기억하기 바란다. 여기에는 의도가 담겨 있다고 생각한다. 한국 사회에서 ‘아줌마’라는 말은 매우 상징적이다. 우리가 아줌마라고 부를 때의 통상적인 이미지를 떠올려보면 알 수 있다. 그런데 요즘 들어 사용되는 아줌마라는 개념은 예전보다 부정적인 뉘앙스가 많이 탈색되었다. 2000년에 MBC에서 방영된 드라마 〈아줌마〉가 이 같은 변화를 주도한 것으로 보인다. 그전에는 아줌마라는 단어가 지금보다 훨씬 더 부정적인 함의를 담고 있었기 때문에 일상이나 방송에서 편하게 사용할 수도 없었다. 이 다큐멘터리는 자칫 위험할 수도 있는 단어를 그대로 사용하면서, 역설적으로 우리가 얼마나 그들의 존재를 하나의 정형화된 틀 속에 가두어왔는지를 보여주려 했던 것으로 생각된다.

이것이 바로 대중문화와 여성의 관계에 대해 우리가 관심을 가져야 하는 이유이다. TV 드라마의 주 시청자 층을 이루는 여성에 대한 통상적 시선을 떠올려보자. '집'에서 '할 일 없는' 여자들이 TV 앞에 앉아 '쓰잘데기' 없는 것들을 보면서 '시간 때우는 것'이라고 여기는 시선 말이다. 여성을, 특히 '아줌마'를 대중문화 산업의 '상업성'에 아무런 비판의식 없이 놀아나는 존재로 평가하는 시선이 수반하는 몰이해와 편견이, 얼마나 폭력적일 수 있는지도 생각할 필요가 있다. 그런 시선이 과연 어디서부터 출발하는 것인지에 대한 질문도 해봐야 한다.

특히 아이돌 스타를 좋아하는 아줌마 팬덤에 대한 일반적인 시선은 매우 부정적이다. '주책없는' 일로 평가되는 게 보통이다. 다큐멘터리에서 잘 보여준 것처럼 30~40대의 어른들이 중·고등학생처럼 스타들을 쫓아다니면서 소리 지르거나 선물을 보내며 애정을 쏟는 모습을 바라보는 시선은 절대 곱지 않다. 이렇게 아줌마 팬덤은 '젠더'와 함께 '나이'라는 이중의 장벽을 지닌다는 특성이 있다. 이 두 가지가 결합해 부정적인 시선을 더 강하게 만든다. 20대 초반인 대학생들조차 팬덤 활동에 부담을 느낀다는 점을 생각하면,

아줌마 팬덤에 대한 시선이 얼마나 부정적인지 짐작할 수 있다.

나는 틴탑의 팬이고 친구는 인피니트의 팬이다. 하지만 다른 누군가한테 말하기가 뭣해서 우리 둘 다 비밀로 하고 있다. 나이 차가 몇 안 나는데도 이 정도니, 아줌마(?), 이모 팬들의 심정이 어떨지 헤아릴 수 있을 것 같다. 오늘은 뭔가 씁쓸하면서도 이중적인 기분이 든다.

다큐를 보기 전부터 평소 팬덤을 좋게 보려고 노력했다. 하지만 만일 엄마가 다큐의 아줌마 팬들처럼 연예인을 보려고 다닌다면 싫을 것 같다. 무슨 이유에서인지는 모르겠지만 요즘 사회에서는 '빠순이'라는 단어까지 만들어가며 팬덤을 안 좋게 보는 경향이 큰데, 남들이 엄마를 안 좋게 보는 것이 싫다. …… 쪽팔린 게 아니라 '남들이 뭔데 무시하냐'라는 기분? 꼭 팬질이 아니더라도 사회에서 무시 받는 취미는 안 하셨으면 좋겠다.

우리가 주목해야 할 부분 중 하나는 아줌마 팬들이 아이돌 스타에게 보내는 애정의 정체가 과연 무엇인가이다. 그들이 느끼는 애정은 '이성을 향한 사랑'인가? '성적 판타지'인가? 아니면 아들 또래에게 보이는 '모성애' 같은 것인가?

그 애정의 정체는 매우 다양하게 해석될 수 있으며, 또 모두 타당한 설명들이라고 생각한다. 어쩌면 어느 하나만 가지고는 설명할 수 없는 현상인지도 모른다. 또 이런 애정의 정체를 찾다 보면 더 보편적인 형태의 팬덤인 청소년 팬덤과 무엇이 다른지, 또 무엇이 유사한지에 대해서도 생각해보게 된다. 다큐멘터리를 본 후, 결국 그 본질이 크게 다르지 않다고 생각하게 된 학생들이 많았다.

팬덤 문화에 대해 다양한 생각을 할 수 있게 되었다. 나이를 불문하고 누군가를 좋아하고 팬이 될 수 있다는 걸 다시 한 번 생각해보게 되었다. 대중문화는 누구나 향유하고 즐길 수 있는 것으로 그 범위와 폭이 넓다는 것을 새삼 깨달았다.

영상을 보고 엄마가 떠올랐다는 친구가 많았는데 나는 내 미래를 보는 듯한 마음이 들어 집중해서 봤다. 아줌마 팬들이 활동하시는 방식(팬 카페에서의 친목 도모, 스타 이름으로 하는 봉사활동, 기부, 집에서까지 하는 야광봉+풍선 응원, 주인공 없이 하는 연예인 생일파티)도 내가 팬질을 10년 넘게 해오며 다 했던 일이고, 팬질을 하는 이유(위로, 힐링, 고마움, 활력소)도 내가 팬으로서 느꼈던 감정과 같았다. 다만 그들에게는 엄마로서, 기혼자로서의 역할이 있기에 거기서 오는 피로감과 억압감을 해소하고 싶다는 감정이 존재한다는 게 20대 팬인 나와 유일하게 다른 요소라 생각한다. 영상의 아줌마 팬들이 내 미래 모습일 거라 거의 …… 확신한다.

나는 다큐를 보기 전까지 아줌마 팬덤이라는 개념을 아줌마 부대와 연관시켜 생각하고 있었다. 그만큼 마니아적인 요소가 크고 힘이 막강한 팬이라고만 생각했던 것이다. 하지만 다큐를 보고 난 후, 아줌마 팬덤과 청소년 팬덤에 오묘한 공통점이 있다는 것을 발견했다. 혼란스러운 삶 속에서 삶의 목표가 필요한 집단이라는 점, 그리고 입시, 육아 등 요구받는 역할에 회의감을 느낀다는 점에서 양자가 비슷해보였다.

굳이 차이점을 찾으라고 한다면, 애정을 표현하는 방식 정도를 꼽을 수 있을지도 모른다.

나는 고등학교 때 팬질을 하면서 아줌마 팬들을 되게 부러워했다. 학생인 내가 해줄 수 없는 조공, 선물을 아줌마 팬들은 해줄 수 있다는 사실이 좋았다. 그래서 그때 나도 나이가 들면 저 분들처럼 해야겠다는 생각도 했다. 내 오빠들을 위하는 행동이어서 더 부럽고 열정적으로 보였던 것이다!

나도 중학교 때 연예인을 따라다니면서 학교도 빠지고 집에 거짓말을 하고 노숙하기도 했다. …… 분명 그 스타를 사랑하는 마음도 있었지만, 한편으로는 친구들에게 "나 연예인 봤다"라고 자랑하거나, "나는 이렇게 학교까지 빠지면서 내가 하고 싶은 걸 하는 강한 아이다"라고 과시하는 걸 즐기기도 했던 것 같다. 오히려 다큐 속 아줌마 팬들 쪽이 더 순수하게 팬덤 활동을 통해 스트레스를 분출하고 욕구를 충족하는 것 같다. 팬덤 활동을 통해 활기, 원동력을 얻고 더 긍정적인 에너지를 가지고 생활한다는 점에서 10대 팬들보다 더 향상된 문화처럼 보이는 것 같다.

물론 아줌마 팬덤이 보여주는 부정적인 모습이 전혀 없다고는 할 수 없다. 실제로 그런 모습을 경험한 학생들도 있었다. 그것은 주로 '아줌마'라는 용어가 풍기는 '지나친 적극성'과 연관된 모습들이었다. 그런데 사실 그런 부작용은 다른 팬덤에서도 쉽게 찾아볼 수 있는 것이기에, 그것이 아줌마 팬덤 자체를 인정하지 않는 이유가 되기는 어렵다. 다큐멘터리를 보고 아줌마 팬덤에 대한 시각이 이해하는 쪽으로 바뀌었다는 학생도 있었다.

오늘 영상을 통해 '아줌마 팬덤 현상'에 대한 시각이 180도 변했다. 사실 내가 팬덤 활동을 단 한 번도 해보지 않아서 그런지, 또래 사람들의 팬덤을 봐도 잘 이해가 안 갔고, 아줌마들의 모습은 더 부정적으로 보아왔던 것 같다. 하지만 영상 속 인터뷰 내용들을 듣고 특히 아줌마들에게 팬덤 현상이 스타에 대한 단순한 열광이 아니라는 걸 알 수 있었다. '공통의 관심사' 하나만으로 뭉치는 그들은 일상의 스트레스에서 해방되어 행복을 느끼고, 더 나아가 자신의 열정을 재발견할 수도 있다는 점이 놀라웠다. 닉네임으로 통하는 관계 속에서 오히려 편안함을 느끼는 그들의 모습을 보며 익명성이 보장된 그들의 모습이, 다른 한편으로는 그들의 남편도 자녀도 배제된 그들 자신만을 위한 공간이었던 것이다.

그들 목소리

그런데 아줌마 팬덤에 관한 우리 사회의 많은 이야기들 속에 정작 아줌마 자신들의 생각과 관점은 배제된 경우가 많다. 사실 그들의 형편과 입장을 잘 알지 못하는 상태에서 우리의 '짐작'만으로 그들을 이해하기란 쉽지 않다. 그럼에도 그동안 아줌마 팬덤에 대한 담론들은 주로 남성의 입장에서, 자녀의 입장에서, 전문가의 입장에서 설명된 것들이었다. 정작 그들에게 물어보려는 노력은 하지 않은 것이다.

그런데 이 다큐멘터리의 제작진은 직접 '그들의 목소리'를 듣는 방법론을 택했다. 다큐를 보면 알 수 있지만 이 프로그램은 내레이션도, 전문가 인터뷰도 없다. 오직 아줌마들의 이야기, 그들의 설명만으로 구성되어 있다. 사실 이런 방법론은 대중문화를 연구하는 '문화연구'의 전통에서 많이 사용되는 방법이다. 수용자들과 직접 심층 인터뷰를 하며 들은 내용들을 통해 그들을 '이해'하려는 것이다. 이 프로그램은 그와 유사한 방법론을 매우 효과적으로 사용했다고 할 수 있다. 이는 제작진의 특정한 대중문화관에 따른 결과로 보인다. 이렇게 여성의 눈으로 만들고 구성하는 대중문화 상품이 많아진다면, 그들의 소리가 더 많이 반영될 수 있을 것이다.

'팬클럽 활동' 자체만 보면서 '주책이다' 혹은 '뭐, 그들도 사람이니까' 정도에만 그쳤던 내 관점에서 벗어나 정말 그들의 입장, 그들의 시선을 느낄 수 있었던 다큐였다.

오늘 본 영상에서 느낀 점은 다큐멘터리가 대중문화를 그릴 때 '문화를 소비하며 스스로를 드러내는 집단'으로 대중을 표현했다는 것이다. 개인이라면 하지 못했을 팬질을 동일한 목표의식을 지닌 집단 속에서 집단의 이름으로 하고 이를 통해 그 개개인들은 억압되어 있던 다양한 욕망을 자유롭게 표출한다. 또 그와 동시에 한 걸음 더 나아가 자아를 온전히 드러내는 모습을 볼 수 있었다. 개인적으로 팬덤 문화 자체에 대해선 부정적인 인식이 강하긴 하지만, 나와 다른 인식을 보여주는 다큐멘터리를 보며 새로운 가치를 발견할 수 있었다.

어쨌든 이 다큐멘터리에서 분명하게 보여주는 하나는 그들의 '팬질'이 자신들이 처한 현실과 긴밀히 연결되어 있다는 점이다. 아줌마 팬이 직접 들려주는 그들의 이야기에서, 그들은 인생을 살며 일종의 '위기'가 찾아왔을 때 팬덤 활동을 시작했다고 말한다. 출산 후 힘들었던 시기, 경기가 나빠 장사의 어려움을 겪던 시기, 시부모의 병환, 아이를 키우랴 집안일 하랴 '내 할일이 너무 많아' 힘들었던 시기, 세월의 흐름을 느끼기 시작하는 시기, 아이를 다 키우고 난 후의 허전함이 우울증으로 몰려온 시기 등등. 그리고 이들은 그런 현실 속에서 대중문화가 이 위기를 극복할 수 있는 실마리를 제공해주었다고 말한다.

결국 한국 사회에서 '아줌마'가 차지하는 사회적 위치, 부여되는 기대와 의무, 그들에게만 가해지는 차별과 억압 등을 떼어놓고는 그들의 대중문화 수용을 이해할 수 없다. 이것은 우리 엄마들의 문제이자, 여성으로서 이 사회를 살아가는 모든 사람들의 문제이기도 하다.

영상을 보면서 학교로 마중 나오시고 학원에 데려다주셨던 엄마가 생각났다. '엄마'로서의 정체성, 고정관념을 깨고 한 사람의 여자로서 그 삶을 다시 생각해보게 되었다. 난 엄마 세대와 다를 것이고 시대가 많이 변했다고도 생각하지만 '정말 변했나?'라는 의구심이 든다. 성역할에 대한 편견은 여전히 존재하며, 사회가 '여자'에게 요구하는 것이 무엇인지 생각하면 과연 나는 '엄마'와 다른 삶을 살 수 있을까 하는 생각이 든다. 분명 인간, 개인으로서의 나, 내가 살고 싶은 삶과 사회, 혹은 남성이 요구하는 여성으로서의 내가 충돌하는 상황이 있을 텐데 그때 어떻게 대처해나가야 할까? 이건 영상을 보고 나에게 생긴 한 가지 과제이다.

아줌마들을 엄마의 역할만 수행해야 하는 사람으로 생각했는데 그들도 우리와 다르지 않다는 걸 알게 되었다. 원래는 아줌마들의 팬 문화를 좋지 않게 보았는데 그런 부정적인 시선으로 보았던 것이 미안해지는 시간이다.

여성의 현실과 욕망

이들이 소비하는 대중문화는, 이들이 한국 사회에서 30~40대 여성으로서 겪게 되는 '현실' 속에서는 결코 충족할 수 없는 '욕망'을 발견하도록 해주는 듯하다. 대중문화가 이들에게 제공하는 것은 일상으로부터의 탈출, 현실과 차별된 일종의 '판타지'라고 할 수 있다.

아줌마가 스타에 빠지는 건, 일종의 자신만의 판타지 세계를 만드는 거라고 생각한다. 팬들은 드라마나 영화, 기타 방송에 나오는 그의 모습(진정한 스타의 본성이 아닌)을 바라보며 판타지와 현실의 거리에서 오는 안정감을 원한다. 하지만 영상을 보고 이야기를 하며 든 생각은 판타지는 판타지일 뿐이며, 팬은 결국 현실을 선택할 것이고 언제든 현실로 돌아갈 수 있다는 사실이다. 스타는 판타지라는 것을 알기 때문에 아줌마들은 다시 기분 좋게 '나'를 찾으며 현실의 힘을 얻고 팬 생활을 할 수 있는 게 아닐까 생각했다.

그렇다면 우리는 이들이 겪는 '현실', '일상'의 모습이 어떤지에 대해 관심을 가질 필요가 있다. 무엇으로부터의 탈출을 욕망하느냐, 무엇이 이들에게 탈출을 욕망하도록 만들었느냐는 매우 중요한 문제이기 때문이다. 이것은 우리 사회가 30~40대 기혼여성에게 암묵적으로 '기대 혹은 요구하는 것들'과 연결될 수밖에 없다.

따지고 보면 연령에 관계없이 누구나 팬이 될 수 있는 건데 단지 아줌마라는 이유로 우리가 색안경을 끼고 본 것이 아닌가 싶다. 그 색안경을 쓰게 된 것은 우리 사회에서 엄마의 역할이 너무나 당연시되고 있다는 상황이 한몫을 한 것 같다. 엄마이기 이전에 여자라는 사실이 명백함에도 가족에게 엄마라는 존재는 너무 크다. 또 엄마에게 거는 기대와 역할이 완전하게 충족되어야 한다는 관념이 우리에게 강하게 자리 잡고 있는 것 같다. 영상을 보며 엄마라는 존재, 위치에 대해 내가 가지고 있던 선입견을 다시 한 번 생각해볼 필요가 있다고 생각했다.

이 다큐를 보고 우리나라에서 결혼한 여성들의 삶에 대해 많은 것을 느끼게 되었다.

육아에 지쳐 있고, 가정을 위해 인간관계까지 포기해야 했던 사례들을 보면서, 그들이 연예인에 열광하는 모습이 어느 정도 이해가 되었다. 연예인을 보는 것만이 아닌, 사람들을 만나며 소통하는 것에 큰 위로를 얻는 것을 보고 팬 문화 속에서 인터넷 커뮤니티도 큰 영향을 미쳤다는 걸 알게 되었다.

다큐에 나온 열성적이고 적극적인 아줌마 팬, 그들은 아마 우리 주변에도 있을 것이다. 단지 다큐에 나온 것처럼 주변 사람들의 시선, 집안일, 회사 일 등 삶에 휩쓸려 표출하지 못할 뿐이다.

이 다큐에 등장하는 인물들의 입을 통해 팬덤 활동이 그들에게 준 '효과'로 열거된 것들은 다양했다. 여기에는 현실에서의 행복과 보람, 봉사활동이나 모금 등 적극적인 사회참여와 삶의 에너지 공급, 이전에 비해 훨씬 적극적이고 활발하게 바뀐 성격, 다른 활동에 대한 자신감, 친구를 비롯한 인간관계 등이 있었다.

무엇보다도 이들은 이전에는 스스로를 엄마로서, 주부로서, 직장인으로서 규정해왔지만 이제는 사람으로서, 여자로서, '나'로서 규정하게 되었다고 말한다. 팬클럽 활동을 하는 '아줌마'들의 인터뷰 속에서 강조되는 말들은 그들이 '엄마'라는 말 대신 '사람', '여자', '나'라는 존재로 인식되기를 욕망한다는 것이었다. 즉, 정체성의 문제인 것이다. 바로 여기에서 사회가 그들에게 규정하고 강요한 정체성과 그들이 욕망하는 정체성 사이의 충돌이 나타난다. 이것은 주체성(subjectivity)의 문제이기도 하다. 그들은 자신의 삶을 주체적으로 영위하고 통제할 권력을 되찾고자 하기 때문이다. 이 부분을 간파한 학생들도 있었다.

아줌마들이 팬덤을 통해 얻는 것은 '살아있는 나'가 아닐까 하는 생각이 든다. 누군가의 엄마였던 그들이 죽어 있던 여자로서의 설렘과 두근거림을 다시 느끼고 같은 팬끼리 모여 친구가 되면서, 인간으로서의 자신을 만나는 것이다. 그리고 적극적이고 활발한 자신의 모습을 보며 스스로가 살아 있다는 것을 깨닫게 되는 것 같다.

다큐에서 팬의 인터뷰 중 '열정', '청춘', '활기', '설렘', '생기', '나', '에너지' 등의 단어가 많이 나온 점이 인상적이었다. 사회규범이나 주변의 상황에 끌려만 다니다가 아이돌 팬덤의 일원이 된 이후, 자신의 삶에 주체적이고 적극적으로 임하게 되었다는 점도 인상 깊었다.

이 다큐를 보고 나서 우리 사회가 기혼 여성들에게 요구(강요)하는 역할이 얼마나 큰지, 다양한지 다시금 깨달았다. 우리 엄마 같은 경우, 누군가의 팬 활동은 아니지만 성당 활동을 통해서 가정, 육아의 스트레스를 해소하신 것 같다. 특히 성당에서는 서로를 세례명으로 부르는데, 서로를 역할로 부르지 않고 '이름'으로 부르는 게 굉장히 의미 있다고 생각했다. 주체성을 찾았다는 관점에서 말이다.

이것은 여성성의 회복과 연결되기도 한다. 누군가를 좋아하게 되고, 두근거리고 설레는 감정을 다시 느끼게 되면서, 그동안 '아줌마'로서 살아오면서 제거되어 있던 여성성을 회복하게 되는 것이다.

'왜 연예인에 빠져들까?'에 관한 얘기를 할 때 엄마로서, 주부로서의 억압된 역할에서 잠시 해방되어 진정한 여자로서의 자유로운 마음이 표출된 것이라는 얘기를 듣고 그게 맞구나 싶었다.

아줌마('제3의 성')를 소녀(아름다운 그 시절)로 바라볼 수 있게 하는 게 팬덤이 아닌가 싶다. 트로트 가수 박현빈 씨가 아주머님, 할머님들에게 인기가 있다고 한다. 일본에서까지 말이다. 처음에는 '트로트 가수라는 게 높은 연령층에게 잘 먹히는 건가?'라는 생각을 했는데 그게 아니었다. 박현빈 씨는 콘서트에 가면 "애기들아 오빠 왔다"라며 인사를 하고, 그러면 관객들은 완전히 자지러진다고 한다. 이걸 보며 제3의 성 '아줌마'가 여자로 인정받는 가장 쉬운 방법이 팬덤이 아닐까 하는 생각이 들었다. 그들(누나 팬, 아줌마 팬)을 굉장히 고마운 마음으로, 사랑스러운(?) 시선으로 바라보며 손을 흔드는 게 연예인의 일(?) 중 하나니까.

또한 열정을 쏟을 대상을 찾는다는 의견도 있었다. 여성에게 부여된 기대를 충족시키면서 살아온 일상 속에서 상실했던 열정이 되살아나고, 그것을 스타라는 대상에게 쏟아붓게 된 것이다.

우리 엄마도 정말 연예인을 좋아한다거나 팬이라고 이야기한 적이 없었는데, <나는 가수다>에서 임재범을 보고 완전히 반하셨다. 평생 돈 없다며 극장 한 번 안 가시던 분이 임재범 콘서트에 같이 가자고 하시고, 팬 카페에 가입해 글을 쓰시거나 댓글을 다셨다. 심지어 임재범의 영상과 음악을 더 잘 보고 듣기 위해 TV까지 바꾸셨다. 나는 이런 모습을 봐도 당황스럽다거나 '싫다, 우리 엄마 왜 이래' 하는 생각은 전혀 들지 않았다. 오히려 이렇게 무언가를 신나게 이야기하며 열정적으로 인생을 즐기는 모습을 보며 너무나 뿌듯했고 다행이라는 생각이 들었다.

영상을 보면서 가장 마음에 와 닿았던 것이 "응원하는 마음, 좋아하는 마음이 긍정적인 마음을 만든다"라는 말이었다. 주부나 직장의 일원으로 매일같이 반복되는 일상을 사는 사람들에게 꼭 필요한 감정인 것 같다. 물론 사랑하는 남편이 있기는 하지만 그 사랑은 세월이 지날수록 무뎌지고, 열정이 식어갈 것 같다. 그러한 열정을 다시 불태워 삶의 활력을 불러일으킨다면 충분하지 않을까?

또 다큐에서 중요하게 거론된 부분 중 하나는 아줌마들이 팬덤을 통해 얻게 된 새로운 인간관계였다. 스타를 좋아하는 팬들을 중심으로 일종의 공동체(community)가 형성되고, 그 안에서 만들어지는 관계성이 아줌마 팬덤의 핵심 요소가 되었다.

다큐멘터리를 보면서 아줌마 팬들이 팬덤 문화를 하나의 '소통' 수단으로 사용한다는 걸 알았다. 인터뷰에서 어떤 분은 자신이 가족에게 충실해도 가족들은 자신에게 충실하지 않는 것에 회의감을 느낀다고 말하기도 했다. 팬덤 문화는 자신의 이야기에 귀 기울여주지 않는 현실에서 벗어날 수 있게 해준다고 생각한다. 우연일 수도 있겠지만 다큐에서 인터뷰에 응한 아줌마 팬 대부분은 초등학생 이하의 자녀를 둔 엄마였다. 아이들은 어려서 엄마와 소통하지 못하고, 남편이나 다른 장성한 가족들은 그들의 이야기를 집중해서 들어주지 않는 현실이 잘 반영된 것 같다. 우리 엄마는 언니나 나와 함께 이야기를 많이 하시는데, 이럴 수 없는 사람들이 팬덤 문화에서 자신에게 귀 기울여주는 소통의 수단을 찾는 것이라고 생각한다.

이 점 역시 청소년 팬덤과 크게 다르지 않다고 할 수 있겠지만, '아줌마'들의 고유한 현실을 고려할 때 쉽게 지나칠 수 없는 부분이기도 하다. 그런 의미에서 다음의 글은 이 점을 잘 정리하고 있다. 다큐에서 한 아줌마 팬클럽은 스타의 생일에 주인공도 없는 생일파티를 열어 서로 즐거운 시간을 갖는다. 왜 생일파티에 주인공이 없느냐는 질문에 "우리가 초대하지 않았어요"라고 답하며 유쾌하게 웃는다.

영상을 보면서 정말 의아했던 것은 '스타'가 오지 않아도 팬들끼리 모임을 가졌다는 점이다. 만약 나라면, 아니 10대나 20대의 팬들이라면 스타가 오지 않는 모임에 갈 필요성을 못 느끼고 잘 가지도 않을 거다. 하지만 아줌마들은 영상에서도 알 수 있듯이 그 모임 자체를 즐기며 행복해한다. 그것은 사회의 한 단면을 보여주는 예라고 생각한다. 사회적으로 아줌마들이 설 자리가 없어지면서 고립감과 소외감, 외로움을 느끼기 쉬운데 이러한 팬덤 문화를 계기로 자신도 어느 한 집단에 속한다는 소속감을 느끼려 하는 게 아닌가 한다.

다큐에 나온 많은 인물들이 언급했듯이, 결론적으로 팬덤 활동은 정서적 위안을 제공하고 있는 것으로 볼 수 있다.

동방신기의 노래를 처음 듣고 그들의 팬이 되었다는 분의 이야기가 기억에 남는다. 동방신기의 가사, 노래로 위안을 얻었다는 이야기를 듣고 팬덤 문화의 중심에 있는 대중이 위로나 힘을 주는 노래를 부르거나 드라마를 찍는 스타를 하나의 '상징'으로서 좋아하는 게 아닐까 하는 생각을 했다. 나 역시도 그런 이유로 특정 스타를 좋아하게 되었기에 깊이 공감이 됐다.

이 영상의 아줌마들은 중·고등학교 때부터 좋아한 우상이 아닌 '현재의 내가 좋아하는' 스타에 대해 애정과 열정을 쏟고 있다. 그러면서 몇몇 아줌마들은 '나중에 돌아봤을 때'라는 말을 하는데, 결국 이러한 팬 활동도 끝이 있다고 생각하는 것 같다.

우연한 기회나 가볍게 힐링하자는 마음으로 팬 활동을 시작하지만, 마음의 위안을 얻고 괴로운 정신적 상황을 회복하고 나면 그 활동들을 뒤로하고 새로운 제2의 인생으로 나아가는 것이 아닌가 한다.

점점 더 큰 스트레스와 불안, 공포로 잠식당하는 사회에서 대중문화가 사람들에게 이렇게 정서적 위로를 제공할 수 있다는 건 어떻게 보면 매우 고마운 일인지도 모른다. 수업에 참여했던 많은 학생들이 엄마에게 팬덤 활동을 추천해야겠다고 말했던 것이 떠오른다.

나도 동생들과 나를 키우느라 지칠 대로 지치신 어머니께 누군가의 팬이 되어 스트레스도 해소하고 즐거움을 되찾으라고 추천드리고 싶다. 심지어 나도 그런 활동을 해볼 필요가 있지 않나 싶다.

일상으로 돌아갈 에너지. 어머니께서 요즘 드라마에 너무 빠지셔서 걱정하고 있었다. 그런데 생각해보니 드라마를 보시기 시작하면서 더 활력이 넘치고, 기분도 좋아지신 것 같다. 굉장히 보수적이고 점잖던 분이 그러셔서 걱정했는데 …… 어머니가 다시 여성으로 보인다!

대중문화와 여성의 저항

그런데 이렇게 여성의 현실에 관한 주제로 토론을 하다 보면 꼭 아래와 같은 반응이 나온다. 여학생만 모인 이 수업에서 매년 반복되는 패턴이다.

여시 결혼하면 여자만 손해인 것 같다

앞에서 '불륜 드라마'를 이야기할 때도 비슷한 반응이 있었다. 의도하지 않은 반응이지만 결혼하지 않겠다고 결심하는 사람도 있었다. 곤혹스럽지만, 그런 모습이 한국 사회의 현실이라면 모른 척하거나 미화할 수만은 없을 것이다.

대중문화는 한국 사회에서 여성으로서, '아줌마'로서 처하게 되는 특별한 맥락을 경험하는 이들에게 그 틀에서부터 벗어날 수 있는 힘을 제공하는 듯하다. 그것은 나만의 취미를, 나를 위한 시간을, 활동 공간의 확장을, 새로운 관계성을, 가족관계의 새로운 역학을 만들어낸다. 여성들에게 박탈되었던 권력이 새롭게 주어지는 것이다.

대중문화를 통해 여성들에게 생긴 이런 변화의 모습들을 '저항'이라고 부를 수 있을지도 모른다. 여성에게, 아줌마들에게 강요되는 차별과 억압으로부터 벗어날 수 있는 가능성이 발견되는 것이다. 대중문화를 수용한다는 것을 그렇게 단순하게만은 볼 수 없는 이유이다.

우선 다음의 글을 읽어보자. 대중문화가 여성들에게 제공하는 것들을 긍정적으로 평가하고 있다.

사회구조로 인해 받는 스트레스를 풀 공간이 있다는 것만으로 대중문화가 좋은 역할을 하고 있는 게 아닌가? 다시 삶으로 돌아가기 위한 힘이 아닌, 삶에서 희망을 얻을 수 있는 하나의 방법이 되는 것 같다. 엄마도 사람이니 …… 누려야 하지 않나?

또 다음의 글들도 함께 읽어보자. 이번에는 대중문화가 제공하는 것들을 부정적으로 평가하고 있다.

💬 우리 엄마는 팬클럽 회원은 아니지만, 등산 동호회나 오빠 군부대 카페에서 엄청 열심히 활동하신다. 그 사람들과의 만남과 소통을 통해 쌓인 스트레스를 풀고 삶의 활력을 얻는 건 좋다고 생각한다. 하지만 밥을 잘 안 챙겨주실 때나 집에 돌아왔는데 안 계실 때는 너무 싫다는 생각이 든다. 가정에 대한 관심과 보살핌이 그쪽으로 다 쏠리는 것 같아서…….

💬 나도 팬덤 문화를 긍정적으로 생각한다. 그 주체가 아줌마든 어린아이든 할머니든, '팬덤'이라는 돌파구를 통해 한 개인의 삶의 의욕을 되찾고 능동적인 여가를 즐길 수 있다면, 그것만으로도 충분한 가치가 있는 것 같다. 다만, 오늘 본 다큐멘터리는 팬덤을 통해 제2의 삶을 살게 된 긍정적인 사례, 혹은 일상에서 본연의 역할에 충실하면서 여가의 일면으로 팬덤 문화를 즐기는 사례만 국한지어 보여줬다는 점에서 아쉬움이 남는다. 분명 연예인에 대한 지나친 애착으로 인해 가정이 무너지거나 삶에 악영향을 미친 경우, 사회적으로 피해를 끼친 사례가 존재할 텐데 다큐에서는 지나치게 밝은 면만을 보여준 것 같다. 물론 그 때문에 다큐멘터리가 하나의 방향으로 차분하게 진행될 수는 있었지만, 나를 비롯한 다큐멘터리의 시청자들에게 '팬덤 = 옳다'라는 인식을 심어주게 된 것이 아닌가 하는 생각이 든다.

상반된 입장을 보이는 앞의 글들은 대중문화가 여성에게 제공하는 것에 대해 서로 다른 평가를 내린다. 하지만 눈치챘는가? 두 입장 모두 동일한 잣대로 대중문화를 평가하고 있다. 바로 여성들이 가정에서 수행해야 할 역할과 책임을 다하는 데 팬 활동이 도움이 되느냐의 여부이다. 즉, 대중문화의 수용이 가정에서 여성에게 부여된 의무를 다하는 데 도움이 된다면 긍정적인 평가가, 가정생활을 소홀히 하도록 만든다면 부정적인 평가가 내려지는 것이다. 이는 "다시 삶으로 돌아간다", "일상에서 본연의 역할" 등의 표현에서 읽을 수 있는 전제이다.

앞서 아줌마들이 스타에 꽂힌 이유를 여성에 대한 사회적 기대와 차별적 대우에서 찾았던 것을 다시 한 번 기억해보자. 이렇게 본다면 대중문화의 수용은 그러한 차별과 억압으로부터 벗어나는 것이 아니라, 오히려 그것에 더 충실해지도록 만드는 것이 될 수도 있다. 따라서 이것이 무슨 저항이냐는 주장도 있을 수 있다. 저항이라면 그들을 억압하는 현실을 바꾸는 것이어야 할 텐데, 팬덤 활동을 통해서 자신이 처한 현실로부터 일시적으로 도피하거나, 팬덤 활동 후 다시 현실로 복귀함으로써 오히려 불평등한 현실에 더 순응하도록 하는 것이 아니냐는 문제제기다.

그래서 우리는 페미니즘이라는 틀을 통해 아줌마 팬덤에 대해서 생각해볼 필요가 있다. 물론 이때 페미니즘이라는 것은 하나의 사상이 아닐뿐더러, 아줌마 팬덤에 대해 다양한 평가를 내릴 수 있다는 점을 염두에 두어야 한다. 하지만 여성에게 차별적인 현실을 고발하고 이를 극복할 방안을 모색한다는 사상 및 실천으로서의 페미니즘에 따라 이 현상을 설명해보는 건 의미가 있다. 학생들에게 페미니즘의 시각으로 다큐를 평가해보라고 했다.

다큐 제작진의 대중문화관과 페미니즘을 연결시켜볼 때, 물론 여성의 억압된 욕망을 해소시키는 것은 잘 담아냈다고 본다. 그런데 더 급진적인(?) 페미니즘에서 보면, 여성의 진정한 해방은 사회에서 기대하는 여성의 역할을 깨야 가능한 것인데, 결과만 놓고 보면 이 다큐는 오히려 사회에서 기대하는 여성의 역할을 강조하고 있는 것 같다. 특히 남편들의 인터뷰와 태도를 보면 아줌마 팬덤은 가사와 육아의 활력 정도로만 여겨진다.

이 다큐가 페미니즘의 측면에서 볼 때 '교묘하다'는 점에 동의한다. 아줌마들의 팬 활동을 소재로 여전히 변하지 않는 가족 내 권력구조, 엄마에 대한 역할을 재생산했다고 생각하기 때문이다. 다만, '아줌마 팬'을 다룬 이 다큐가 이런 재생산을 목적으로 만들어졌다고 생각하진 않는다. 그만큼 우리가 기존에 가지고 있는 '여성주의'에 대한 이해가 부족한 것은 아닌가 한다.

주부들이 팬 활동을 통해 자신의 정체성을 찾고, 공감대를 형성하는 인간관계를 맺으며, 자신에 대한 용기와 자신감을 찾는다는 점에서 '스타'의 긍정적인 면이 있다고 생각한다. 하지만 이런 팬 활동이 심해지면 '스타'라는 것이 잠시 동안의 도피처에서 허위의식으로 확장될 수도 있지 않을까 하는 생각이 든다.

나는 아줌마들의 팬덤 문화가 페미니즘의 한 형태라기보다는 소극적 형태의 표출이라 생각한다. 물론 여성성을 잃은 여느 주부들과 비교하면 상대적으로 활발하게 자신을 표출한다고도 볼 수 있지만, 꼭 스타를 향한 애정을 통해 자아를 찾아야 할까? 좀 더 주체적으로 자신을 직면하는 자세를 갖춰야 비로소 페미니즘으로 이어질 수 있을 것 같다.

이렇게 평가가 다른 것은 사람마다 '변화'와 '저항'을 규정하는 시각이 다르기 때문으로 보인다. 그 기준이 무엇이냐에 따라 긍정적으로도, 부정적으로도 평가할 수 있는 것이다. 다시 한 번 강조하지만 중요한 것은 이 글을 읽는 가자의 시간이다.

참고로 대중문화를 연구하는 사람들 가운데는 대중문화의 수용을 통해 경험하는 '즐거움'이 곧 저항의 출발점이라고 규정하는 이들도 있다. 가용한 문화적 자원이 상대적으로 부족한 소수자 집단에게 대중문화로 얻는 즐거움은 저항을 위한 에너지가 될 수 있을 뿐 아니라, 그 즐거움 자체가 현실에서 자신들이 겪는 억압적 위치를 인식하는 데서 나오는 즐거움이기 때문에 저항적 성격을 갖는다는 것이다. 나아가 어떤 이는 문화 산업이 이윤 추구를 목표로 하기 때문에, 대중의 쾌락을 확보하려면 그들의 입맛에 맞을 만한 문화 상품을 만들 수밖에 없다고 주장하기도 한다. 이론적인 것을 떠나 여성들이 대중문화를 소비하며 느끼는 즐거움이 근본적으로 어떤 의미를 지니는지, 우리 주변의 사례를 통해 따져보는 것은 중요한 작업이다.

한편 이러한 논의를 일본의 아줌마 한류 팬들과 그들이 처한 맥락과 연결해 생각해볼 수도 있다. 한국 사회의 여성들이 보이는 대중문화 소비 행태와 그들의 현실 또는 콘텍스트를 따로 떼어놓을 수 없었던 것처럼, 일본 여성들의 대중문화 소비도 그들의 현실과 콘텍스트에 대해 많은 걸 말해주고 있다.

아줌마들의 팬 활동이 취미 생활의 진입장벽을 깨주었다는 느낌이 든다. 일상 외의 취미 생활을 하려고 마음먹더라도 하나의 분야를 정하는 것이 쉽지 않을 텐데, 연예인을 좋아하는 것은 TV를 통해서 쉽게 할 수 있기 때문이다. 욘사마를 응원하는 일본, 이민호, 김현중을 응원하는 한국같이 가부장적 문화가 강한 곳에서 대중문화라는 접근성이 용이한 문화에 더 빠져드는 경향이 짙지 않을까 싶다.

내가 알기로 일본의 여성들은 우리보다도 더 가부장적인 환경에서 살아간다. 가정 내에서 남성이 차지하는 권력의 크기는 매우 크다. 일본 주부들 사이에서 한류 드라마가 성공한 것은 상대적으로 덜 보수적인 한국 드라마 속 성 역할 때문이라는 설명도 있다.

이런 시각에서 보면, 한류의 성공을 단지 한국 대중문화의 우수성으로만 설명하려는 흔한 태도가 얼마나 자가당착에 빠져 있는지에 대해서도 생각하게 된다. 한류를 수용하는 이들의 현실과 맥락을 고려하지 않은 채 우리 중심으로 그 현상을 설명하려 들면 심각한 오류를 가져올 수 있다.

다음에 소개될 글들에서 나타나는 논의가 여러 세대, 여러 콘텍스트에 놓인 대중에게까지 넓혀지기를 바란다. 또 독자가 다른 이들의 현실과 콘텍스트를 그들의 취향과 연결시켜보는 훈련도 하기를 바란다. 그 과정에서 우리의 사유 방식에 대한 한층 깊은 성찰이 이루어진다면, 사고의 폭도 넓어질 것이다. 이것은 Part 2의 목표인 '사고의 확장'이 지향하는 바이기도 하다.

아줌마가 연예인을 좋아하는 게 왜 특별하게 여겨지는지를 생각해봤다. 그러면서 내가 어느 순간부터 연예인에 심취하지 않게 되었는지도 생각해봤다. 팬 활동을 그만두는, 서서히 사랑이 식는 이유는 그 사람이 내 환상처럼 특별한 존재가 아니었고, 그와 나의 관계도 특별한 것이 아니었다는 것을 깨달았기 때문이라고 생각한다. 아마도 연예인에 빠진 아줌마가 한심한 사람 취급을 받으며 비난받는 것 역시, 그들이 자신의 활동에 그 어떤 특별함도 존재하지 않는다는 사실을 깨닫지 못하기 때문일 것이다. 하지만 잘 알지도 못하는 사람을 짝사랑하는 건 설레고 절절한 사랑이라 부르면서, 그 사람의 나이, 생일, 취미, 작은 습관까지 공부한 사랑은 왜 비난받아야 할까. 그 사람이 나를 좋아할 가능성이 전혀 없다고 해도, 내가 수많은 사람 중 하나일지라도 나에게는 세상에 하나뿐인 관계인데.

다른 사람의 취미에 대해 타인이 말할 권리는 없다. 그 사람의 행동이 일반적 윤리, 도덕 기준에 어긋나지 않고 남에게 폐를 끼치지 않는다면 더더욱 말할 수 없다. 그 사람이 좋다는데 내가 무엇을 말하며 평가하나. 팬덤도 마찬가지다. 사람이 무언가를 좋아하는 것을 이상하다고 말할 권리는 없다. 자신의 기준은 절대적일 수 없고, 세상의 잣대도 항상 변하는 법인데 …… 발표를 들으며 은연중에 아줌마 팬덤을 이상한 것, 특이한 것으로 보는 시선이 느껴져 이런 생각이 들었다. 가령 현실도피라느니 …… 아줌마 팬덤은 취미가 그것일 뿐이다. 아이돌이 아닌, 연예인이 아닌, 클래식에 빠져 있다고 하면 현실도피라는 말이 나왔을까? 자신의 현실에 충실하며, 다른 이들에게 폐를 끼치지 않으면 그걸로 된 것이다.

다큐에서 한 아줌마 팬이 말한 것처럼 연령에 맞는 예술적 취향은 누가 정해주는 것이 아니다. 나 또한 폴 매카트니나 장사익의 노래를 좋아한다. '지금 20대인 나는 이러이러한 예술적 취향을 가져야 한다' 같은 생각은 해본 적이 없다. 개인의 예술적 취향을 너무 어리다고, 너무 늙었다고 단정 짓고 이상하게 바라보는 대신, 그것을 존중해주는 사회적 분위기가 확산되어야 할 것이다.

이렇게 아줌마 팬덤에 관해 이야기를 풀어가다 보면, 우리의 논의는 이제 '세대와 취향'이라는 다음 주제로 넘어간다. 우리가 대중문화에 대해 가지고 있는 취향의 상대성에 대해 생각해볼 수 있는 주제이다. 대중문화에 대한 취향은 세대로 규정될 수 있을까? 만약 그렇다면 각 세대를 향한 대중문화 레퍼토리는 충분하게 공급되고 있을까? 이런 질문에 대한 답을 찾기 위해 각기 다른 세대가 대중문화를 수용하고 소비하는 방식을 생각해보려 한다.

Ch.08

내 나이가 어때서?

세대와 취향

KEYWORDS: 취향, 세대, 장르, 사회계급, 갈등, 다양성
생각해볼 문제: 이런 걸 좋아하시는 아버지/어머니, 도대체 이해할 수 없다

이제 우리의 관심은 '세대'로 넘어간다. 서로 다른 여러 세대의 대중문화 수용을 생각해보려는 것이다. 한번 자신의 가족들을 생각해보자. 부모 세대가 좋아하는 대중문화 콘텐츠는 무엇인가? 그것이 자신은 도저히 좋아할 수 없는, 이해할 수 없는 콘텐츠라면 더욱 좋다. 그들이 그것을 좋아하는 이유는 무엇일까? 그들이 좋아할 만한 콘텐츠로는 어떤 것들이 있나? 자신의 세대를 위해 제공되는 콘텐츠와 그들을 위해 제공되는 콘텐츠의 양적 혹은 질적 차이는 없는가? 이 수업을 진행하기 전에 학생들에게 MBC 표준FM의 〈여성시대〉를 듣고 오라고 했다. 〈여성시대〉는 아주 오랫동안 아침시간대 라디오를 평정하고 있는 프로그램으로서 음악보다는 청취자들의 사연으로 엮어가는, 중년들을 위한 콘텐츠이다.

이후 '공감할 수 없는 부모님의 대중문화 취향'에서 시작된 토론은 이야기가 진행됨에 따라 '모든 세대가 공감할 수 있는 대중문화'와 '대중문화로부터 소외된 사람들'에 관한 논의로 발전해나갔다. 또 우리의 논의는 세대로부터 출발해 세대 간 갈등으로, 계급으로, 나아가 대중문화의 다양성이라는 개념으로 이어졌다.

도대체 저걸 왜 보지?

이번 주제는 '세대(generation)와 취향'이다. 세대는 대중문화에 대한 취향의 차이를 가장 쉽게 발견할 수 있는 범주일 것이다. 우리가 흔히 이야기하는 '세대 차이'는 좋아하는 음악, 텔레비전 · 라디오 프로그램, 드라마, 영화 등에서 아주 극명하게 나타난다. 우리는 이러한 취향의 차이를 어떻게 생각하는가? 차별적인 취향이 말해주는 건 무엇인가? 현재 우리의 대중문화는 취향의 차이를 얼마나 배려하고 있는가?

수업은 학생들이 부모의 대중문화 취향에 대해 토론하는 것으로 시작되었다. 재미있는 이야기들이 많이 나왔다. 대중문화에 대한 이야기를 나누다 보면 다음과 같이 가족에 대한 애정 표현이 회복되기도 한다. 이렇게 대중문화는 단지 대중문화라는 제한된 영역을 넘어 나, 가족, 우리, 사회에 대한 이야기들로 화제를 확장시킬 수 있다는 매력이 있다.

프로그램(채널)과 관련한 취향 …… 어느 가족이든 매우 비슷한 것이 너무 웃기다.

생각보다 '아빠'에 대한 이야기가 깊게 다루어지지 않아 아쉬웠다. 솔직히 나는 <여성시대>를 듣다가 아빠 생각에 조금 먹먹했다. 부모님을 생각하는 중년 가장의 마음, 은퇴 후 집안일을 경험하는 가장의 마음, 아빠와 딸의 관계에 대한 가장의 마음, 재취업에 성공한 중년의 마음, 어려웠던 시절 불행한 어린 시절을 추억하는 중년의 마음……. 이런 내용을 담은 <여성시대> 1부를 들으면서, 지난번에 아줌마 팬덤을 다룰 때 엄마의 팬심, 엄마의 자아실현 등 엄마를 향한 씁쓸한, 또는 짠한 무언가를 느꼈던 것이 오버랩되었다. 이 시대의 가장은 비록 티는 내지 않더라도 그 속에 가장으로서의 고민이 무수히 많을 텐데……. 그런 고민들을 라디오 사연을 통해 표현하는 것을 보며 우리 아빠도 이런 혼자만의 고민을 안고 힘들어할 것이라는 생각에 순간 울컥했다.

우리가 몇 장에 걸쳐 생각하고 있는 대중문화의 수용은 결국 수용자의 '삶'에 관한 이야기로 귀결된다고 할 수 있다. 이번 주제인 '다른 세대의 대중문화 수용' 역시 그들의 삶에 대한 관심과 이해 없이는 불가능하다. 특히 이번에는 '가족이 함께 함'에 미치는 미디어의 영향에 대해서도 생각해볼 수 있었다. 각 가정마다 TV 수신기의 개수가 늘어나고 DMB, 스마트폰, 태블릿 PC 등 모바일 미디어가 보편화되면서 가족을 한 자리에 모아주고 공통의 경험을 쌓도록 해주는 미디어의 역할은 점차 사라지는 것 같다. 편리함을 더해주기는 하지만 어찌 보면 많이 아쉬운 현상이라고도 할 수 있다. 미디어 연구자들에게 '가족'이라는 화두는 항상 흥미로운 주제였고 앞으로도 그럴 것이다.

내가 중 2때부터인가 집에 TV가 없어졌는데 그래서 그런지 가족끼리 대화하는 시간도 많아지고 취향이나 생각도 비슷해졌다. 그러다 보니 가끔씩 아이패드로 보는 TV 프로그램도 비슷해진 것 같다. 돌아보면 TV가 없었던 우리 집이 지금의 나에게 그 나름 좋은(?) 영향을 준 것 같다.

미디어가 가족들이 함께 하는 시간과 경험을 확장시키기도 하고, 오히려 그런 공유를 방해하기도 했다는 서로 다른 경험이 흥미롭다. 기술적인 변화가 여기에 영향을 미치기도 하지만, 미디어가 제공하는 콘텐츠의 구성 자체도 지대한 영향을 미칠 것이다. 그래서 현재 우리의 대중문화는 주로 어떤 세대를 향하고 있는지, 또 그건 어떤 의미를 지니는지 등을 우리의 경험으로부터 살펴보는 일이 매우 중요하다.

토론은 '각 가정에서 벌어지는 TV 리모컨 전쟁 이야기'에서부터 시작했다. 각자가 다른 가족 구성원과 TV 채널 선택권을 가지고 벌이는 갈등은 세대 간에 존재하는 취향의 차이를 보여주는 증거이다. 도저히 이해할 수 없는 부모 세대의 대중문화 취향에 맞닥뜨리게 되어 힘들었던 경험이 누구에게나 있을 것이다.

우리 집은 TV 보는 취향이 비슷해서 채널 다툼이 별로 없는 편인데 아빠랑 딱 한 가지 안 맞는 취향이 있다. 바둑이다. 우리 아빠는 바둑 두는 것도 좋아하시고 바둑 채널을 보는 것도 좋아하신다. 매일 밤 주무시기 전에 항상 두 시간가량은 누워서 바둑 채널을 보신다. 내가 볼 땐 정말 재미없어 보이는데 아빠는 그 사람들이 두는 것을 보면서 배우기도 하고, 다음에 나올 수를 예측하면서 간접적으로 바둑을 두는 느낌을 받을 수 있다고 하신다.

우리 집은 아빠가 중국 드라마인 <삼국지>를 좋아하셔서 결제까지 해가며 보신다. 그것을 보실 때면 어느 누구도 채널을 못 바꾼다. 그나마 나나 형제들은 텔레비전을 그다지 좋아하지 않아 큰 문제가 없다. 그러나 엄마는 아빠와 채널 분쟁을 곧잘 하신다. 아마도 동갑이기 때문에 채널로도 끊임없이 싸우는 것이 아닐까 싶다.

우리 어머니는 아침마다 <아침마당>을 보신다. 나는 '왜 보지?'라는 의문이 들지만 정작 어머니는 항상 웃으면서 시청하신다. 개그맨 ○○○가 나와서 이야기를 하는 장면을 본 적이 있는데 저런 쓰잘데기 없는 소리를 하는 것이 뭐가 재미있는지 이해가 안 갔다. 반면 어머니는 내가 <무한도전>을 보면서 깔깔 웃는 모습을 이해하지 못하신다. 뭐가 재미있는지 이해가 안 간다고 하신다. 단순히 세대 차이인 걸까? 세대 간 격차로 인해 웃는 포인트가 다른 걸까?

가정에서 벌어지는 리모컨 전쟁은 단순한 텔레비전 채널 선택의 문제에서 한 걸음 나아가, 그 가정 내 권력관계를 보여주며 그 가정이 누구를 중심으로 돌아가고 있는지를 상징적으로 드러내주는 장면이기도 하다. 최근 몇 년 동안 나는 수업시간마다 학생들과 이 주제를 논의했는데, 그 과정에서 한 가지 변화를 발견할 수 있었다. 주로 아버지가 독점하던 채널 결정권이 점차 자식들에게로, 혹은 어머니에게로 옮겨지고 있다는 사실이었다. 가족 내 권력의 소재, 권력 행사의 방식이 변화하고 있다는 신호였다. 사실 권력이라는 것은 그렇게 거창한 것이 아니라, 이런 아주 미시적인 부분에서부터 작동하는 것이다. 이렇게 대중문화와 관련한 이야기들은 다양한 차원에서 권력의 문제와 연결되어 있다.

수업시간에는 도저히 이해하기 힘든 부모의 대중문화 취향에 대해 이야기를 나누었는데, 이와 관련해 학생들이 쓴 글도 많이 있다. 읽어보면서 자신의 경우와 비교해보기 바란다.

우리 아버지는 뉴스를 하루 종일 보시는 것 같다. 스마트폰으로 보신다. 다 비슷한 내용일 텐데 그렇게 계속 보시는 이유를 모르겠다.

우리 엄마는 <7080>, <가요무대>를 좋아하시는데 나는 구식 노래가 나와서 싫다. 나중에 내가 늙어서 <9000> 같은 프로를 좋아하게 되면 지금의 내가 그러듯 내 자식도 싫어할까?

사실 '세대'라는 틀을 가지고 그에 속한 모든 사람들의 취향을 한데 묶어 설명하는 건 무리가 따른다. '개개인의 다양한 특성을 하나로 엮을 만한 힘이 세대라는 개념에 얼마나 있느냐?'에 대해 의문을 제기하는 사람도 있기 때문이다. 같은 세대 내에서도 개인적인 취향의 차이는 분명히 존재한다. 다음은 그런 측면을 지적한 글이다.

다른 학생이 부모님께서 <TV, 책을 보다>를 보시는 걸 이해하지 못하겠다고 했는데 사실 나는 이해가 간다. 내가 좋아하는 라디오 프로그램이 정동하의 <책처럼 음악처럼>이기 때문이다. 게다가 내가 어렸을 때 제일 좋아했던 드라마는 사극이었다. 세대 차이가 아니라 개인의 취향 차이라는 생각이 든다.

부모 세대와 우리 세대가 서로 다른 대중문화 콘텐츠를 선호하는 것을 생각해보면 그 차이는 부모님과 내가 가진 감수성 또는 감성의 차이에서 오는 것 같다. 이러한 감성의 차이가 어디에서 비롯되며 어떤 차이가 있는지는 더 생각해봐야 할 것 같다.

개인에 따라, 혹은 가정에 따라 이러한 세대 간의 취향 차이가 별 문제가 되지 않을 수도 있다. 서로 취향을 공유하는 범위가 넓거나, 그 차이에 크게 개의치 않을 경우에 말이다. 다음은 그런 사례를 보여준다.

오늘 참 …… 소외감을 느꼈다고 할까 무슨 말을 하기가 어려웠다. 이해는 되지만 실질적으로 '우리 집도 그래!'라는 공감이 없었기 때문이다. 우리 집은 그렇게 일반적인 분위기가 아니었던 것 같다. 난 아빠랑 같이 '마룬파이브'의 음악을 듣고(원래 좋아하신다), 엄마랑 같이 홍대로 공연을 보러 다닌다. 어떻게 보면 그분들은 우리 사회에서 '부모'로서 겪는 압박이나 억압? 뭐 그런 것들에서 한 발 벗어나 계시다 보니 우리가 흔히 말하는 '이해할 수 없는 부모님 세대의 문화'에 그리 매료(?)되지 않으신 게 아닌가 싶다. 그렇게 생각하면 콘텐츠 내에 10~20대가 좋아하는 요소, 40~50대가 좋아하는 요소를 집어넣는 것은 좀 …… 허망하단 생각도 든다. 결국 세대 차이라는 것이 단지 '나이' 때문만은 아닌 것 같아서…….

그렇다. 개인에 따른 대중문화 취향의 차이를 세대라는 틀에 모두 가둘 수는 없다. 하지만 그럼에도, 세대는 여전히 대중문화에 대한 취향을 집단적으로 설명하는 데 꽤 강한 설득력을 갖고 있는 건 분명한 듯하다. 이는 흔히 연령대별로 시청률을 조사한 결과를 보면 알 수 있다. 따라서 대중문화를 생산하는 제작진들도, 또 대중문화 상품에 투자하는 광고주들도, 타깃 수용자를 결정할 때 세대를 중요한 요소 중 하나로 간주한다. 한 세대 내에 존재하는 특별한 역사적 경험과 감수성이 대중문화에 대한 선호로 반영되었다고 할 수 있을 것이다. 젊은이들 가운데에도 다음의 학생처럼 벌써 다음 세대와의 취향 차이를 느끼는 사람이 있을 정도니까.

나는 오히려 10대들의 문화를 이해하지 못하겠다. 예를 들어 '카카오스토리'에 누군가를 공격하는 글이나 욕설, 비방이 담긴 사진을 올리는 것을 보면 눈살이 찌푸려진다. 게다가 아직도 양언니, 양오빠가 존재한다고 한다. 요즘 10대들이 미쳐서 보는 '롤'이라는 게임이 나오는 방송도 이해하지 못하겠다…….

취향의 상대성

수업을 시작할 때는 '이런 프로그램을 좋아하시는 아버지, 어머니를 도무지 이해할 수 없다'는 내용으로 토론을 했지만, 이 같은 논의는 결국 부모 세대의 대중문화 취향을 이해해보려는 노력으로 귀결되었다. 각 사람들에게 자기 세대의 취향이 편안한 것처럼, 부모 세대에게도 편안한 취향이 있다는 사실을 이해해보려는 마음이 생긴 것이다.

그런데 이렇게 부모 세대의 취향을 이해하려 시도할 경우 전제가 되어야 할 것이 있다. 바로 '나'의 취향이, 또는 '우리'의 취향이 부모의 취향보다 더 '낫지' 않다는 것을 인정하는 것이다. 취향은 상대적이기 때문에 어느 것이 더 좋다, 더 나쁘다고 평가할 수 없는 것이다. 이 일은 생각보다 쉽지 않으며 일종의 '노력'을 필요로 하는 것이다(젊은 세대라면 그간 트로트 음악에 대해서 갖고 있던 생각을 떠올려보자. 그리 쉽지만은 않다는 것을 깨달을 수 있을 것이다). 다음 글들을 읽어보면 그런 노력을 엿볼 수 있으며, 부모의 취향에 대한 그 나름의 설명도 살펴볼 수 있다.

우리 엄마는 <붕어빵>, <TV 동물농장> 등 조용한 걸 좋아하신다. 소소한 재미를 좋아하시는 것 같다. 그리고 <슈퍼스타K>도 보시는데 울림을 주는 프로가 좋으신가 보다. 아빠는 여행 채널을 좋아하시는데, 생각해보니 직접 떠나지 못하는 대신 그런 것들로 대리만족하시는 거 같다. 돌이켜보면 우리 남매 셋과 엄마가 놀이공원에 가거나 여행을 가도 아빠는 늘 가지 않으셨다. 기껏해야 가족끼리 영화를 보는 정도? 떠나셔도 되는데 선뜻 나가지 못하셔서, 혹은 않으셔서 안타깝다.

우리 부모님께서 즐겨보는 TV 프로그램을 떠올렸을 때, 부모님 세대는 TV를 통해 자신이 바라는 모습을 간접적으로 경험한다는 생각이 들었다. 아빠는 TV를 거의 안 보시는데 <나는 자연인이다>라는 프로그램은 꼭 챙겨보신다. 아빠와 비슷한 연령의 남성들이 산 속, 자연 속에서 살아가는 모습을 담은 프로그램이다. 아빠는 항상 귀농을 꿈꾸고 계셔서 더 좋아하시는 것 같다. 엄마는 <꽃보다 할배>부터 <꽃보다 청춘>까지 <꽃보다> 시리즈를 좋아하셨는데, 보면서 늘 "나도 가고 싶다", "나도 갈 거다"라는 말씀을 많이 하셨다. 이런 모습을 보면서 부모님 세대는 대중문화 콘텐츠를 보며 자신들의 미래, 노년을 꿈꾸고 계획하고 있다는 생각이 들었다.

엄마는 <속풀이쇼 동치미>를 즐겨보신다. 확실히 엄마는 이런 토크 프로그램을 많이 좋아하신다. 그런 콘텐츠를 보며 자신과 비슷한 또래들의 이야기에 공감하고, "나만 그런 것이 아니라 재네도 저렇게 사는구나"와 같은 위로(?)를 받으시는 것 같다.

부모님이 '쎄시봉'을 굉장히 좋아하시는데 젊은 시절 즐겼던 그 향수를 느끼고 싶어서 쎄시봉 노래를 들으시는 것 같다.

지금까지의 논의를 종합해보면, 앞선 장들에서 확인했듯이 부모의 대중문화 취향을 '이해'하는 일은 결국 그들의 '삶'을 이해하고 있어야 가능하다는 사실을 알 수 있다. 부모가 처한 개인적 · 집단적 · 사회적 콘텍스트가 대중문화의 수용자로서 그들이 가진 취향을 설명해주기 때문이다.

이것을 확장해보면 우리가 타인의 대중문화 취향을 이해하려 할 때에도, 그들의 삶에 대한 이해가 선행되어야 한다는 것을 알 수 있다. 나아가 나와 다른 세대에 속한 사람들의 대중문화 취향을 이해하는 것은 그들이 처한 삶의 모습이 어떠한지, 그들의 삶을 규정짓는 사회적 맥락들이 어떠한지를 '따뜻한' 시선으로 보지 않으면 불가능하다고 할 수 있다.

이렇게 나와 다른 개인이나 집단에게 대중문화가 어떤 의미를 갖는지 살펴보는 과정을 통해, 궁극적으로 우리는 대중문화 전반에 대한 이해의 폭을 넓힐 수 있을 것이라 기대한다. 다음의 글들은 세대 간 문화적 취향 차이를 그 나름의 언어로 정리한 것이다.

우리 세대의 경우에는 콘텐츠 내용이 '현재'를 담고 있는 것 같다. 최신 트렌드를 반영한 이야깃거리, 가십거리, 유머코드 등이 그것이다. 반면 부모님 세대의 경우에는 콘텐츠 내용이 '과거'를 담고 있는 것이 많다. 특히 <여성시대>에서 이러한 점이 잘 드러난다. '삶의 무게 앞에 당당한 사람들'이란 타이틀로 그들의 삶의 흔적들을 이야기하고 있기 때문이다. 물론 <꽃보다 할배>처럼 최신의 예능 포맷을 따르는 경우도 많지만, 잘 보면 등장인물들의 모든 행동에는 그들이 겪은 과거와 삶의 흔적이 나타나며, 이것이 바로 웃음 포인트가 된다. 정리하면, 우리 세대는 급변하는 시대의 흐름을 담고 있는 콘텐츠를, 부모님 세대는 과거의 흔적, 혹은 현재라 하더라도 '과거로부터의 연장선상'에 놓인 이야기를 선호하는 경향이 있는 것 같다.

누구를 위한 대중문화인가?

이런 시각을 갖고 본다면 여러 세대의 취향을 동시에 충족시킬 수 있고, 그들이 함께 공감할 수 있는 대중문화 상품은 매우 특별한 의미를 갖는다고 할 수 있다. 여러 세대가 공유하는 경험과 삶, 감수성을 동시에 담아내야 하기 때문이다. 그런데 곰곰이 생각해보면, 그렇게 여러 세대에 걸쳐 공감을 줄 수 있는 대중문화 상품이 과연 얼마나 될지에 대해서는 의문이 드는 게 사실이다. 또한, 물론 그런 대중문화 상품이 많아지면 좋겠지만, 그렇게 여러 세대를 동시에 아우를 수 있는 대중문화 상품을 만들다 보면 불가피하게 직면하게 되는 한계가 있을 거라는 점도 생각해야 한다. 각 세대 간의 취향을 직접적으로 충족시키는 대신, 세대 간 공통분모를 찾아내어 그것만을 충족시킬 수밖에 없을 것이기 때문이다.

그런 점에서 보면 세대 간의 취향이 별로 다르지 않다고 느끼거나 부모 세대가 그보다 젊은 세대가 선호하는 대중문화 상품을 같이 소비하는 것은, 부모 세대만을 위한 대중문화 상품이 많지 않기 때문에 빚어진 불가피한 결과일지도 모른다. 현재의 대중문화는 상업성을 기반으로 할 수밖에 없고, 따라서 상업적 이윤이 크지 않은 세대를 위해 제공되는 콘텐츠는 많지 않기 때문이다. 수업의 토론 과정에서도 그런 생각을 한 학생이 있었다.

학우들의 이야기를 들으면서 40~50대들이 좋아할 만한 콘텐츠가 별로 없다는 생각이 들었다. KBS1을 제외하면 다른 볼거리가 별로 없어서 점점 더 그쪽에 몰리는 것이 아닌가 생각했다. 요즘 광고주들은 시청률을 볼 때 20~30대 시청률만을 보고 평가한다고 한다. 그래서 그런지 40~50대 연령층의 방송 콘텐츠들이 줄어드는 것 같아 아쉽다.

우리 어머니께서도 드라마는 몇 편 안 보시는데 <열린음악회>, <7080>, <도전 1000곡>, <전국노래자랑>은 빠짐없이 챙겨보신다. 어제는 엄마랑 같이 <전국노래자랑>을 봤는데, "엄마, 이게 왜 재밌어?"하고 물어보니 "재밌잖아. 독특한 사람들도 나오고 이런저런 사람들도 보이고. 재밌어, 보면"이라고 말씀하셨다. 근데 오늘 수업에서 다른 여러 학생들의 부모님도 음악 프로그램을 좋아하신다는 얘길 들을 수 있었다. 지금 보니 어쩌면 요즘 방송사들이 너무 젊은 사람들에만 초점을 맞춰 프로그램을 만드는 게 아닌가 하는 생각이 들었다. 좀 씁쓸했다.

우리 아버지는 <개그콘서트>를 좋아하신다. 방송이 시작되기 몇 분 전부터 채널을 고정해놓을 만큼 좋아하셨는데, 최근 들어 젊은 세대에 맞춰진 개그 소재가 이해하기 어려우신지 계속 나에게 물어보시더라. 거의 유일하게 즐겨보시는 프로그램인데 그것마저 시청하실 수 없는 것을 보고 괜스레 내가 미안해지고, 안타까운 마음이 들었다. 세대를 아우를 수 있는 문화가 있을지 계속 의문이 남지만, 그것을 만들어낼 책임이 중간 위치에 있다고 할 수 있는 지금의 우리 세대에게도 있지 않을까 하는 생각이 들었다.

만약 이렇게 대중문화가 제공하는 콘텐츠가 특정한 세대에 치우쳐 있다고 판단했다면, 또 그런 편향이 정당하지 않다고 평가했다면, 왜 이렇게 되었는지에 대한 원인 규명도 뒤따라야 할 것이다. 사실 이러한 편향은 현재 우리 대중문화의 생산과 유통의 틀을 규정하고 있는 상업적 구조 때문이라고 할 수 있다. 대중문화 생산자들이 콘텐츠의 판매를 통해 수익을 얻어야만 하는 구조 안에서, 누구를 위한 콘텐츠를 생산해야 수익을 극대화할 수 있는지가 우선적으로 고려되는 것이다. 이것이 대중문화에 관한 우리의 고민이 콘텐츠 자체를 넘어 구조적인 측면으로까지 확대되어야 하는 이유이다.

우리는 대중문화를 규정할 때 '대중'을 마치 동질적인 하나의 집단인 것처럼 간주하는 경향이 있다. 별생각 없이 "대중은 이러이러하다, 저러저러하다"라는 말을 꺼낼 때 나타나는 경향이다. 그런데 세대와 관련한 논의를 통해 보면, 대중은 그렇게 동질적인 집단일 수 없다는 사실을 깨닫게 된다. 대중이란, 세대뿐 아니라 여러 가지 축으로 나누어진 매우 이질적이고 다양한 집단들이 모여서 만들어진 단위이다. 하지만 그럼에도 우리는 대중의 성격을, 대중의 취향을 현재 우리가 속한 집단을 통해 유추하려는 오류를 범한다. 매우 '자문화 중심적인' 사고이다. 그런 의미에서 다음과 같은 깨달음은 큰 진전이라고 할 수 있다.

나도 모르게 대중은 곧 젊은 세대일 거라고 생각하고 있었는데 오늘 이야기를 들으며 새삼 내 실수를 깨닫게 되었다.

그렇다면 과연 세대를 아우를 수 있는 대중문화 상품은 가능할까? 수업시간에 학생들에게 이런 질문을 던졌다. 먼저, 다음 글들은 그런 가능성을 발견한 경험을 들려준다.

세대를 아우를 수 있는 문화 콘텐츠는 절대 허상이 아니라고 생각한다. 서로 다른 세대이기 이전에, 우리는 모두 동시대를 살아가는 똑같은 '인간'이니까. 아마도 지금은 세대 간의 공통점을 어떻게 풀어내야 하는지 하나씩 배워가고 있는 과도기가 아닐까 싶다. <꽃보다 청춘> 같은 프로그램이 이러한 과도기에 시도된 좋은 전례가 아닐까 한다. 시간이 지날수록 세대 간의 차이를 관통해 그 거리를 좁힐 수 있을 만한 '수작'들이 점차 늘어날 것이라 믿는다.

나는 모든 프로그램에 세대를 아우를 수 있는 가능성이 있다고 본다. 단지 '내 세대에 맞지 않는 프로그램을 보는 건 남세스러운 일이다'라거나, '내가 좋아하는 걸 같이 즐기자고 설득해봤자 소용없을 것이다'라고 단정지어버리는 데에 문제가 있는 것 같다. 우리 할머니는 아기 때부터 도시에서 살아 농촌 생활이 익숙지 않은데도 "노인은 이걸 봐야지"라는 생각에 전혀 보고 싶지 않은 <6시 내 고향>을 의무로 보셨다고 한다. 그런가 하면 전혀 이해가 되지 않을 것 같은 '젊은 애들'의 프로그램에 대해서도 이제 마음을 열고 이해해보겠다고 하셨다. TV 프로그램을 보는 것에도 알게 모르게 고정관념이나 암묵적인 사회적 규범이 작용한 게 아닌가 싶다. 가족 간의 소통부터 시작한다면 세대 간 문화 차이는 얼마든지 극복할 수 있고, 나아가 서로 더욱 많은 기억을 공유할 수 있을 거라 생각한다.

그런가 하면 불가능하거나 아주 어렵다고 생각하는 사람들도 있었다. 그 이유도 들어보자.

세대를 아우를 수 있는 콘텐츠는 현실적으로 불가능할 것 같다. 이상적으로는 무엇이든 못하겠는가? 하지만 10대가 느끼는 것과 20대가 느끼는 것도 다른 현실에서 전 세대를 아우를 수 있는 콘텐츠란 그저 이상에 지나지 않을 것 같다.

세대를 아우르는 TV 프로그램. 옛날에 <나는 가수다>(과거의 노래에 최근의 가수, 여기에 더해 예능과 서바이벌적인 요소)가 약간 그렇지 않았나 싶다. <동물의 왕국>이나 <아마존의 눈물> 같은 다큐도 가능성이 있을지 모르겠다. 다만 전혀 불가능하지는 않더라도 확실히 어렵기는 할 듯하다.

학생들이 생각하는 '세대를 아우르는 콘텐츠'의 예는 무엇이 있을까?

유일하게 부모님과 내가 모두 좋아하는 프로그램은 <아빠 어디가>와 <슈퍼맨이 돌아왔다>이다. 이런 육아 프로그램은 요즘 모든 세대를 아우르는 것 같다.

어느 날 할머니와 처음으로 <완득이>라는 영화를 보러갔을 때 모두가 매우 만족했다. 함께 같은 것을 즐기는 경험이 굉장히 신선하기도 했다. 특히 할머니가 영화의 모든 내용을 이해했다는 것, 할머니가 웃었던 부분과 내가 웃었던 부분이 비슷하다는 것을 깨닫고 내가 너무 큰 착각과 편견을 가졌다는 걸 알게 됐다. 잘 만들어진 한국 가족 영화야말로 세대를 아우르는 것 같다.

다음 글들에서처럼 세대를 아우를 수 있는 대중문화의 특징을 좀 더 구체적으로 정리해볼 수도 있을 것이다. 앞으로 대중문화 콘텐츠를 기획하려는 사람들에게는 유용한 참고가 되리라 생각한다. 세대를 아우르는 콘텐츠가 가능하려면 어떤 요소가 포함되어야 할까?

전 세대를 아우르는 콘텐츠는 주로 온 국민을 집결시키는 …… 대한민국 국민이라면 누구나 좋아하는 공익적인 콘텐츠인 것 같다. 온 가족이 보기에 <비긴 어게인>보다는 <명량>이 더 적합한 느낌? 거기에는 온 국민이 공유하는 정서가 담겨 있기 때문일 것이다. 김연아, 박태환의 경기 역시 마찬가지가 아닐까 한다.

우리 아버지는 50대 초반으로 전형적인 한국 아버지상에 부합하시는 분이다. 말도 많이 없으시고 감정 표현도 잘 안하신다. 그런데 언제부터인가 감성적인 프로그램을 즐겨보신다. 예를 들어 EBS의 <용서>나 KBS의 <러브인 아시아>와 같은. 어떨 때는 <슈퍼맨이 돌아왔다>나 <룸메이트>를 보면서 굉장히 해맑게 웃으시기도 한다. 이런 아빠의 모습이 낯설기도 했지만 한편으로는 더 편안하게 느껴지기도 했다. 세대를 아우르는 콘텐츠를 만들려면 각 세대에서 공유되는 경험, 공감하는 이슈를 잘 녹여내야 할 것 같다. 올 초에 아빠랑 둘이서 배낭여행을 갔는데, 그 이후 여행 프로그램을 같이 본다. 같이 추억 얘기도 하면서 "다음에는 어디로 가보자" 같은 대화가 자연스럽게 이어져서 좋았다.

'세대를 아우를 수 있는 콘텐츠'에 대해 생각해보니 우리 가족이 다 함께 즐겨보는 프로그램이 떠올랐다. 우리 가족은 <댄싱9>과 <히든싱어>, <슈퍼스타K>를 함께 즐겨보는데, 모두 '음악'이나 '춤'을 다루는 경연 형식의 프로그램이다. 예능이나 드라마는 스토리의 구조를 가지고 있어 세대에 따른 공감의 차이가 있지만, 음악과 춤은 좀 더 많은 세대를 포괄하는 콘텐츠라고 생각한다. 또 가족들이 모여서 '누가 잘했다', '누가 뽑히겠다'라고 대화하는 재미가 있는 것 같다.

흥미로운 점은 지금까지의 이야기 속에서 학생 세대든 부모 세대든 모두 세대 간의 차이(difference)를 극복하려는 열망을 드러냈다는 사실이다. 이는 대중문화가 세대 간 이해의 폭을 넓혀주는 기능과 세대 간 소통의 역할을 하기도 한다는 의미일 것이다. 또 이를 위해 대중문화 혹은 TV를 유용한 도구로 사용하는 의도적 · 의지적 노력이 엿보이기도 한다. 대중문화는 세대 간의 차이를 확인시켜주기도 하지만, 거꾸로 세대 간 소통의 수단이 되기도 하는 듯하다. 이런 점 역시 우리 사회 현재 모습의 많은 걸 함축하고 있다.

나는 취향의 다양성을 세대라는 기준 외에 '서로에 대한 배려'라는 기준으로도 나눌 수 있다고 생각한다. 우리 엄마가 가끔 <인기가요>나 <뮤직뱅크>를 보시는데 왜 보시나 했더니 나 때문인 것 같더라. 처음에는 방에서 과제를 하고 있다가 엄마가 거실에서 "ㅇㅇ야, ×× 나왔다!"라고 하시면 신나서 뛰어나갔다. 그런데 사실 우리는 방송을 못 보면 인터넷으로 돌려보면 되지 않나? 그래서 한번은 그냥 "알았어"라고만 대답하고 안 나갔는데 실망하시는 것 같더라. 그래서 요새는 다시 뛰어나간다.

매일같이 스포츠 채널만 고집하는 아빠의 마음을 돌릴 수 있는 방법을 찾았다. 나는 사실 예능 프로그램을 남들처럼 고집하는 편이 아니다. <무한도전>, <1박2일>과 같은 프로그램들을 봐도 왜 이게 재밌는지 잘 이해를 못하는 편이다. 사실 웃음만을 유발하는 프로그램은 별로라고 생각해 오히려 퀴즈 프로그램을 선호하는 편이다. 덕분에 "아빠는 딸내미가 똑똑한 사람 되고 싶다는데 안 도와줄 거야?"라고 한마디만 하면 리모컨을 쉽게 장악할 수 있다. 그러다 보니 우리 가족은 다 같이 퀴즈 프로그램을 보며 서로 누가 답을 맞힐지 내기도 곧잘 한다. 결국 '퀴즈' 관련 프로그램으로 우리 가족이 다 같이 즐기고 소통할 수 있는 것이다. 내 생각에 모든 세대를 아우를 수 있는 콘텐츠는 제작하기 힘들다. 누구나 각자의 취향이 있고, 콘텐츠 제작자 또한 자신의 주관을 완전히 배제하고 프로그램을 만들 수는 없기 때문이다. 따라서 우리가 찾아야 한다. 우리 가족이 다함께 즐길 수 있는 프로그램이 퀴즈쇼이듯, 우리 스스로가 가족과의 소통을 가능케 하는 프로그램을 선택해봤으면 좋겠다.

세대를 아우르는 대중문화 상품이 가능할지에 대한 대답은, 결국 각자가 어떤 대중문화관을 가졌는지에 따라 달라진다. 대중문화란 무엇인지, 대중은 무엇인지, 현재 대중문화는 어떠한지, 앞으로 대중문화는 어떠해야 하는지 등의 생각에 따라 이 질문에 대한 답은 다를 수밖에 없다. 다음 글들은 자신의 대중문화관을 바탕으로 그 대답을 하고 있다.

세대 안에서도 다양한 취향이 있어서 한 세대의 특성을 일반화해 그 취향을 아우르는 대중문화를 그려보기가 어려웠다. 일반화한다는 것 자체에서 이미 소외되는 면이 생긴다는 말이 아닌가 싶었기 때문이다. 다양성과 상대성이 중요하다고 생각하는 내 관점에서는 모두가 좋아하는 것이 가능할까 싶은 의문이 든다. 모두가 함께 볼 수 있으려면, 한 가지 메시지나 단편적인 캐릭터보다는 가능한 한 여러 메시지와 다양한 캐릭터를 바탕으로 해야 할 것 같다.

나는 대중문화가 꼭 전 세대가 좋아할 만한 콘텐츠로 이루어질 필요는 없다고 생각한다. 내가 생각하는 대중은 다수이지 전 세대가 아니기 때문이다. 물론 전 세대를 아울러 공감을 일으키는 대중문화가 있다면 좋겠지만 그것은 대중문화의 필수 조건도 아닐뿐더러 그런 조건을 가진 콘텐츠를 만들기도 어려울 것 같다. 다만 내가 생각하기에 전 세대가 아울러 좋아하는 콘텐츠에 가까운 대중문화는 올림픽이나 월드컵이 아닐까 한다. 하지만 모든 대중문화가 올림픽이나 월드컵처럼 모든 세대를 아울러 사랑받을 필요는 없을 것 같다.

대중문화의 다양성

사실 '세대와 취향'을 다루려는 건 대중문화의 '다양성'에 관한 이야기를 하고 싶었기 때문이다. 대중문화의 다양성이라는 개념은 굉장히 자주 사용되고 있고, 누구에게든 당연히 지지받아야 할 가치로 여겨진다. 학생들이 토론시간에 이 개념을 자주 사용하는 것만 유심히 살펴봐도 알 수 있다. 하지만 정말 그 다양성이 의미하는 바가 무엇인지에 대해서는 진지한 고민이 결여된 것 같다. 무엇이 다양해야 한다는 것일까? 프로그램의 수? 채널의 수?

장르의 수?

토론을 통해서 나온 이야기들을 종합해보면 대중문화의 다양성은 여기서 다룬 세대(연령)뿐 아니라 성별, 계급, 지역(도시와 시골, 서울과 지방 등), 성 정체성(sexual orientation), 정치적 성향 등 우리 사회 구성원을 분류하는 많은 축을 고려해 측정할 수 있다. 아니, 그렇게 많은 축을 고려해야 다양성의 진정한 가치를 실현할 수 있다. 세대를 시작으로 해서 다른 축들로까지 자신의 사고를 확장시켜보기 바란다.

우리의 취향은 나이, 계급, 교육 수준뿐 아니라 경제적 요인(상업성), 정치성에 의해서도 결정되지 않을까? 이 두 가지가 다시 계급에, 세대에 영향을 끼치는 게 아닌가 싶다.

세대적 측면에서 취향의 차이를 생각해보다가 이를 계급으로, 지역으로, 성 정체성으로, 민족적 · 인종적 측면으로까지 확장해보려니 처음에는 무슨 연관이 있을까 싶었다. 하지만 수업을 들으면서 그것이 어떤 맥락이었는지 깨닫게 되었다. 모두의 취향을 충족시킬 수 없다면, 대중문화의 면면들이 어떤 세분화된 집단만의 특성일지 고민해보는 것도 문화관 확립에 필요한 과정이라고 생각한다.

이렇게 '대중문화의 다양성'을 논하는 것은 대중문화를 통해서 충족되어야 하는 욕망의 종류가 단일하지 않다는 것을 전제한다. 또 자신의 욕망을 충족하려는 여러 집단들의 성격이 단일하지 않다는 것을 전제하는 것이기도 하다. 그래야만 다양성이 갖는 의미가 더욱 명확해질 수 있다. 이렇게 많은 축들로 이루어진 집단들, 혹은 세력들이 대중문화를 통해서 자신의 취향과 정서적 욕구를 충족하려고 애쓴다는 것이다.

이런 시각에서 보면 '다양성'이라는 가치와 '대중성'이라는 가치를 동시에 만족하기는 무척 어렵다는 것을 알게 된다. 대중성을 추구하다 보면 다양성이 침해되기 쉽고, 반대로 다양성을 확보하기 위해서는 대중성을 희생해야 할 수도 있기 때문이다. 이 둘은 서로 충돌할 가능성이 높은 가치들이다.

이것을 조금 다르게 설명하면('문화연구'의 언어를 사용하면), 이 다양한 세력들이 서로 대중문화라는 장에서 갈등과 경쟁, 투쟁을 벌이고 있다고 할 수 있다. 대중문화라는 영역은 모두에게 승리를 허용하는 곳이 아니기 때문에, 또한 모두에게 승리가 돌아가는 시스템으로 운용되지 않기 때문에(대중문화의 상업성이 갖는 가장 본질적인 문제 아닐까?), 자칫 그 싸움에서 밀릴 경우 대중문화라는 귀중한 터를 다른 세력에게 넘겨주어야만 하는 절박함 속에서 서로 투쟁하는 것이다.

이렇게 본다면 현재 대중문화가 과연 누구의 입맛에 맞게 돌아가고 있는지 어렴풋이 판단할 수 있다. 세대, 성별, 계급, 지역, 성 정체성, 정치적 성향 등의 축들을 가지고 평가해볼 때, 지금의 대중문화는 누구를 위한, 누구의 취향에 맞는, 누구의 이해관계에 부합하는 콘텐츠들로 채워져 있는지도 가늠해볼 수 있을 것이다. 나아가 현재의 그 모습이 만족스러운지, 그렇지 않은지에 대한 평가도 이루어질 수 있고, 만약 만족스럽지 않다면 앞으로 바뀌어야 할 방향도 제시할 수 있다. 이는 이 글을 읽는 사람들이 자신만의 대중문화관을 형성하는 데 중요한 토대가 될 수 있는 이야기들이다.

이 수업에서는 세대에 따른 취향을 이야기했을 뿐 계급이나 지역, 성 정체성과 같이 사회를 구분하는 다른 축들에 대한 논의는 이루어지지 않았다. 비록 우리가 본격적으로 그런 이야기들을 하지는 않았지만, 여기에 논의된 바를 바탕으로 충분히 각자의 생각을 확장하는 시간을 가져보면 좋겠다. 앞으로 남은 주제들을 통해 그런 이야기도 함께 나눌 기회를 갖기를 기대한다.

Part 3

나만의 대중문화관 탄탄히 하기

Ch.09

곽정은은 대중문화의 수작?

성과 몸

KEYWORDS: 성, 몸, 선정성, 본능, 규범, 윤리, 금기, 쾌락·즐거움
생각해볼 문제: 본격적으로 또는 노골적으로 성, 몸을 다루는 콘텐츠가 대중문화의 수작이 될 수 있을까?

이번 주제는 '성과 몸'이다. 보편적으로 대중문화에서 성을 다루고 몸을 다루는 것에 대한 시선은 매우 부정적이다. 자극적이고 말초적이며 상업적인 대중문화의 정수로 거론되기 일쑤인 것이 바로 성과 몸을 다루는 대중문화 상품이다. 우리는 이러한 '상식적인' 시선에 대해서도 다시 한 번 살펴볼 필요가 있다. 수업시간에는 SBS의 〈매직아이〉라는 프로그램에서 남성 연예인에 대해 성과 관련된 평가를 내려 논란을 일으킨 칼럼니스트 곽정은에 대한 이야기도 나누었다. JTBC의 〈마녀사냥〉 등에서 성과 관련된 솔직하고 도발적인 발언으로 화제의 중심이 된 곽정은을 어떻게 평가할 것인가? 사실 이 같은 논의의 진짜 목적은 곽정은이라는 인물에 대해 평가를 내리는 데 있는 게 아니라 대중문화 콘텐츠가 다루는 성과 몸이 어떤 의미를 갖는지 살펴보는 데 있다.
학생들은 그 외에도 토론시간에 '성'이라는 주제에 대한, 대중문화에서 표현되는 성에 대한, 대중문화 속에서까지 목격되는 남성 중심주의에 대한 각자의 의견을 말해보는 시간을 가졌다.

대놓고 말하기 꺼려지는 주제

이제 우리는 이 책의 Part 3로 진입했다. 마지막 Part인 이곳에서 우리가 세운 목표는 '자신만의 관점 탄탄히 하기'이다. 앞의 Part 1과 Part 2에서 지금까지 가졌던 생각들이 혼란스러워지는 과정과 사고의 폭이 넓어지는 과정을 거쳤다면, 남은 기간에는 대중문화에 대해 그동안 만들어온 자신만의 생각을 튼튼히 하는 과정을 거쳐야 할 것이다. 그렇게 함으로써 이 여정을 마치고 대중문화에 대해 이야기할 때, 타인의 관점이나 강요된 시각, 공허한 이야기가 아닌 스스로의 생각을 자신 있게 말할 수 있게 되기를 바라고 기대한다. 이를 위해 Part 3에서는 한층 논쟁적인 주제들을 다루려고 한다.

Part 3의 첫 번째 주제는 '성(sexuality)과 몸(body)'이다. 최근 대중문화에서 두드러진 변화는 성과 몸을 다룬 콘텐츠들이 크게 증가했다는 것이다. 하지만 그에 대한 논의는 아직도 대단히 소극적이다. 그 자극성, 선정성에 대한 상투적인 비판이 주를 이루거나, 거꾸로 그런 자극적 요소에 편승하는 가십성 이야기들로 논의가 채워지고 있다. 두 가지 모두 성과 몸을 다루는 대중문화 콘텐츠들이 갖는 의미에 대한 충분한 이해가 뒷받침되었다고 이야기할 수 없다.

이 주제를 다루는 수업시간에는 소그룹 토론을 진행했다. 아무래도 남성 교수 없이 학생들끼리 토론을 하는 쪽이 이 주제에 대한 깊이 있는 이야기를 나누는 데 도움이 되지 않을까 생각해서였다. 소그룹 토론을 마치고 짧은 시간 동안 전체 토론을 갖기는 했지만 평소만큼 많은 의견이 나오지는 않았다. 그 대신 강의 쪽지에 아주 풍성한 이야기들이 담겨 있었다. 다음의 학생들이 지적한 것처럼, 이 역시 이번 주제에 대한 우리의 상식, 보편적 인식과 관련되어 있다고 할 수 있을 것이다.

성이라는 주제로는 아직 활발한 토론이 이루어지지 않는 것 같다. 좀 민망하다고 해야 하나?

아무래도 성 이야기다 보니 학생들이 말로 하기보다는 글로 많이 쓸 것 같다. 이런 측면을 보면 확실히 성을 드러내기엔 다들 약간 꺼리고 있다는 느낌이 들었다.

더 자유로운 토론 분위기를 위해 소그룹 토론을 한 것도 이런 이유에서였다. 모든 주제가 그렇지만 특히 이번 주제를 다루는 데에는 '진솔함'이 생명일 거라고 생각했기 때문에 이런 형태로 모이도록 한 것이다. 물론 작은 규모로 모인다고 해서 다 해결되지는 않겠지만, 평소에 친구들과 수다를 떠는 것 같은 분위기에서 이야기를 진행할 수 있다면 좀 더 이야기가 풍성해지지 않을까 기대했다.

오랜만에 조 사람들과 만나 반가웠고, 재밌는 주제로 이야기해서 더 가까워진(?) 느낌이다.

물론 단순히 재미에 그치지 않도록 노력을 기울여야 함은 더 말할 필요도 없을 것이다. 이 책을 읽는 사람들도 지금쯤 대중문화와 관련된 이야기들이 너무나 '재미'있지만, 그 재미 뒤에 감춰진 '의미 있고 진지한' 이야기 역시 무궁무진하다는 걸 발견했을 것이다. 하지만 이 같은 발견을 위해서는 재미를 넘어, 의미를 읽어내려는 의도적인 노력이 필요하다. 그런 노력을 하는 사람과 그렇지 않은 사람의 차이는 매우 크다.

옳다/그르다의 규범적 평가를 넘어서

성과 몸이라는 주제는 참 많은 고민거리를 던져준다. 이것들은 인간의 본성과 연결되어 있기도 하고 사회규범의 핵심적 요소와 밀접한 관계를 갖고 있기도 하다.

💬 인간이 가지고 있는 본성 중에 식욕, 성욕, 수면욕이 가장 참기 힘들고 가장 원초적인 욕구라던데 왜 항상 성욕만 유난히 뜨거운 감자가 되는지. 갑자기 그런 생각이 들었다.

💬 수면욕, 식욕 등 인간의 욕구는 미디어를 통해 너무나 자연스러운 모습으로 그려지고 있고, 심지어는 칭송받기도 한다(방송 연예 대상에서 '먹방 왕'을 뽑을 정도니). 그런데 왜 유독 '성욕'을 표현하는 미디어는 인간의 본질적인 욕망 중 하나를 다루는데도 부모님과 보면 민망한 것, 지하철에서 보면 눈치를 보게 되는 것으로 여겨지는 걸까? 어떻게 보면 이런 사회적인 분위기는 '사회화'에 의해 주입받는, 각인된 통념이 아닐까 싶다. 어렸을 때는 19금 딱지로 가려져왔고, 만 19세가 훌쩍 넘은 지금은 사회적 압력에 의해 숨겨야 하는 것……. 그렇다면 '성욕'은 태어난 순간부터 죽기 직전까지 숨겨야 하는 것인가? 왜? 성폭행? 성병? 이런 부작용들이 '성욕'이라는 인간의 욕구를 비판할 만한 충분한 근거가 될까? 이상의 질문, 생각들은 다소 '성욕' 그 자체에 포커스가 맞춰진 감이 있지만, 이러한 대중의 욕구가 곧 대중문화를 이루는 텍스트들이 된다는 점에서 대중문화와 연결해 생각해볼 수 있을 것 같다.

나는 학생들에게 '본격적으로 또는 노골적으로 성과 몸을 다루는 콘텐츠는 대중문화의 수작이 될 수 있나?'라는 질문에 대해 생각해보라고 했다. 토론이 자칫 흥미 위주로 흘러갈 위험성이 있음에도, 이런 이야기로 시작한 데는 이유가 있었다. 다른 주제도 마찬가지지만 주어진 주제와 관련해 최대한 나의 이야기, 내 주변의 이야기로부터 그 의미를 끌어내는 것이 훨씬 생산적이라고 생각했기 때문이다. 설사 그것이 단순한 수다에 그치는 것으로 보일지라도, 그 속에 담긴 의미를 찾아내고 드러낸다면 현실과 동떨어진 공허하고 이론적인 생각이 아닌 우리의 삶과 연결된 의미를 정리할 수 있다고 생각한다. 다만 이렇게 되기 위해서는 수다가 수다로만 그치지 않도록 하기 위해 스스로 그 의미를 찾아내고 정리해야 할 것이다. 다음 글들을 읽어보자.

- 나는 토론을 하면서 왜 우리나라가 성에 대한 인식을 완화하는 방향으로 가야 하는지 궁금했다.

- 나는 좀 혼란스럽다. 원래는 보수적인 편이었지만 <마녀사냥>을 보며 꽤 개방적으로 바뀌었다고 생각한다. 하지만 그렇다고 '성에 대해 개방적이지 못한 것은 시대에 뒤떨어진다'라는 생각이 당연시되는 건 싫다. 뭐든 이것 아니면 저것이라고 치부하는 것은 좋지 못한 것 같다.

최근 몸과 성을 다룬 콘텐츠가 많아지면서 이 영역에 대해 개방적인 태도를 취해야 한다는 암묵적인 분위기가 형성되고 있는 게 사실이다. 특히 젊은 세대는 당연히 그런 태도를 갖는다고, 혹은 그런 태도를 가져야 한다고 믿는 이들도 있다.

하지만 성에 대한 금제를 완화하는 방향으로 가야 한다는 주장에 모두 동의해야 하는 건 아니다. 오히려 이런 암묵적인 분위기가 있다면, 그것이 만들어진 배경과 맥락을 이해하는 게 선행되어야 할 것이다. 특히 오늘의 주제인 '성과 몸'은 더욱 그렇다. 워낙 조심스럽게 다루어지는 주제이기 때문에 성급히 결론을 내리려 하다가는 그 풍부한 의미들을 놓칠 수 있을 뿐 아니라 그저 '옳다' 혹은 '그르다' 식의 규범적 차원의 논의에만 그칠 수 있다.

이 주제가 조심스러운 이유는, 성과 몸이라는 것이 현재 우리의 대중문화의 성격을 규정하는 매우 중요한 요소로 자리매김하고 있음에도, 그것들을 드러내놓고 말하기를 꺼리는 우리의 문화 때문이다. 사실 이 주제와 관련된 논의들은 우리 사회에서 많은 부조화, 불일치, 혹은 현실과 담론 사이의 괴리가 드러나는 영역이다. 이런 상황에서 우리의 논의는 사회규범이 은연중에 '강요'하는 바에 따라 '해야만 할 것 같아서 하는' 공허한 말들을 늘어놓는 것에 그치지 않고, 더 깊이 있고 솔직한 생각과 느낌을 나누어야 할 것이다.

대중문화 속 성과 몸에 관한 이야기를 하다 보면 우리의 관심은 으레 '규제'로 향하게 된다. 대중문화가 미치는 영향력(효과)의 중요성을 말하면서 윤리적 · 도덕적 잣대를 통해 대중문화 상품을 평가하게 되기 때문이다. 그런데 이 주제에 대한 우리의 관심이 규제에만 머무른다면, 한층 의미 있고 중요한 이야깃거리들을 놓칠 수 있다. 왜냐하면 대중문화 속 성과 몸에 관해 토론하는 것이 가치가 있는 것은 그 바탕에 이 주제에 대한 우리의 규범이 '절대적이지 않다'는 인식이 깔려 있기 때문이다. 즉, 성과 몸에 대해 현재 우리가 부여하고 있는 윤리적 · 도덕적 틀은 모든 인간에게, 모든 사회에게 똑같이 적용될 수 없다는 것이다. 시대에 따라서, 또 지역(문화)에 따라서 서로 다른 기준과 규범이 적용되어왔고 지금도 다른 기준과 규범이 적용되고 있다. 다음의 글처럼 홍석천에 대한 인식이 달라진 것이나, 해외의 경우를 생각해보면 쉽게 알 수 있다.

홍석천도 10년 전까지는 질타의 대상이었지만, 지금은 게이(동성애자)라는 영역에 새로운 의미를 만들어준 사람으로 여겨진다. 기준이나 규범이라는 게 시대나 공간에 따라 달라진다는 이 당연한 사실에 매우 공감한다.

지금 같은 상황에서 가장 이익을 얻는 집단은 모텔 산업이 아닐까? 어느 독일 교수님의 글을 봤는데 독일에서는 집에서 자녀가 이성친구와 잔다더라. 성이 세대를 넘어 가정에서 이야기되지 않는 한, 공중파에서 지금 이상으로 이야기되긴 힘들 것 같다.

따라서 지금 우리에게 적용되고 있는 기준과 규범은 과연 어떤 모습을 하고 있는지, 그것들이 갖는 의미는 무엇인지, 그 기준과 규범들에 의해서 이익을 얻거나 또는 손해를 보는 사람 혹은 집단은 누구인지를 따져볼 필요가 있다. 예를 들어 '성'의 표현에 대한 제약의 피해자가 바로 여성이라는 시각도 있을 수 있다.

여성의 입장에서 봤을 때 '성'을 소재로 한 대중문화는 더더욱 필요하다는 생각이 들었다. 여성도 남성과 같이 똑같이 욕망할 수 있음에도 그 욕망이 '반응'의 차원 혹은 생식을 위한 과정으로만 그려지는 것은 분명 문제인 것 같다. 가령 임상수 감독의 <처녀들의 저녁식사>와 같은 (여성이 주체가 된) 성을 주제로 한 작품들이 많이 나왔으면 좋겠다. 여성의 성은 좀 더 담론화될 필요가 있는 것 같다.

조별 토론 때 이야기를 나누다 보니 남성 중심 사회와 문화의 문제점으로까지 주제가 흘러갔다. 현재의 사회규범은 남성 중심 사회를 유지하는 데 유용하며, 또 이렇게 조성된 사회는 다시 그 규범을 공고하게 만든다고 생각한다. 남성에 비해 여성에게 들이대는 잣대가 더 엄격하고 여성에게 가해지는 평가가 더 신랄하다고 느껴진다. 그래서 이를 변화시키기 위해 난 무엇을 할 수 있고, 무엇을 해야 하는지 다시 한 번 생각할 수 있는 시간이어서 의미가 있었다.

어떠한 소재가 음지(사적 영역)에만 머물러 있다면 그 영역의 당사자들은 자신의 얘기를 쉽사리 공론화하거나 문제를 밝힐 수 없게 된다. 성의 영역에서 약자의 목소리를 더욱 들을 수 없는 것이다. 예를 들면 데이트 폭력을 당하는 여성의 발언이 쉽지 않은 것은 19금에 대한 불문율 때문이며, 이로 인해 이 문제는 잘 공론화되지 않는다. 성에 대한 얘기가 금기시될수록 사람들의 관심, 호기심이 지속적으로 유지되고 여기에서 이익을 보는 사람이 생긴다는 사실도 생각해볼 수 있다. 성이 완전히 개방되지 못하고 금기시되면서 이 또한 하나의 권력으로 작용할 수 있다고 본다.

그런가 하면 성적인 표현의 대부분이 매우 남성 중심적인 시각에 기초하고 있기 때문에, 그것을 무분별하게 허용해서는 안 된다는 평가도 있을 수 있다. 다음의 학생은 이 점을 지적한다.

대중문화의 시선은 남성적이다. 여성인 나도 남성적인 시선으로 여성을 비추는 것(카메라 앵글이나 표현)에 적응되어 가는 것이 아닌가 싶다. 여성 아이돌 그룹을 찍는 카메라가 카라의 엉덩이나 소녀시대의 다리를 찍는 것에 대해 처음엔 거부감이 들었으나 점점 아무렇지 않게 되었고, 어느 시점부터는 당연시하게 되었다.

이렇게 규범의 상대성을 인식하게 되면 우리의 관심은 더 확대될 필요가 있다. 우리 사회의 대중문화에서 성과 몸이 차지하는 비중이 커진다는 것은 무엇을 말해줄까? 또 성과 몸을 다루고 있는 대중문화 상품에 대해 우리가 보이는 반응들이 말해주는 것은 무엇일까?

성은 매우 오랜 시간 동안 문학, 연극, 회화, 조각, 음악 등 인류가 만들어온 창의적 활동과 밀접하게 연결되어왔다. 대중문화에서 최근에 새로 시작된 현상이 아닌 것이다. 그 이유는 무엇일까? 대중문화 속 성에 대해 우리가 보이는 어찌 보면 이중적인 반응들('꺼리면서도 즐기는')을 관찰하면, 인간의 본성, 사람의 사람됨과 연관되어 있기 때문이 아닐까 하는 생각이 든다. 인간의 모습, 사람의 이야기를 하기 위해서는 절대로 빠질 수 없는 부분이라는 것이다. 그렇게 본다면 대중문화에서 성과 몸을 다루려는 건 매우 자연스럽고 당연한 일이라고 해야 한다. 단순히 '선정성', '상업성', '퇴폐성' 등의 말로 치부해버릴 수 없는 것이다.

토론 중에 나온 다음 의견들을 보면 이와 같은 대중문화 현상에 대한 우리 반응의 스펙트럼을 살펴볼 수 있다. 먼저 본격적으로 성과 몸을 다루는 대중문화 콘텐츠를 긍정적으로 보는 입장들이다.

우리나라의 성교육은 선진국에 비해 소극적이고 형식적인 편이라고 생각한다. 성이란 '부끄럽고 은밀한 것'이라는 사회적 인식이 교육에도 반영된 것이 아닐까 하는 생각이 들었다. 인생을 살아가는 데 있어서 어찌 보면 가장 중요한 교육이 잘 이루어지지 않는 셈이다. 그런 면에서 볼 때, 대중문화 콘텐츠의 높아진 수위가 우리 사회의 성에 관한 보수적인 인식을 바꾸고, 성에 관해 한층 솔직한 담론을 형성하는 데 기여했다는 점에서 긍정적인 평가를 내리고 싶다.

나는 긍정적인 입장이다. 처음에는 '왜 미디어가 굳이 성과 관련된 콘텐츠를 다뤄야 하는가'라는 생각을 하면서 성과 관련된 방송 콘텐츠들이 늘어나는 것 자체를 부정적으로 생각했다. 하지만 한편으로는 성은 음식이나 잠처럼 인간의 삶과 뗄 수 없는 자연스러운 생명의 일부인데, 유독 우리나라 분위기나 미디어는 성에 과도하게 보수적이라는 생각이 들었다. 비록 성과 관련된 콘텐츠가 생겨나는 과정에서 잡음이 많긴 했지만, 그런 콘텐츠들이 더딘 속도로나마 성을 좀 더 개방적으로 이야기할 수 있는 분위기를 만들어줄 것 같다.

'성'이 방송으로 콘텐츠화되는 것은 바람직하다고 본다. '성' 자체가 부끄러운 것이나 감춰야 하는 것이 아니기 때문이다. 프로그램에서 '성'을 어느 정도로, 어떻게 표현해내느냐가 가장 중요한 쟁점인 것 같다. 물론 모두가 만족스러워할 콘텐츠의 수위는 존재하지 않을 것이라고 생각한다. 프로그램에서 '성'을 표현할 경우, 제작자와 수용자가 상호 간 피드백을 통해 적절한 수위를 정할 수 있다면 '성'의 콘텐츠화도 좋은 방향으로 정착할 수 있을 것 같다.

반면, 부정적인 측면을 강조한 의견들도 많았다.

어느 정도 수면 위로 떠올라서 궁금증을 풀어주는 것은 좋으나, 가끔은 수위가 너무 높아서 당황스럽다. <마녀사냥> 덕분에 많은 것을 알게 돼서 좋았는데 가끔은 잠자리 얘기를 너무 노골적으로 하는 거 같다.

내가 부정적으로 생각하는 부분은 '가치'를 강요한다는 점이다. <마녀사냥>을 보다 보면 20대 이상의 남녀가 사귀면서 자는 건 당연하다는 전제가 깔려 있다(물론 대다수가 그러려나?). 이 때문에 잠자리를 가진 적이 없는 사람은 사석에서 바보 취급을 받거나, 보수적인 가치를 갖고 있는 사람이 흡사 커밍아웃을 하듯 자신의 가치관을 말하게 되는 분위기가 만들어지지 않았나 싶다.

나는 '높아지고 있는 수위'의 부정적인 면에 집중하고 싶다. 내 생각은 다음 질문에 잘 압축되어 있다. '우리 사회의 분위기가 바뀌는 것과 정확히 같은 속도로 성에 대한 우리의 인식도 바뀌고 있나?' 내가 보기에 우리의 인식은 아직도 성에 대해 보수적인 편이다. 아직은 성관계를 사랑의 자연스러운 현상이기보다는 꺼려야 할 것으로, 성문화를 음지의 문화로 여긴다는 말이다. 현실은 그렇지 않은데 말이다. 한편으로는 건전한 성문화에 대한 교육이 제대로 이루어지지 않는 상황에서 성급하게 분위기만 변하고 있다는 생각이 들기도 한다. 결국 이런 성급함의 끝에 부작용이 오지 않을까?

서로 다른 의견이지만 그 나름의 기준을 가지고 판단한다는 점에서 모두 설득력을 지니고 있다. 독자들은 어떤 기준으로 어떻게 생각하고 있는지 궁금하다.

곽정은은 대중문화의 수작이 될 수 있나?

또 수업에서 학생들의 생각을 돕기 위해 질문 하나를 덧붙였다. 2014년 11월, SBS의 〈매직아이〉에서 곽정은의 발언이 온라인을 뜨겁게 달구었던 것과 관련해 '곽정은은 대중문화의 수작이 될 수 있나?'라는 질문을 던진 것이다. 곽정은은 패션 잡지의 칼럼니스트로 우리 사회의 성과 관련해 많은 이야기를 하는 인물이다. 케이블 TV에서 활약하며 인지도가 높아졌고 〈마녀사냥〉에서는 고정 패널로 활약하기도 했다. 그러다 〈매직아이〉에서 장기하와 로이킴의 인상에 대해 성적 뉘앙스가 담긴 발언을 했다가 논란의 중심이 되었다. 우리의 주제와 관련해서 논의해볼 수 있는 좋은 사례라고 생각했다.

그에 대한 학생들의 생각이다. 먼저 수작이 될 수 있다는 입장이다.

곽정은은 수작이 될 수 있다. 몸과 성에 관한 콘텐츠는 성적 주체성이 뚜렷한 사람들이 만들고 배포해야 한다고 생각하기 때문이다. '성적 주체성'이 옳은지 그른지에 대한 문제도 있겠지만, 곽정은과 같은 경우는 칼럼을 많이 써왔고 이미 여러 견해를 정립시킨 성인이다. 다양한 방송에서 곽정은의 성적 발언은 여성들의 권위를 세우고 수면 아래에 있던 것들을 개방해주었다. 현재 한국 사회에서 성과 관련한 이야기는 더 이상 숨겨야 하는 것으로 치부되지 않는 분위기이다. 신동엽이 <마녀사냥>에서 "남친이 생긴 것 때문에 부모님이 귀가 시간을 재촉한다 하더라도 그분들이 걱정하는 일이 안 일어나는 것은 아니다"라고 말한 것처럼 음지로 묻어둘 것이 아니라 양지로 드러내 올바르게 잡아나가야 한다. 곽정은은 그 선두주자이자 촉매제 역할을 하고 있다.

곽정은이라는 인물에 대해 논해봤던 첫 번째 질문에서 "여자들의 입장에서 의견을 대변해줄 인물이 필요하다"라는 의견이 있었다. 이 덕분에 최근 너무 수위가 세졌다는 생각과 함께 불편하다는 생각이 들었던 내 의견도 환기될 수 있었다. '여성의 대변인'이라는 의견에 공감하며 정말 그런 시각에서라면 곽정은이라는 인물도 대중문화계에서 의미가 있겠다는 생각이 들었다.

우리 조는 '곽정은'이 수작이 될 수 있을까에 대해 토론하면서 수위 조절에는 다소 실패한 느낌일지언정, 곽정은이 여자를 대변해준다고 결론지었다. <마녀사냥>을 중심으로 보면 먼저 남자 패널들이 토론을 한 뒤에 곽정은과 같은 여자 패널을 투입시키는 형식인데, 거리낌 없는 남자 패널들의 발언에 비해 곽정은이 여자에게 해주는 말은 좀 더 생각할 거리를 많이 건네주었던 것 같다.

이번에는 부정적인 생각이다.

다른 조에서 곽정은 씨가 여성들의 목소리를 냈다고 하는데 과연 그것이 여자들의 의견과 생각을 대변한 것인지 의문이 든다. 어떻게 보면 실체가 없는 여론을 형성했다는 생각도 든다. 곽정은 씨가 '내가 여성들을 대변하고 있다'는 프레임을 설정하고 있다는 느낌? 물론 이런 다양한 목소리가 자주 나오는 것은 긍정적으로 생각한다. 하지만 그것이 여성의 목소리인지, 혹은 그것을 대변하는 목소리인지는 잘 모르겠다.

곽정은은 수작이 될 수 있을까? 수작까지는 아니라고 생각한다. 개인적으로 신동엽은 MC로서의 자질, 특징, 강점이 모두 수작의 기준으로 환산될 수 있다고 본다. 반면 곽정은은 19금 토커(talker)로서의 자질이 뛰어날 뿐 수작이 되기는 부족하다. 물론 '여성' 19금 토커라는 점에는 분명히 의미가 있다. 지금까지는 성에 관한 개념에서 남성이 주체, 여성이 객체로서 취급받았기 때문이다. 즉, 과거에는 본능적으로 성에 접근해 그것을 주제로 발언하는 주체가 주로 남성으로 여겨졌지만, '곽정은'으로 인해 여성도 성에 관심이 있는 인간이며 성에 대해 이야기할 수 있음을 보여줄 수 있었다. 이것은 대단히 가치 있다고 생각한다.

이번 곽정은 논란의 경우는 성을 노골적으로 표현한 것이 문제가 아니라 성희롱에 가까운 발언이 문제지 않았을까 싶다. 분명 전파를 타는 방송이었기에 장기하 본인이 괜찮더라도 시청자들이 불편함을 느꼈다면 조금은 문제가 있지 않을까 한다.

곽정은의 발언이 욕을 먹은 이유는 성적인 발언에 대해 남녀에게 이중잣대를 들이대서 그런 게 아닌가 싶다. 곽정은이 그런 말을 해도 그것을 긍정적으로 바라보는 여성들은 솔직하다, 여성의 사회적 지위가 높아졌다라고 생각한다. 그에 반해 남자들이 성적인 발언을 하면 모두에게 두고두고 욕을 먹는다(강용석, 윤종신). 남자들은 이러한 현상을 역차별이라고 할 것이다.

역시 곽정은에 관한 우리의 평가에는 그 성적 발언의 수위와 함께 그가 '여성'이라는 점이 크게 작용하고 있다. 매우 흥미로운 지점이다. 이 문제를 어떻게 보느냐에 따라 곽정은이라는 인물을 여성에게서 박탈되었던 성적 주체성을 회복시킨 인물로 규정할 것인지, 아니면 성의 상품화를 더 악화시킨 인물로 규정할 것인지를 결정할 수 있을 것이다.

이에 대한 평가에서 또 하나 우리가 고려해야 할 것은 우리 사회에서 성에 관한 담론 및 행위의 균형추가 어느 쪽으로 기울어 있느냐의 문제이다. 만일 여기에서 여성이 소수자의 위치에 처해 있다고 판단한다면, 소수자인 여성의 발언과 다수자인 남성의 발언이 설령 같은 수위를 가진다 하더라도 다른 평가를 받아야 마땅할 것이다. 특히 이른바 '3차 페미니즘'이라고 불리는 최근의 여성주의가 지향하는 바가 여성에게만 억압되어 있는 '성적 쾌락'을 해방시키는 것이며, 남성적 시선으로만 규정되어왔던 여성의 성적 욕망에서 벗어나는 것이라는 사실은 이런 입장을 뒷받침하는 논거가 될 수 있다.

어쨌든 이렇게 성에 대해서 본격적으로 다루는 대중문화 상품에 대한 학생들의 생각은 다양했다. 부정적으로 보는 입장도 있었고, 크게 문제될 것이 없다는 생각도 있었다. 문제될 것이 없다고 보는 시각에서는 메시지의 유무, 표현의 수단, 연령 제한 등의 조건들이 따라오는 경향을 보였다. 각각 고민이 필요한 조건들이다.

이 가운데 연령 제한과 관련해서는 우리가 조금 더 깊이 있게 생각해볼 여지가 있다. 위에서 규범의 상대성을 가지고 이야기했는데, 우리나라에서 청소년을 바라보는 시각과 다른 문화에서 바라보는 시각에는 차이가 존재한다. 즉, 우리의 시각이 절대적인 것은 아니라는 뜻이다. 따라서 성을 다루는 대중문화 콘텐츠를 청소년과 미성년자들에게 어디까지 허용하는지의 기준을 들여다보면, 우리 사회가 가지고 있는 규범과 윤리의 특징을 파악할 수 있다. 또한 우리 사회가 청소년을 어떤 존재로 보고 있는지, 그들의 문화적 역량을 어떻게 평가하고 있는지, 그들이 어떤 존재로 성장하기를 기대(강요)하고 있는지에 대해서도 이해할 수 있다.

조별 토론에서 성에 대한 의식이 제대로 확립되지 않은 미성년자들이 수위가 높아진 대중문화 콘텐츠에 노출되는 것은 다소 위험하다는 의견이 있었다. 제대로 된 성교육을 받지도 않은 어린 학생들의 성적 호기심을 부추긴다면, 그에 수반되는 사회 문제가 잇따라 발생할 것이라 생각한다. 대중문화의 영향력을 고려한다면, 이러한 부정적인 측면을 최소화할 수 있는 방안을 모색해야 할 것이다.

<마녀사냥>, <SNL> 자체는 나쁘지 않다고 보지만, 거기서 나오는 주제들이 어린 친구들에게 걸러지지 않은 채 들어가는 것은 문제라고 생각한다. 물론 야동이나 야

설로 19금 콘텐츠를 접하기는 하지만, 음지에서의 성과 양지에서의 성은 다르게 받아들여질 것이다. 방송의 19금은 성관계를 긍정적으로 여기게 한다. 괜히 19금이 아니잖은가. 이걸 본 '청소년'이 책임감 있게 행동할 수 있을까? 청소년에 대한 규제가 필요하고, 그 이전에 올바른 성교육이 필요하다.

흥미로운 건 이제 막 청소년기를 마친 학생들 중에서도 청소년의 판단력이나 분별력을 낮게 평가하는 시각이 많았다는 점이다. 이들이 청소년기를 겪을 당시에는 이런 문제를 어떻게 생각했을지 궁금하다. 앞서 지적한 것처럼 성과 몸에 관련된 규범을 집단 간, 세력 간의 이해관계가 달린 갈등으로 본다면, 이것은 청소년 세대와 기타 세대 간의 갈등과 투쟁이 드러나는 사례라고 해석할 수도 있다.

또한 다음 글에서 지적하듯이, 수업에 참여한 20대와 기성세대 사이에도 이런 문제를 둘러싸고 미묘한 갈등이 존재한다.

조별로 모여서 이야기를 하다가 갑자기 든 생각이 있다. '지금 우리는 성에 대해 개방적이다'라는 표현을 자주 하곤 했는데, 그러면서 기성세대는 그렇지 않다고 이야기한다. 그렇다면 우리가 나이가 들어서 기성세대가 되었을 때, 과연 그때까지도 성에 대해 개방적일 수 있을까? 지금의 기성세대와는 다른 모습을 보일 수 있을까? 우리의 자녀가 받아들이는 성에 관한 포용력을 이해할 수 있을지 궁금하다. 우리 엄마, 아빠는 내 나이 때 나와 같은 마음이었을지…….

지상파에서 성적 콘텐츠들이 다수 실패하는 이유는 기성세대의 입장이 공고하기 때문이라는 생각이 든다. 특히 우리가 지상파에 바라는 것은 성적 콘텐츠가 아닌 것 같다. 반면 케이블은 다소 말랑말랑한 뇌로 새로운 시도를 하는 것을 목표로 삼고 있기 때문에(젊은 층의 특성도 있다고 생각한다) 여러 가지 시도도 많고 그 덕분에 성적 콘텐츠도 받아들여지고 있다고 생각한다.

대중문화 속 몸

한편 이렇게 점점 수위가 높아지는 성에 대한 관심은 '몸(body)'에 대한 관심과 맞닿아 있다. '몸짱', '꿀벅지', '초콜릿 복근', 'S 라인', '간지' 등 대중문화에서 많이 사용되는 용어들은 몸에 대한 이러한 관심을 보여준다. 또 이런 몸에 대한 관심은 상업주의와 연결되어 우리의 몸을 성형 등을 통해 더 이상적인 형태로 변형시키고 싶다는 욕구를 창출해간다. 이처럼 갈수록 강력하게 작동하는 자본의 전략으로부터 자유로워지기는 현실적으로 어렵다.

특히 대중문화의 생산 현장에서도 몸과 섹시함을 앞세워 자신의 음악을 표현하거나, 상품성을 높이려는 움직임이 강하게 나타나고 있다. 물론 이러한 움직임 안에서도 개별적인 특성에 따라 그에 대한 평가는 달라질 수 있다. 학생들도 그러한 점을 잘 간파하고 있다.

우리 조에서는 성의 상품화에 대해 그 대상이 되는 연예인 자신의 입장이 어떨지 이야기했다. 치열한 경쟁 시장에서 살아남기 위해서는 더 돋보여야 하기 때문에, 자신의 상품화를 피할 수 없을 것 같다는 의견이 나왔다. 비록 상품화하는 대상이 '성'일지라도 말이다.

성이라는 소재가 우리 일상에 빼놓을 수 없는 소재임에도 대중문화, 특히 TV 등 방송에 등장한 것은 얼마 되지 않았다. 그럼에도 이 참신한 소재를 다룬 <마녀사냥> 조차 회를 거듭할수록 사람들 사연에 담긴 성의 수위가 높아진다는 느낌이다. 이런 부분을 보면 성과 상업성이 합쳐지는 것에 주의해야 할 것 같다.

이런 현상을 좀 더 깊이 생각해보면 최근 들어 대중문화 안에서 몸을 다루는 비중이 높아진 것은, 정신과 육체의 대립 속에서 언제나 정신(이성)을 우월한 것으로 위치시키던 모더니즘적 사고가 쇠퇴하고 육체가 다시 부각되었기 때문으로 볼 수도 있다. 사실 몸을 부정적인 것으로 규정하고 이성의 우월적 통제 아래 구속하려는 시도가 절대적일 수 없다는 점을 고려한다면, 다시 몸이 강조되고 이성의 권력이 해체되는 변화가 초래할 '해방적인' 측면도 간과할 수 없을 것이다. 몸을 부각하는 대중문화가 어떤 효과들을 가져올지 생각해보는 것도 우리의 대중문화관을 탄탄히 하는 데 도움이 된다.

이런 접근을 통해서 성과 몸에 대한 기존의 관습적인 생각과는 많이 다른 시각을 가질 수 있다. 아주 도발적인 생각들도 가능하다는 것이다. 사고의 훈련을 위해서라도 그런 시도를 해보는 것은 나쁘지 않다. 사실 젊은 세대가 보이는 반응들이 기존의 틀에서 크게 벗어나지 못한다고 느껴질 때는 아쉽다는 생각이 들기도 한다. 물론 그것이 잘못된 것은 결코 아니지만, 더 참신한 사고를 통해 사물을 새롭게 바라보는 것이 모든 변화의 시작이라는 점에서 아쉬운 것은 사실이다.

젠더와 관련한 부분에서도 우리는 이런 생각들을 해볼 수 있다. 다음 장에서 다루게 될 동성애와 관련된 쟁점들도 그런 맥락에서 생각해보려 한다. 마지막으로 다음 글을 읽어보자.

'다양성'이라는 것이 무서운 것일 수도 있다고 생각했다. 다양성이 내 다른 사고들을 모두 합리화시키고 정당화시키는 것을 느꼈기 때문이다. 현재 내가 정해 놓은 다양성이 있지만 거기에는 한계가 있다. 따라서 더 나은 방향으로 다양성을 규정해야 할 텐데 그게 어려운 것 같다.

우선 나는 이렇게 자신의 생각을 성찰적으로 바라보려는 노력에 박수를 보낸다. 이런 노력이 자신의 관점을 탄탄하게 만드는 초석이 될 것이라 의심치 않기 때문이다. 여기서 말하는 다양성은 시각의 상대성이라는 말로 대체할 수 있을 것이다. 책 초반에 이런 이야기를 한 적이 있다. 깊은 고민 없이 취하는 상대주의는 자문화 중심주의만큼이나 위험하다고. 상대주의를 절대적으로 받아들이는 것이 가져올 위험에 대해서도 간과하지 말아야 한다고. 독자들도 이런 성찰을 통해서 결국 자신만의 관점을 탄탄히 갖추어나가기 바란다. 그것은 어렵지만 가치가 있는 과정이고, 이 책이 궁극적으로 목표하는 바이기도 하다. 모두의 노력을 응원한다.

Ch.10

퀴어가 싫어하는 퀴어 콘텐츠

대중문화와 사회 변화 (2)

KEYWORDS: 동성애, 퀴어 문화, 사회규범, 일탈, 파격, 상업성
생각해볼 문제: 나의 대중문화관에서 볼 때, 동성애를 다루는 콘텐츠는…….

'대중문화와 사회 변화'라는 주제를 가지고 두 번째로 다룰 내용은 '동성애'이다. 수업시간에 학생들은 몇 개의 영상클립을 미리 보고 토론에 임했다. 그중 하나는 2008년 tvN에서 방송되어 화제를 몰고 왔던 리얼리티 프로그램 〈커밍아웃〉의 예고편이었다. 아마도 우리나라에서 동성애를 주변적 장식품으로서가 아니라 중심으로서 다룬 최초의 콘텐츠일 것이다. 뒤를 이어 본 것은 2010년 SBS에서 방송된 드라마 〈인생은 아름다워〉 중 20회의 한 장면이었다. 동성애자인 아들이 어려서부터 자신을 키워준 새어머니에게 자신의 성 정체성을 커밍아웃하는 내용을 담고 있다. 덧붙여 한국에서 동성애와 관련된 공적 논의를 이끌어낸 인물로 평가할 수 있는 홍석천이 출연한 〈라디오스타〉와 〈힐링캠프〉의 주요 장면들도 시청했다. 둘 모두 동성애자인 홍석천을 보여주고는 있지만, 각 프로그램의 성격에 맞추어 서로 다른 각도에서 이를 재현했다.

토론에서는 최근 들어 대중문화에서 본격적으로 표현되기 시작한 동성애의 빛과 그림자, 대중문화 속 동성애를 좌우하는 상업성의 문제, 그리고 동성애 콘텐츠를 바라보는 동성애자들에 관한 논의가 이루어졌다. 이를 통해 대중문화가 규정하는 사회규범과 일탈, 관행적으로 지켜온 틀을 벗어나는 파격이 갖는 의미 등을 생각해볼 수 있었다.

대중문화 속 동성애를 이야기할 때

이번 주제는 두 번째로 다루는 '대중문화와 사회 변화'이다. 앞의 5장에서 첫 번째로 '대중문화와 사회 변화'를 이야기하며 '불륜 드라마'를 다루었는데, 이번에는 '동성애'라는 다소 부담스러울 수 있는 주제를 통해서 대중문화 속 사회 변화를 바라보려 한다.

최근 들어 동성애를 다루는 대중문화 상품이 양적으로 많아졌다. 그만큼 이러한 문화 상품이 나올 때마다 논란도 많다. 그런가 하면 동성애를 재현하는 방식도 시간에 따라 변화를 보이고 있다. 이러한 양적 · 질적 변화에 대해 어떻게 생각하는가? 각자가 만들어가고 있는 대중문화관에서는 이를 어떻게 평가하는가? 동성애와 관련해서 우리가 생각해볼 수 있는 쟁점들은 어떤 것들이 있을까?

사실 껄끄러울 수 있는 주제였기 때문에 학생들 역시 수업시간의 토론에서 조심스러워한다는 인상을 받았다. 하지만 그 어느 때보다도 진솔한 이야기들이 많이 나왔고, 그중에는 이 주제에 관해 깊이 있는 사고를 할 수 있도록 도와주는 이야기도 여럿 있었다. 다음 학생들도 그렇게 느꼈다.

'동성애'를 주제로 한 이번 수업은 굉장히 흥미로웠다. 학우들의 의견, 교수님의 의견을 들으면서 내가 생각지 못했던 부분도 생각할 수 있었다. 너무 좋았다!

3년 전 <방송의 이해> 시간에 어느 조가 동성애 콘텐츠를 다룬 적이 있다. 그때 <클럽 빌리티스의 딸들>을 언급하면서 '게이물은 되는데 왜 레즈비언물은 안 돼?'라는 이야기가 나왔다. 그때만 해도 학우들이 잘 답변을 못했는데……. 뿌듯하다.

동성애라는 주제는 대중문화와 관련한 여러 주제 중 그 중요성이 점점 커지고 있다. 그건 동성애에 관한 사회적 인식 변화에 대중문화가 큰 역할을 해왔고 지금도 그러하며, 앞으로도 그럴 것이기 때문이다.

💬 이번 주제를 접하기 전까지 나는 내가 당연히 동성애자들을 포용할 수 있다고 믿었는데, 어쩌면 안이한 태도였는지도 모르겠다는 생각을 하게 됐다. 이번 수업을 통해 조금이나마 동성애자들에 대한 편견을 없애고 그들도 우리와 똑같은 일상을 살아가는 평범한 사람들임을 수용하기 위해 노력해봐야겠다는 생각을 했다.

💬 오늘 동성애와 관련된 대중문화를 이야기하면서 친구들이 다양하게 동성애 콘텐츠를 받아들인다는 점이 신기하고 재미있었다. 현재 우리나라의 대중이 동성애 콘텐츠를 어느 정도 친숙하게 받아들이는 것은 사실인 것 같다. 어쩌면 홍석천과 같은 동성애자들이 대중문화에 많이 나타나면서 생긴 현상 아닐까? 동성애 콘텐츠의 등장은 대중문화의 다양성에 기여하는 측면이 크다고 생각한다. 대중문화 콘텐츠를 문화 자체로 바라보는 시선이 정립되어야 동성애 콘텐츠에 대한 논란이 사그라질 것 같다.

사실 평소 동성애에 관한 우리의 생각이 매우 피상적이었는지도 모른다. 평소의 생각이 (동성애에 대해 호의적이든 그렇지 않든) 피상적인 수준에만 머물렀다면 그 생각은 매우 취약한 것이다. 따라서 이 주제를 한층 깊게 돌아보고 그 입장의 타당성을 점검해볼 필요가 있다. 여기에서의 논의가 그런 계기가 되기를 바란다. 물론 이것이 동성애라는 쟁점에 대한 최종적 판단의 방향을 정해주지는 않을 것이며, 각자가 스스로 판단해야 한다는 점도 잊지 말아야 한다.

학생들에게 이런 기회가 되기를 바라는 마음에서 수업 시작 전 세 가지를 부탁했다. 첫째는 토론에 임하는 '솔직한' 자세였다. 공개적인 자리에서 우리는 동성애에 대해 진짜 속마음과 다른 태도를 보일 때가 많다. 이것은 사회과학에서 말하는 이른바 '사회적 바람직성(social desirability)' 효과 때문이다. 타인 앞에서 논란이 되는 이슈에 대한 의견을 표명할 때, 자신의 솔직한 생각보다는 어떻게 말하는 게 바람직한 것으로 받아들여질지를 먼저 고려하게 된다는 것이다.

최근 들어 사회적으로 동성애에 대해 많이 관대해졌다는 인식이 생기면서, 마치 그런 분위기를 거스르면 안 될 것 같아 공개적인 자리에서 자신의 생각과 다른 태도를 취하는 경향이 있는 듯하다. 이렇게 일종의 강요받는 분위기에 따라 진솔한 토론이 이루어지지 못한다면, 이는 동성애에 대한 진지한 토론과 사회적 합의를 이끌어내는 데 도움이 되지 않을 것이다. 또 동성애자를 사회적 소수자로 규정하고 그들의 권익을 옹호하려는 입장에서 보려는 사람들에게도 이런 분위기가 반갑지만은 않다. 강요의 결과로 나타난 인정과 관용은 표피적인 수준에 머물 수밖에 없기 때문이다. 따라서 동성애에 대한 자신의 진솔한 입장을 가능한 한 솔직하게 이야기할 수 있는 분위기가 되어야 한다.

둘째는 동성애자가 없을 것이라는 전제 아래 이야기하는 우를 범하지 말자는 것이었다. 이러한 전제는 근거 없는 선입견이 만들어낸 것이며, 수업 구성원의 다양성을 허용하지 않는 매우 오만한 태도가 될 수 있다. 마지막 셋째는 위의 조건들을 잘 충족하기 위해서 필수적인 것으로, 나와 다른 입장과 생각에 대해 관용적인 태도를 취해야 한다는 것이었다. 그래야만 논의되는 이야기들이 더욱 솔직하고 진지하며 깊이 있는 것이 될 수 있다. 그것은 비단 이 수업뿐 아니라 동성애와 관련한 공적 논의에서 반드시 필요한 자세라고 생각한다.

다음 글을 읽어보자.

> 지난주 수업과 더불어 이번 수업에 임하면서 문화도 하나의 사회화 과정이라는 것을 느꼈다. 문화 역시 어릴 때부터 시작된 학습과정을 거쳐 그에 대한 인식과 향유 방식이 형성되어가는 것이다. 미디어상의 동성애 콘텐츠도 그런 것 같다. 그 때문에 대중문화를 바라볼 때 내가 받아온 교육, 이데올로기, 사상, 우리 사회 저변에 깔려 있는 성격, 사안 등을 함께 바라본다면 나의 대중문화관에 대해 더 잘 알아갈 수 있을 것 같다.

그렇다. 앞 장의 주제였던 '성과 몸', 이번 장의 주제인 '동성애'는 모두 '사회화(socialization)'와 관련이 있다. 사회화란 한 사회의 규범과 가치, 질서 등을 다음 세대에 교육하고 전달해 내면화시키는 것을 말한다. 따라서 이 주제들 모두 현재의 규범, 가치, 질서와의 관련성에서 생각해야 할 것들이다.

사실 이 두 가지 주제뿐 아니라 '불륜 드라마', '팬덤', '여성', '세대' 등 우리가 다루는 모든 주제가 이런 측면과 밀접한 관련을 갖고 있다. 대중문화를 우리의 삶과 우리가 속해 있는 사회에 대한 깊이 있는 이해의 도구로 이해해야 하는 이유가 바로 여기에 있다. 대중문화 속에는, 또한 우리가 그것에 대해 이야기하는 가운데에는 항상 현재의 지배적인 사회규범과 가치에 대한 '순응'과 '저항'의 함의가 담겨 있다. 반복해서 이야기하지만 대중문화는 '정치적(political)'이다.

동성애라는 주제를 '대중문화와 사회 변화'라는 큰 주제 아래 살펴보려는 것은 동성애에 대한 규범과 가치가 변화하고 있기 때문이다. 과거에 비해 동성애를 바라보는 사회적 시선이 많이 바뀌었고 현재도 바뀌어가고 있다. 다음은 이러한 변화를 감지한 학생들의 반응이다.

나는 오늘 발표를 들으며 좀 힘들었다. 어렸을 때부터 기독교를 믿어서 동성애는 옳지 못하다고 생각해왔기 때문이다. 요즘은 종교계에서도 동성애 이야기가 자주 거론된다. 나는 최근 들어 기존의 사회적 기준들이 굉장히 많이 파괴되고 있다고 생각한다. 이러한 사회 변화들이 어찌 보면 두렵게도 느껴진다. 과연 나는 이 세상의 변화를 어떤 눈으로 바라봐야 할까?

팬픽, 〈인생은 아름다워〉, 〈모두에게 완자가〉

대중문화는 동성애를 바라보는 사회적 시선의 변화 속에서 그런 변화를 반영하고 있을 뿐 아니라 때로는 그 변화의 첨병이 되기도 한다. 수업 중 토론을 통해서 재확인했던 것은, 현재의 20대가 그 윗세대보다 동성애에 훨씬 더 많이 노출되어 있다는 점이다. 물론 그렇다고 모든 20대가 동성애에 대해 열려 있다는 건 아니다. 하지만 동성애를 다루는 대중문화가 많아진 덕분에 상대적으로 이 주제를 접할 기회가 많아진 것은 분명한 사실이다.

청소년들 사이에 유행하는 '팬픽(fan-fic)'이 자주 동성애 코드를 사용하고 있다는 점도 동성애에 대한 노출을 높이는 데 크게 기여했다. 또한 동성애를 직간접적으로 다루는 대중문화 상품이 많아진 것도 분명하다. 과거에 동성애를 전혀 다루지 않던 대중문화는 점차 주변적인 것으로나마 이를 취급하기 시작하더니, 현재에는 동성애 자체에 대해 진지하게 문제를 제기하는 콘텐츠를 만들어내고 있다.

장르적인 측면에서 보면 영화에서 처음 다루기 시작한 동성애는 이후 TV 단막극과 미니시리즈를 거쳐 이제는 주말 드라마에서도 다루어진다. 〈커피프린스 1호점〉이나 〈성균관 스캔들〉에서는 단순히 극의 재미를 더하기 위한 장치에 불과했지만, 2010년에 방송되었던 주말 드라마 〈인생은 아름다워〉에서는 동성애자의 사랑과 가족들의 인정 등을 본격적으로 다루게 되었다. 분명 이전과는 많이 달라진 모습이다. 이후 〈개인의 취향〉, 〈응답하라 1997〉 등에서도 동성애가 다뤄졌다. 앞으로는 또 어떻게 변화할지 예측해 보는 것도 의미가 있을 것이다.

동성애에 대한 인식에서 대중문화 콘텐츠가 갖는 힘은 결코 무시할 수 없다. 특히 처음으로 접했던 콘텐츠가 동성애를 어떻게 그리고 있느냐의 문제는, 이에 대한 시각의 성격을 결정하는 데 적지 않은 영향을 주는 것으로 보인다. 마찬가지로 이후에 이러한 시각이 바뀌어가는 데에도 대중문화는 영향을 미치고 있었다.

내가 처음에 접한 동성애 콘텐츠는 <인생은 아름다워>였다. 아직 어린 중학생일 때 봤는데 송창의 씨와 이상우 씨가 연기를 잘해서 더 실감났다. 전에는 동성애를 그냥 안 좋게만 생각했는데 두 분이 정말 순수하게 사랑하고 가족들과 부딪히고 인정받는 과정을 보면서 게이들의 고충을 알게 됐다.

팬픽을 어렸을 때 접해서 그런지 동성애에 대한 생각이 나쁘진 않았다('뭐 그럴 수도 있지'라는 정도?). 그때는 내가 좋아하는 오빠들이 친하게 지내는 모습이 연인처럼 보일 만큼 구분이 좀 모호했던 게 아닌가 싶다.

대학생이 된 지 얼마 안 되었을 때 <싱글맨>, <브로크백마운틴>을 우연히 보게 되었는데, 그때는 주인공들이 왜 가슴 아파하는지 이해를 못했다. 동성애에 대한 개념도, 견해도 가지고 있지 않았던 때라 영화가 던지는 이야기를 온전히 받지 못했던 것 같다. 그렇지만 몇 년 사이에 동성애 이야기들이 꽤 화두에 오르고 대중문화 속에도 등장하면서 그 영화들을 다시 생각하게 되더라. 최근에 <브로크백마운틴>을 다시 봤는데 어찌나 슬프고 애틋한지……. 그 둘의 '사랑' 이야기로 다가오더라. 이런 사례를 생각했을 때 대중문화가 동성애의 인식을 긍정적으로 바꿔준다고 말하기에는 무리가 있지만 그저 계속해서 화두를 던져준 것만으로도 좋은 작용을 했다고 생각한다.

네이버 웹툰 중에 <모두에게 완자가>라는 여자 동성애자(레즈비언)의 이야기가 나온다. 단순히 레즈비언의 사랑을 부각시키는 내용이라기보다 '일상' 속 '동성애'의 이야기가 주된 내용이다. 나는 원래 동성애에 대해 별다른 의견이 없었다. 그저 막연하게 사랑의 한 형태라고 생각했을 뿐이다. 그러나 <모두에게 완자가>라는 웹툰을 보고 난 후 동성애가 먼 얘기가 아닌 나의 주변 얘기일 수 있다는 것을 알았다. 밖에 나가서 동성애에 관한 얘기를 할 때 조심스럽게 얘기해야겠다는 생각도 했다. 그 웹툰은 '동성애자(게이, 레즈비언)는 모델 같아야 한다, 남자 같은 여자여야 한다'라는 선입견을 깨준 계기가 되었다.

따라서 대중문화가 동성애를 '어떻게' 다루느냐는 매우 중요한 문제가 될 수밖에 없다. 그것이 동성애에 대한 우리의 태도와 입장을 결정하는 데 적지 않은 영향을 주기 때문이다.

<모두에게 완자가>란 웹툰. 난 솔직히 이성애자의 호기심 창구라고밖에 생각하지 않는다. 더 큰 문제는 이 작품에서 동성애자의 사랑은 그나마 동정이라도 받지만 트랜스젠더의 사랑은 그야말로 '우스꽝스러움'과 '배신' 그 자체로 그려진다는 점이다.

미디어를 통해 다뤄지는 '동성애' 코드가 정말로 그들(동성애자)의 사회적 입지를 넓혀주는지 의문이 든다. tvN <커밍아웃>의 예고편에 등장한 모델같이 잘생긴 두 남성, <인생은 아름다워>에서 자신을 '죽어도 마땅한 놈'으로 단정 짓는 송창의, <힐링캠프>에서 자신을 불효자, 못난 삼촌으로 칭하는 홍석천……. 이런 단어들, 그리고 동성애자 본인의 입으로 언급되는 사회적 낙인의 상징 용어들을 여전히 당연하다는 듯 이야기하는 방송들……. 이것들이 스테레오 타입의 재생산에 어떻게든 영향을 주고 있는 것 같다. 물론 다큐나 영화에서는 스테레오 타입으로부터 벗어날 수 있는 이야기를 다루고 있기도 하지만, 대중이 더 쉽게 접하는 '예능'에서는 스테레오 타입을 오히려 재생산한다는 한계가 남아 있는 것 같다.

궁극적으로 이 주제에 대한 결론은 각자가 동성애 자체에 대해 어떤 입장을 가지고 있느냐에 따라 좌우될 수밖에 없다. 그에 따라 대중문화에서 동성애를 다루는 것에 대한 평가도 달라질 테니 말이다. 그래서인지 강의 쪽지에는 동성애를 어떻게 바라보고 있는가에 관한 글이 많았다. 서로 다른 주장을 하고 있기는 하지만 모두가 진솔한 이야기들이라는 점에서 의미가 있었다. 다만 다음의 이야기들 속에는 수많은 논란거리들이 존재한다.

영화 <바비를 위한 기도>를 보고 펑펑 울었던 기억이 난다. 기독교를 바탕에 두고 있는 미국 사회에서 동성애가 어떤 것인지를 대중에게 잘 이해시켜준 영화라고 느꼈던 작품이다. 나는 우리 사회에서 동성애가 진정으로 무엇인지에 대해 알아볼 필요가 있다고 생각한다. 오늘 토론에서 동성애에 대한 특정한 시선, 특정한 이미지, '그냥 그들을 내버려두자' 등등 여러 이야기가 나왔다. 하지만 동성애는 정말 '다른', '일반적이지 않은' 문화이다. 따라서 무리해서 '받아들이자'거나 '반대하자'라며 싸우기보다, 우선 그것을 제대로 이해할 필요가 있지 않을까? 가끔 만약 내가 동성애자였다면 어땠을까 생각을 해봤다. 얼마나 고민이 크고 답답할지……. 우리 사회에서 동성애자로 살아가는 것이 얼마나 힘들지……. 그렇다면 구체적으로 어떤 점이 힘들지……. 이 모든 것을 생각하다 보면 결국은 나도 그것에 대해 제대로 아는 것이 없다는 걸 알게 되더라.

사람이 사람을 좋아하는 것에 있어서 '정상'과 '비정상'이 존재할까? '동성애'에 대해서 대부분의 사람들은 '비정상'이라고 생각하는데, 그 '비정상'의 기준은 무엇일까? 그렇게 배워서? 나와 다른, 이상한 모습이라서? 정상과 비정상을 나누는 기준은 바람직할까? 나는 동성애나 이성애나 똑같이 취향 차이라고 생각한다. 내가 남자를 좋아하는 취향을 지닌 것처럼 '저 여성은 여성을 좋아하는 취향이고, 저 남자는 남자를 좋아하는 취향을 가진 거구나'라고 생각한다. 나(본인)와 다른 타인의 취향(이상형이나 정치 성향 같은)을 이해하기 어려워하면서도 존중해주는 것처럼, 동성애에서도 그러한 태도가 필요하다고 본다. 그래서 대중문화 속 동성애도 자극적이지 않게 담아내야 한다고 생각한다. 자극적이고 야할수록 관심은 많이 받을 수 있겠지만, 사람들의 반응은 더 부정적으로 바뀔 것 같다. 특히 동성애가 '비정상'이라고 생각하는 사람에게는 말이다. 대중문화의 상업성은 인정하지만, 동성애와 같은 콘텐츠를 다를 때는 상업성보다 그 사람들의 입장과 피장, 반응 등을 우선시해야 한다고 본다.

대중문화 속에서 동성애가 너무 많은 상업성을 띠고 있다는 학우들의 말을 듣고 많은 생각을 하게 되었다. 하지만 나는 이러한 상업성을 부정적으로 보지 않는다. 대중문화의 콘텐츠마저, 그들의 인권 신장을 위해 노력해야 할 필요는 없다고 생각하기 때문이다. 오히려 성소수자들의 인권에 관한 문제는 사회와 법 쪽에서 해결할 책임이 더 큰 것 같다. 토론을 듣다가 대중문화에 너무 많은 책임을 주고 있다는 생각에서 이 글을 쓴다.

나는 개인적으로 동성애자에 대해 '일반적'이라고 생각하지 않는다. 그 이유는 원론적으로 볼 때 인간 또한 동물이며, 따라서 잠재적으로 번식을 위한 본능을 취하는 것이 당연하고 또 그것이 일반적이라고 생각하기 때문이다. 그리고 대부분의 동성애자가 양성애자일 수 있다는 점을 미루어보아 이러한 현상은 선천적으로 나타나는 것이 아닌, 후천적으로도 생겨나는 것이라 보고 있다. 질병으로 분류할 정도는 아니지만, 그래도 어느 정도의 '특수성'을 인정하면서 그들을 수용할 수 있는 방안을 모색해야 된다고 생각한다. 그렇기에 대중문화가 동성애자를 과거보다 일반적으로, 당연하게 미화시키는 것은 좀 위험한 것 같다.

대중문화가 성적 소수자를 표면으로 드러내며 그 솔직한 모습을 나타낸다는 점에 대해서는 긍정적으로 생각한다. 동성애는 병이 아닌 선천적 기질(?)로 인한 것이고, 특별히 잘못한 것도 아니다. 단지 일반적인 사람들과 다를 뿐이다. 그런데 대중에게 많은 영향을 미치는 대중문화가 동성애자를 당연하고 자연스러운 것으로 전달한다면, 분명 속병을 앓고 있는 동성애자들이 자연의 순리(?)를 거스르고 있다는 심각성을 지각하지 못할 수도 있을 것 같다. 동성애자가 극소수이면 사회적으로도 문제가 되지 않겠지만, 만약 대중문화가 동성애자를 옹호하는 입장으로 치우쳐 동성애의 정도(?)가 약한 사람들(예를 들어 양성애자)을 완전한 동성애자로 이끄는 역할을 한다면, 문제가 되지 않을까?

재현의 정치성

그런데 우리에게 중요한 점은, 이렇게 동성애 자체에 대한 태도를 갖게 될 때 대중문화가 차지하는 중요성이 적지 않다는 것이다. 우리의 현실 인식에 영향을 미치는 대중문화의 힘이 동성애와 관련해서도 마찬가지로 작동하기 때문이다.

그렇다면 우리는 대중문화에 동성애가 많이 등장하는 것을 어떻게 평가할 수 있을까? 물론 동성애 자체에 대한 생각에 따라 그 평가는 크게 달라질 것이다. 동성애에 동의하지 않고 그것을 사회적 규범에서 벗어나는 것으로 규정하는 사람들에게는 분명히 긍정적인 현상은 아닐 테니까.

한편 동성애자를 사회의 소수자로 바라보고 그들의 권익을 높여야 한다는 입장에 동의하는 사람들도 동성애가 대중문화에 등장하고 확산되는 것에 대해서는 각기 평가가 다르다. 동성애의 노출을 증가시킴으로써 사람들에게 거부감을 줄이고 그 존재 자체에 대한 부담을 줄일 수 있다는 점에서 긍정적으로 평가하는 사람이 있는가 하면, 대중문화에서 동성애를 다루는 방식은 선입견과 편견을 조장할 뿐이며, 동성애 자체가 갖는 일탈성, 차별성을 활용해 호기심을 자극하는 소재주의에서 벗어나기 어렵다는 부정적인 평가도 있다. 따라서 대중문화가 동성애를 '어떻게' 다루느냐는 너무나 중요한 문제가 된다. 그것은 동성애에 대한 우리 개인의, 집단의 태도와 입장을 결정하는 데 적지 않은 영향을 준다.

나는 아직도 드라마 <인생은 아름다워>에서 송창의와 이상우의 키스신이 생각난다. 직접적으로 보여주기보다 손의 떨림을 클로즈업해주면서 표현했는데, 그게 아직도 뇌리에 남는다. 미디어에서 이런 동성애의 모습을 표현할 때, 직접적으로 표현하는 것이 나은지, 아님 비유적으로 숨기듯(?) 표현하는 것이 맞는지 아직도 갈팡질팡하다.

사람들이 동성애에 대해 긍정적으로 보지 않는 이유 중 하나가 잘 몰라서라고 생각한다. 또 대중문화에서는 동성애가 나오더라도 있는 그대로를 보여주기보다는 아름답게 포장하는데, 현실은 그와 달라 더 거부감을 일으키는 것 같다. 사람들의 인식을 바꾸기 위해서는 대중문화에서 더 사실적으로, 더 많이 보여주는 것이 중요하다고 생각한다.

팬픽이나 드라마를 통해 접했던 동성애는 뭔가 이루어질 수 없는 사랑을 하는, 애틋한 느낌의 환상을 갖게 했다. 중 · 고등학교 때는 동성애 소재를 좀 …… 소녀적인 감성에서 낭만적인 콘텐츠로 봤다면, 현재는 김조광수나 레이디 가가와 같은 인물을 많이 접하면서 현실적으로 생각하게 되었다. 나는 그들이 전하고자 하는 메시지가 굉장히 의미 있다고 생각했고, 이로 인해 동성애를 아주 특이한 것으로 보지 않도록 노력했다. 동성애를 조금 더 자연스럽게 받아들일 수 있는 분위기를 조성하기 위해 그것을 소재로 택하는 콘텐츠들은 좋지만, 단순히 젊은 여성들이 선호하는 소재라고 해서 이용하는 것은 잘못이 있다고 생각한다.

동성애를 다루는 대중문화를 논할 때 중요하게 다뤄질 수 있는 쟁점은 역시 현실(reality)과 재현 사이의 괴리 문제일 것이다. 즉, 미디어에 재현되는 동성애, 동성애자의 모습이 얼마나 현실을 반영하고 있느냐가 중요하다고 할 수 있다.

현실에서 동성애를 직간접으로 경험한 사람들은 미디어의 재현이 얼마나 비현실적인지를 지적하면서 그것이 가져올 문제점을 우려한다. 토론에서 학생들은 '미화' 혹은 '리얼리티'라는 개념으로 대중문화의 재현 방식을 구분했다. 대중문화에서 다뤄지는 동성애 대부분이 미화되어 있다는 평가가 많았다.

그런데 동성애에 대한 입장에 따라 그 미화가 가져올 문제점에 대해 서로 다르게 진단했다. 어떤 학생들은 미디어가 동성애를 미화함으로써 사람들로 하여금 동성애가 갖는 윤리적 문제점의 심각성을 간과하게 만들며, 결국 동성애에 대한 무비판적인 인식을 만든다고 말한다. 반대 입장에서는 미화된 재현은 동성애자들이 실제 삶에서 겪는 뼈아픈 어려움과 현실적 장애를 제대로 보여주지 않을 뿐 아니라, 동성애자들에 대한 왜곡된 스테레오 타입을 조장함으로써 동성애자의 권익을 보호하는 데 방해가 된다고 주장한다.

나는 동성애가 취향의 차이라고 생각하기 때문에 그들도 이성애자와 똑같다고 여긴다. 오히려 '호모포비아'를 부정적으로 보는 입장이다. 나는 대중문화 가운데에서도 <커피프린스 1호점>, <성균관 스캔들>, 일본 드라마 <아름다운 그대에게>와 같은 '트랜스물'을 좋아했다. 모두 남장여자와 남자가 사랑에 빠지다는 내용이다. 왜 그런 작품들에 끌렸는지 생각해보면, 남자 주인공이 성 정체성을 고민하다가 결국 자신의 성 정체성을 인정하고 남장여자(극 중에서는 아직 남자)와 사랑에 빠지는 동성애적 모습이 좋았던 것 같다. 그런데 이후에 상대가 사실 여자인 것이 밝혀졌을 때 (물론 키스신이나 애정 표현 장면이 더 많아진다는 점은 좋지만) 남자 주인공이 안도한다거나 반대로 여자 주인공에게 자기를 속였다며 화내는 모습이 나오고는 하는데, 그것이 올바르게 재현된 동성애 코드인지는 잘 모르겠다.

나 역시도 수업시간에 나왔던 의견처럼 '홍석천'이 대중문화에서 동성애를 긍정적으로 보도록 하는 데 공헌했다는 점에 동의한다. 하지만 동성애를 다루는 콘텐츠들을 보면 그가 희화화나 개그의 소재로 전락했다는 느낌을 받는다. 결국에는 소수자가 말하는 방식을 차용했을 뿐 아직 사람들의, 사회의 인식 변화에는 대중문화 콘텐츠가 긍정적으로 작동하고 있는 것 같지 않다. 이것은 추후에 콘텐츠가 이 주제를 어떻게 다루느냐에 달려 있을 것 같다.

그런데 이렇게 미화된 재현만이 문제로 지적되는 것은 아니다. 사실적이고 현실적인 재현이 갖는 문제점을 지적하는 목소리도 있다. 어떤 콘텐츠 속 동성애는 다른 콘텐츠에 비해 너무 사실적이어서 보기 힘들었다는 이야기가 있었다. 볼거리로 제시된 〈커밍아웃〉도 비교적 그런 종류의 콘텐츠에 포함될 수 있을 것이다. 영화 〈쌍화점〉에서 그려지는 동성애의 모습도 그동안의 동성애에 대한 상투적 미화와는 달랐다.

2012년 이전에 봤던 <성균관 스캔들>, <커피프린스1호점>, <서양골동양과자점 앤티크> 등에서는 동성애에 대한 생각을 하지 못했다. 동성애가 다루어진다는 것을 인식하지 못하고 그냥 재미로 봤던 것이다. 그러다가 성인이 되어 <쌍화점>을 보게 되었는데 주진모와 조인성의 키스신을 보고 놀랐다. "야만적!"이라는 생각도 들었다. 그 장면을 보자마자 TV를 끄고 이후 동성애에 대한 편견을 가지고 살아왔다. 그러나 <응답하라 1997>을 보고 조금 생각이 달라졌다. 호야가 서인국을 좋아하는 모습, 그리고 그 고민을 정은지와 아무렇지 않게 나누는 장면을 통해 동성애자의 사랑과 감정도 이성애자들과 크게 다르지 않다는 것을 느꼈기 때문이다.

대중문화가 동성애를 미화 또는 주변화할 수밖에 없는 이유로는 상업성을 들 수 있다. 동성애 자체에 관심이 있어서라기보다 사람들의 호기심을 끌 만한 소재를 찾다 보니 동성애를 끌어들이게 되었고, 이 목적을 달성하기 위해 동성애와 동성애자를 주변적으로, 즉 액세서리 정도로 취급하는 전략을 세운 것이다. 다음은 대중문화가 기반을 두고 있는 상업적 시스템의 특성을 잘 보여주는 관찰이다.

대중문화는 동성애를 자극적인 요소, 이슈를 끌 수 있는 요소 그 이상, 그 이하로도 생각하지 않는 것 같다. 대중문화는 자본주의를 공고히 하는 요소라고 생각한다. 콘텐츠 수요를 통해 자본을 축적하고 개인의 의식과 사회적 규범을 규정한다고 생각한다. 사람들은 대중문화가 만들어내는 현실에서 살아가는 것이다. 그런 의미에서 동성애는 대중문화를 통해 긍정적 이미지로 인식돼 사회적으로 포용될 수도 있지만, 역으로 배척당할 수도 있다. 그러나 이런 사회적 규범을 조정하는 부분을 떠난다 해도, 동성애는 대중문화를 통해 자본을 더 축적하는 요소로 사용된다는 사실은 변함이 없다. 상업성을 극대화시키는 것이다. 현재 대중문화가 다루는 콘텐츠는 어느 정도 한계에 다다른 것 같다. 이성 간의 관계를 다루는 콘텐츠는 흔해 빠졌다. 그러나 이것을 동성애로 바꾼다면 수많은 콘텐츠를 생산할 수 있다. <인생은 아름다워>, <왕의 남자>, <쌍화점> 등도 평범할 수 있는 소재에 동성애가 추가되면서 이슈를 불러오고 상업적인 성공으로 이어진 사례인 것 같다. 동성애를 다루는 모든 콘텐츠가 상업적인 성공을 하는 것은 아니겠지만, 이슈를 만들고 한 번쯤은 관심을 끌 것이기 때문이다. 대중문화에 퀴어 문화를 접목시키는 것에 대해 대중문화 제작자와 수용자가 깊이 생각하는 자세가 필요할 것 같다.

그런데 다른 한편으로는 그 상업성이라는 것 때문에 동성애와 같은 민감한 소재가 대중문화에서 다뤄질 수 있다는 설명도 가능하다. 치열한 경쟁 속에서 살아남기 위한 노력의 결과, 소재의 한계를 뛰어넘게 되었다는 것이다. 가령 TV에서 지상파보다는 케이블 쪽에 동성애와 관련된 콘텐츠가 많고 그 표현의 수위도 높은 것을 보면 꽤 타당한 설명이다. 이 책을 통해 여러 차례 언급되었듯이 상업성의 양면적인 모습이다.

<마녀사냥>을 비롯해 예능 프로그램에서 홍석천 씨가 '사용'된다는 학우의 의견에 공감했다. 가끔 타 패널들이 홍석천 씨에게 거칠고 지나친 말을 할 때 불편하더라. 하지만 조금 멀리 본다면, '동성애'가 대중문화, 나아가 우리 사회에 올바르게 정착해가는 단계에서 나타나는 양태가 아닐까 하는 생각이 들었다. 지금은 '조롱'거리로 사용된다는 느낌을 주지만, 앞으로 마냥 이런 캐릭터로만 소비되지는 않을 것 같다.

나는 동성애를 흥미의 요소로 넣은, 간접적으로 다룬 콘텐츠를 본 적이 많은데, 과연 동성애를 깊게 다룬 콘텐츠가 생산된다고 해도 우리가 받아들일 수 있을지 의문이 생긴다. 그나마 홍석천이라는 인물로 인해 방송에서 동성애 코드가 사용될 수 있지 않았을까 하는 생각이 든다. 비록 동성애가 가볍게 비춰질지라도, 그로 인해 동성애가 혐오 받던 과거로부터 방송 소재로서 자유로이 다루어지는 현재로 변화된 것 같

다. 그런 점이 충분히 가치가 있고 인정받을 만하다고 본다.

미디어가 동성애에 대한 우리의 태도에 영향을 준다면 그 크기는 어느 정도일까? 혹시 우리는 미디어의 영향력을 너무 과장하는 오류를 범하고 있지 않을까? 〈인생은 아름다워〉를 보고 자신의 아들이 동성애자가 되어 에이즈(AIDS)에 걸리면 책임지겠냐고 따지던 신문광고가 있었다. 이 이야기에 많은 사람들이 코웃음을 쳤지만, 혹시 우리에게도 비슷한 생각이 깔려 있지는 않을까? 미디어가 미치는 영향(효과)의 크기는 미디어 학자들조차 아직 확실한 결론을 내리지 못한 주제다. 그럼에도 우리는 자주 미디어의 영향력을 매우 큰 것으로 전제한다. 미디어가 가진 영향력의 크기를 어떻게 규정하느냐의 문제는, 앞으로 대중문화가 나아가야 할 방향이 무엇인가에 대한 각자의 생각을 결정하는 데에도 중요하게 작용할 것이다. 물론 동성애와 관련된 대중문화에 대한 입장을 정하는 데에도 마찬가지이다.

토론 과정에서 동성애에 대한 우리의 인식에 영향을 미치는 '미디어의 힘'과 '현실의 힘' 가운데 현실의 힘이 더 강력할 수 있다는 의견이 나왔다. 미디어를 통해 갖게 된 동성애에 대한 태도가, 현실에서 진짜 동성애자를 만난 이후 바뀌었다고 말하는 사람이 많았다. 현실에서 접하게 된 동성애는 미디어를 통해 갖게 된 인식이 얼마나 피상적인지를 재고하도록 만드는 듯했다. 이는 미디어의 효과를 너무 단순화하고 과장하려는 우리의 경향에 일침을 가한다.

고등학교 1학년, 성석제 작가의 <첫사랑>이라는 단편소설을 통해 처음 동성애 관련 콘텐츠를 접하게 됐다. 소설에서 '나'와 '너'로 표현된 두 소년의 사랑을 정말 아름답게 그려놓아서 나 역시 자연스럽게 동성애를 거부감 없이 받아들이게 됐다. 이후, 주변 친구들에게 동성애에 대해 어떻게 생각하는지 질문한 적이 있다. 친구들 역시 다양한 경로를 통해 동성애 콘텐츠를 접해서인지 크게 부정적인 반응을 보인 친구는 없었던 것으로 기억한다. 그런데 얼마 지나지 않아 남녀공학이었던 우리 고등학교에서 한 게이 커플이 키스를 하다 발각되는 해프닝이 벌어졌다. 소문이 일파만파 퍼지며 두 학생은 전교생의 손가락질을 받았고, 학교에는 학부모들의 항의 전화가 빗발쳤다. 결국 두 남학생은 며칠 뒤 자퇴를 했다. <첫사랑> 속 주인공들의 사랑과 두 남학생의 사랑이 오버랩되며 마음이 참 아팠다. 그리고 나와 달리, 동성애에 대해 거부감이 없다던 친구들까지 그 남학생들에게 손가락질하는 모습을 보며 참 씁쓸했다. 여러 매체를 통해 동성애 콘텐츠를 접하면서 "나는 인정할 수 있어!"라고 말하는 사람이 적지 않지만, 실제로 동성애를 접했을 때 포용할 수 있을 만큼의 의식이 아직 우리 사회에 자리 잡고 있다고 보기는 어려울 것 같다.

나는 동성애를 깊게 다룬 콘텐츠를 많이 접해보지는 못했다. <응답하라 1994>나 <응답하라 1997>, <성균관 스캔들> 등 간접적으로, 재미의 요소로서 가볍게 동성애를 다룬 콘텐츠들은 많이 봤지만 말이다. 그런 콘텐츠를 보았을 때는 워낙 동성애 코드를 가볍게 다루다 보니 나도 자연스럽게 수용하게 됐던 것 같다. 그런데 얼마 전에 이태원에서 약간의(?) 애정행각을 하며 걸어가는 게이 커플을 보았는데 나도 모르게 자꾸 그쪽에 시선을 두게 되더라. 나도 내 나름대로 동성애를 인정하고 받아들이는 입장을 취한다고 생각했는데, 은연중에 동성애를 보통의 범주에서 벗어난 것으로 보고 있다는 것을 느꼈다. 주위에서 보기 힘든 경우이기 때문에 신기하고 궁금하기도 했던 것 같다. 한편으로는 나와 같은 시선들이 여럿 모여 그들에게 피해가 될 수도 있다는 생각이 들기도 했다. 동성애자들은 음지에서 그들만의 영역을 구축해 다른 사람들에게 피해를 주지 않는데 유난히 심하게 동성애에 반응하는 이유는 뭘까 하는 궁금증도 드는데 계속 고민해봐야 할 문제인 것 같다!

자, 그렇다면 대중문화 속 동성애는 앞으로 어떤 방향으로 나아가야 할까? 우리의 고민거리가 하나 늘었다. 다음 의견들을 통해 우리의 고민에 필요한 쟁점들은 무엇인지 생각해보기 바란다.

동성애 중에서도 게이만 부각되는 이유는 남성 동성애에 대한 판타지가 존재하기 때문인 것 같다. 게이가 수많은 콘텐츠에서 잘 생기고 능력 있는 캐릭터로 묘사되면서 사람들이 자기 마음대로 판타지를 만든 게 아닐까? 내가 보기에 <힐링캠프>는 홍석천을 게스트로 초대해 '게이는 소수고 약자다'라는 인식을 부각시킨 것 같다. '그들은 우리가 도와줘야 할 약자'라는 인식을 부각시키면서, 소수가 아닌 다수가 우월하다는 인식을 재생산한다는 생각이 들었다.

내가 지금까지 동성애를 게이에 한정해 생각해왔음을 다시 한 번 느꼈다. 나는 이전까지 게이에 대해 반대한 적은 없다. 남성들끼리의 사랑과 나는 관계가 없으니까. 반대로 레즈비언에게는 거리감을 느꼈던 것 같다. 나는 이러한 인식을 대중문화로 바꿀 수 있지 않을까 생각한다. 홍석천이 등장하는 TV 프로그램을 포함해 게이를 다루는 드라마나 영화는 어느 정도 있다. 하지만 레즈비언은 없었던 것 같다. 게이에 대한 거부감이 적은 것이 내가 여자이기 때문인지, 대중문화로 인해 레즈비언보다 많이 접해서인지는 모르겠지만 대중문화도 기여하지 않았을까? 동성애에 대한 인식을 개선하기 위해 대중문화가 그 주제를 다뤄야 하지 않을까?

대중문화 상품이 동성애의 '특정' 이미지를 소비하는 것은 사실이지만 나는 그것이 우리 사회의 관용을 높일 수 있는 기회라고 생각한다. 가령 대중문화에서 LGBT•가 자주 언급되면 사람들은 거기에 익숙해질 테고, 그때 다양한 LGBT의 목소리가 나올 수 있지 않을까 기대한다.

동성애자가 바라보는 동성애 콘텐츠는?

여기에 한 가지 아주 중요한 것을 덧붙여야 할 것 같다. 그것은 대중문화에 관한 논의에서 결코 간과해서는 안 될 것이기도 하다. 바로 동성애자의 눈으로 대중문화 속 동성애를 바라보는 일이다. 그동안 동성애 관련 콘텐츠에 대한 동성애자의 목소리를 들어보려는 노력은 많지 않았다. 심지어 동성애자의 눈에 비친 동성애 관련 콘텐츠가 어떨지 '상상'해보려는 노력도 많지 않았다. 다른 일반적인 콘텐츠라면 또 모르겠지만 동성애를 그리는 콘텐츠에서조차 동성애자는 투명인간 취급을 받았던 것이다. 그들도 대중문화를 즐기고 향유해야 할 주체라면, 이런 대중문화가 그들에게 어떤 의미를 갖는지 역시 매우 중요하게 취급되어야 할 주제임에도 말이다.

따라서 동성애자들이 본 동성애 관련 대중문화를 논의하는 작업은 필요하고 또 중요하다. 동성애자들은 〈커피프린스 1호점〉에 대해 어떻게 생각할까? 그들은 〈인생은 아름다워〉를 보면서 어떤 느낌을 받을까? 〈커밍아웃〉이라는 프로그램에 대해서는 또 어떻게 바라볼까? 상대적으로 게이에

• 레즈비언(lesbian)과 게이(gay), 양성애자(bisexual), 트랜스젠더(transgender)의 머리글자를 딴 말로 성적 소수자를 의미한다.

관해서는 관대한 대중문화에 대해 레즈비언들은 또 어떤 생각을 갖고 있을까? 동성애자들의 삶이 노출되는 것과 그 재현 방식에 대해 문제의식을 갖고 있지는 않을까? 아니면 자신들이 대중문화에서 너무 진지하고 심각한 존재로만 다뤄지는 것에 반대하며, 희화화의 위험을 감수해서라도 유쾌하고 함께 지내고픈 존재로 그려지는 것을 선호하지는 않을까? 이성애자들이 '동성애는 이렇게 다뤄져야 해'라며 규범적으로 규정하려는 것들도 사실 동성애자들의 눈에는 마땅치 않을 수 있다는 사실을 우리는 놓치지 말아야 한다.

즉, 동성애 관련 대중문화 콘텐츠의 화자는 '누구'이며, 또 '누구를 향(위)해' 발화되고 있는지를 살펴보는 것이 매우 중요하다. 재현을 뜻하는 영어 개념인 'representation'에 대표(代表), 대변(代辯)이라는 의미도 있다는 점은 시사하는 바가 크다. 다음은 이 점을 생각하는 데 도움이 되는 글들이다.

지인 중에 동성애자인 분이 있는데, 동성애 코드를 다루는 드라마나 홍석천, 김조광수 등의 동성애자들이 나오는 프로는 아예 보지 않는다고 한다. 오히려 남녀의 연애를 다루는 일반 드라마나 프로 등을 더 잘 본다는 것이다. 이것을 보며 동성애자들은 밖으로 드러나는 것, '특별한 대상'이 되는 것을 싫어하는 것 같다고 생각했다. 미디어에서 다루는 동성애 코드들은 다소 가볍다. 또 이런 콘텐츠들은 진정으로 동성애자들의 입장을 대변하는 것이 아니라, 대중의 관점에서 동성애자들의 이미지를 만들어가는 것이 아닌가 싶다. 진지하게 동성애 코드를 다루는 프로들이 다소 부정적인 평을 받거나 대중에게 선택받지 못하는 것을 보면 말이다.

내 친구 중 레즈비언이 세 명 정도 있는데, 그들이 했던 말이 떠올랐다. "오히려 동성애를 다루는 작품들은 나에게 중요하지 않다. 당장 부모님에게도 숨겨가며 자신과의 갈등 속에서 치열하게 싸우고 있는 것만으로도 버겁다. 그냥 계속 숨어 있고 싶다." 인간은 인정받으면 기뻐하는 법이다. 미디어가 앞으로 더욱 다름을 '인정'해주는, 또 그런 것을 보여주는 콘텐츠를 만들어주었으면 좋겠다.

'동성애자'를 사회적인 편견과 차별 없이 대중문화를 수용하는 한 명의 '수용자'로 생각한다면, 동성애를 다루는 다양한 콘텐츠를 생산하는 것도 나쁘지 않다고 생각한다. 대중문화가 모든 대중을 만족시킬 수는 없다. 누군가는 선호해도 누군가는 좋아하지 않는 콘텐츠가 있다. 그렇다면 동성애자들 또한 한 명의 수용자로서 그들을 다루는 다양한 대중문화를 접할 수 있어야 할 것 같다. 그것은 홍석천이나 김조광수 감독처럼 밝게 전하는 내용일 수도 있고, 그들이 직면하는 어려움과 고민들을 조금은 어둡게 다루는 내용일 수도 있을 것이다. 대중문화에도 다양한 장르가 있고 표현 방법이 있는 것처럼, 동성애를 다루는 대중문화에도 다양한 모습이 있을 것이다. 이렇게 동성애를 이야기하는 문화가 '대중문화'로 이야기되는 것 자체가 일단은 그들에 대한 존재를 대중화시키고 그들을 바라보는 시선을 확장시키는 긍정적인 역할을 했다고 생각한다.

대중문화 속 콘텐츠로 동성애가 나타나는 것은 '대중'이라는 개념 안에 동성애자가 포함되고 있다는 의미 아닐까? '어떠한 직업을 가진 A'로서 대중이 되는 것이 아니라 '동성애자로서의 A'가 적극적으로 대중으로 받아들여지는 것이 아닌가 생각한다.

사실 이런 생각은 대중문화의 주체인 '대중'을 어떤 집단(단일한 성격을 지닌)으로, 혹은 어떤 집단들(여러 다양한 성격을 지닌)로 규정하느냐에 따라 달라진다. 앞서 '세대와 취향'에서 다루었듯 대중문화는 우리 사회를 구성하는, 여러 축으로 구성된 집단들을 고려해야 한다. 한 걸음 더 나아가 대중문화에서 말하는 '대중'이라는 개념은 이런 축들로 구분되는 여러 상이한 집단의 '다름'을 얼마나 인정하느냐에 따라 달라질 수밖에 없다. 이들의 차별성을 인정하고 그들의 서로 다른 취향과 욕망을 만족시키는 것을 대중문화로 볼 것인지, 아니면 각 집단의 차이를 넘어서는 공통의 취향과 욕망을 더 중시하고 이를 충족시키는 것을 대중문화로 규정할 것인지의 문제인 것이다.

결국 이 논의는 각 사람이 가지고 있는 자신만의 대중문화관으로 자연스레 연결될 수밖에 없다. 그에 따라 동성애를 그리는 대중문화 상품에 대한 평가와 진단, 앞으로의 방향에 대한 생각도 결정된다.

나는 대중문화가 사회에 긍정적인 역할을 제시해 사회를 좋은 방향으로 이끌어야 한다는 대중문화관을 갖고 있다. 동성애를 권할 필요까지는 없겠지만 그들에 대한 차별을 없애는 데, 그들을 이해하는 데 대중문화가 더 기여했으면 좋겠다. 그래서 동성애를 인간애적인 시각으로 그리는 것이 좋다고 생각한다. 물론 오늘 나오는 의견을 듣고 새로운 생각을 하기도 했지만, 다양한 목소리를 받아들일 수 있는 보편적인 분위기를 형성하는 데 대중문화가 기여했으면 좋겠다.

미디어에서 다루는 콘텐츠에 '과소 재현(더 많은, 다양한 동성애를 다루지 못하는 것)'과 '왜곡'이라는 문제가 있을 수는 있지만, 그럼에도 결국 더 많이, 다양하게 미디어가 이들을 노출시킨다면 문제를 해결할 수 있다고 생각한다. 수업시간에 다양한 이야기가 오가는 과정에서 서로의 생각이 더 깊어진 것처럼, 대중문화도 더 다양한 콘텐츠를 만든다면 동성애에 대한 더 좋고 깊은 논의가 가능할 것이라 생각한다.

동성애를 주제로 이야기를 나누면서 점차 분명해지는 것은, 우리의 논의가 단지 미디어, 대중문화의 문제에만 머무르지 않는다는 사실과 또 그럴 수도 없다는 사실이다. 이것은 결국 우리 사회와 그 사회 속 동성애자를 어떤 눈으로 보고 있는지와 관련된 우리의 시선, 관점, 입장의 문제라는 뜻이다. 그래서 대중문화에 관한 이야기는 '사회를 바라보는 관점(perspective)'에 관한 이야기라고 규정하는 것이 훨씬 더 정확할지도 모른다.

Ch.11

소수의 대중문화?

마니아 문화와 폐인

KEYWORDS: 하위문화, 다양성, 문화적 실천, 상징적 저항
생각해볼 문제: 누가 뭐래도 나는 이런 드라마, 영화, 음악이 정말 좋다.

이 장에서 우리는 소수에게만 사랑받는 대중문화 콘텐츠의 의미에 대해 생각해보려 한다. 그동안 다른(혹은 다수의) 사람들과 문화적 취향이 달라서 괴로웠던, 외로웠던 사람들에게는 자신의 이야기를 펼칠 수 있는 좋은 기회가 될 것이다. 수업을 시작하기 전, 학생들에게 자신이 정말 좋아하는 대중문화 상품, 특히 다른 사람들에게 큰 호응을 받지 못했던 상품을 생각해오라고 했다. 또 2002년에 방송된 미니시리즈 〈네 멋대로 해라〉의 요약본도 미리 보라고 했다. 〈네 멋대로 해라〉는 시청률이 그리 높지 않았음에도 굉장히 오랜 시간 동안 소수의 마니아로 구성된 팬들의 열성적인 지지를 받았던 드라마이다. 지금도 드라마 팬들 사이에서는 간간히 회자되고 있다. 이 영상에서 양동근, 이나영, 공효진, 이동건의 예전 모습도 볼 수 있다. 수업시간 동안 이 드라마가 왜 마니아 팬들의 사랑을 받았는지, 왜 대중에게는 외면을 받았는지 생각해보는 시간을 가졌다.

토론에서는 학생들 각자가 즐겼던 소수 문화와 그것이 가진 가치와 한계에 대해 논의했고, 취향과 하위문화의 관계에 대해서도 생각해보았다. 또 각자의 대중문화관을 만들어가는 데 있어서 소수를 위한 대중문화의 함의는 무엇인지를 함께 고민했다.

소수의 대중문화는 모순 아냐?

이번 주제는 '소수 마니아 문화와 폐인'이었다. 수업을 시작하며 우선 학생들과 〈네 멋대로 해라〉라는 드라마의 어떤 측면이 (소수의) 수용자들에게 어필했고, 그들을 폐인으로 만들었으며 다양한 팬 활동을 유도했을지 생각했다. 그리고 이를 통해 비록 다수가 좋아하는 것은 아니라도 소수의 마니아들에게 사랑받는 대중문화 상품이 갖는 의미를 생각해보았다. 다만 먼저 분명히 해야 할 것은, 여기서 말하는 '소수 마니아 문화'는 홍보의 부족이나 마케팅 실패로 흥행에 실패한 것이라기보다, 원래 갖고 있는 특징 자체가 많은 사람들에게 사랑받기 어려운 것들을 말한다. 즉, 애초부터 다수가 좋아하는 대중문화가 되기 어려운 상품이었다는 의미이다.

학생들에게 비록 많은 사람이 좋아하지는 않았지만 묻혀버리기에는 너무 아깝다고 느꼈던 대중문화 상품을 떠올려보라고 했다. 토론에서는 왜 그렇게 생각하는지, 그 문화 상품이 나에게는 어떤 의미를 주었는지, 또 왜 그것이 많은 사람들에게 사랑받지 못했는지 등등을 함께 생각해보았다.

어떤 사람들에게는 '소수의 대중문화'란 말이 모순(矛盾)으로 들릴 수도 있다. '소수'와 '대중문화'란 말이 서로 상충된다는 것이다. 하지만 꼭 그렇게 생각할 필요는 없다. 이미 앞에서 여러 차례 언급한 것처럼 대중문화의 '대중'이 반드시 'mass', 즉 다수의 사람을 의미하지는 않기 때문이다. 사람들, 인민, 민중이라는 개념의 소유격인 'popular'로 그 뜻을 규정한다면 대중문화가 꼭 다수의 사람이 좋아하는 문화가 아니어도 된다. 이 경우 그것을 좋아하는 사람이 존재한다면 그것만으로도 가치가 있는 문화가 된다.

물론 어떤 사람에게는 다수의 사람들이 좋아한다는 의미의 '대중성'이 대중문화의 핵심적인 가치로 규정될 수 있다. 그런 경우에 '소수의 대중문화'는 서로 상대적인 개념이 혼합된 모순어가 될 것이다. 이런 사람들에게는 대중성 자체가 콘텐츠 선택의 기준이 되기도 한다. 대중문화를 그렇게 규정했던 사람들에게 이번 주제는 혼란스러움을 가져다주었을 수도 있다. 다음의 학생처럼 말이다.

내가 매주 즐겨보던 <금요일엔 수다다>가 약 한 달 전에 폐지되었다. 1.4% 정도의 시청률 때문이었다. 마니아가 즐겨보는 프로그램이었는데, 충성도도 무척 높았던 것으로 알고 있다. 나도 그랬고 말이다. 이동진과 김태훈이 들려주는 영화 이야기에 매주 시간가는 줄 모르고 빠져 있고는 했다. 시청률 때문에 이 프로그램이 폐지될 때 많은 팬들이 강력히 반발했다. 그렇지만 결국은 폐지……. 금요일 새벽이 텅 빈 것 같았다. 사실 나는 시장주의적 사고에 익숙해져 있기 때문에 마니아 문화에 대해서 잘 생각해본 적이 없었다. 오늘 수업을 통해 자신의 마니아적 기질을 발현시켜보니 다양성, 대중성, 상업성 사이에 혼란이 온다.

다음은 토론을 통해 이런 혼란을 나름대로 정리한 학생의 글이다. '몸으로 느꼈다'라는 말이 인상적이다. 토론 수업을 진행하면서 학생들이 얻어갔으면 하고 바라는 것이 바로 이러한 '깨달음'이다. 단순하게 전달된 지식이 아닌 깨달음으로 얻은 무언가는 평생 자신의 것이 될 것이라고 확신한다.

사실 나는 마니아 문화를 향유하는 사람도 아니고 대중 그룹 가수 외에는 미친 듯이 좋아해보거나 열광해본 적이 없다. 그런데 오늘 토론에서 만화, 인디 밴드, 드라마 등 다양한 마니아 문화를 들을 수 있어서 흥미로웠고 한편으로는 나도 마니아 문화에 빠지고 싶다는 생각까지 들더라. 아마 소수만이 즐기는 문화로서 나만이 향유하고 즐기는 것 같은 은밀한 자부심(?)을 느끼게 한다는 점이 마니아 문화만의 매력인 것 같다. 또한 우리 사회에서 마니아 문화가 차지하는 위치와 그에 대한 인식이 좋지만은 않은데, 이번 토론시간을 통해 마니아 문화가 누구나 향유할 수 있고 또 누구도 비판할 수 없는 우리 문화의 일부임을 몸으로 느꼈다!

학생들에게 미리 보라고 했던 〈네 멋대로 해라〉(이하 〈네멋〉)는 2002년에 방송된 드라마로 시청률은 10% 초반이었다. 당시 지상파 위주의 방송 환경에서 그리 높은 수치라고는 할 수 없었다. 하지만 폐인이라 불릴 만큼 충성스러운 팬들이 존재한 드라마였다.* 그들의 온라인 카페는 10년이 훌쩍 넘는 현재까지도 활동하고 있다. 독자들 가운데도 그 드라마를 본 사람이 있을 것이다. 학생들의 기억을 좀 들어보자.

어릴 때 드라마를 보면 정말 얄밉고 악독한 악역이 나와서 내 속을 뒤집고는 했는데, 이렇게 심한 감정 소비(분노?) 없이 볼 수 있었던 드라마는 거의 처음이었던 것 같다. 양동근, 이나영이라는 두 주인공이 다른 드라마의 주인공에 비해 심하게(?) 부족해 보이는 모습도 색달랐고 공효진이나 이동건의 캐릭터 또한 밉지 않았다. 슬프면서도 공감되었던 것 같다. 그들 모두 나쁜 부분(소매치기, 자녀 유기, 흡연 등)을 지니고는 있지만 그것은 '악'이라기보다 각 인물이 안고 있는 부족한 부분 또는 아픔으로 느껴졌다. 그런 설득 방식에 마음이 흔들렸다.

---

* 이 드라마의 팬덤에 관한 자세한 논의는 다음을 참조하라. 김영찬 · 이기형, 「〈네 멋대로 해라〉 폐인들의 문화적 실천에 관한 현장 보고서」, ≪프로그램/텍스트≫, 9호(2003년), 167~201쪽.

당시 어린 나이였을 텐데 이 드라마 특유의 맛을 잘 기억하고 있다. 〈네멋〉뿐 아니라 소수에게 사랑받는 대중문화는 대부분 그 소수의 사람들에게 매우 특별한 의미를 지니는 듯하다. 현재까지 이렇게 지속적이고 적극적인 문화적 실천을 하도록 만드는 힘이 있으니까 말이다.

이제 이렇게 소수만이 즐기는 대중문화의 가치를 어떻게 평가할 수 있을지 고민해볼 필요가 있다. 다수가 즐기는, 다수를 위한 대중문화와 비교해볼 때 이런 대중문화의 가치는 떨어질까? 물론 그렇게 생각할 수도 있다. 많은 사람이 좋아할 만한 대중문화 상품을 만드는 것은 절대 쉽지 않기 때문이다.

요즘처럼 대중문화 산업의 치열한 경쟁을 생각하면 더욱 그렇다. 많은 사람들의 마음과 감수성을 건드림으로써 호응을 얻을 수 있다는 건 굉장한 능력을 필요로 하는 일이다. 우선 현재의 콘텍스트를 정확히 읽어내는 능력이 필요하고, 그 콘텍스트 속에서 대중(여기서는 많은 수의 사람들)의 결핍과 욕망을 간파하는 능력이 필요하며, 그 결핍과 욕망을 대중문화 텍스트에 녹여내는 능력이 필요하고, 또 그것을 너무 파격적이지도 너무 촌스럽지도 않게 소화해내는 능력이 필요하다. 그런 의미에서 대중성을 확보한 콘텐츠는 뛰어난 사람들의 엄청난 창의력의 결과로 보아도 틀리지 않다.

하지만 다른 시각에서 보면 소수만을 위한 대중문화의 가치가 전혀 없다고는 결코 말할 수 없다. 그 소수들에게는 다른 어떤 대중문화 상품과도 비교할 수 없는 매우 소중한 문화 자원이기 때문이다. 그들은 다른 대중문화에서는 절대 맛볼 수 없는 정서적 만족감을 제공받는다. 따라서 그 가치를 제대로 평가하기 위해서는 먼저 이렇게 소수만이 좋아하는 대중문화를 즐기는 사람들에게 초점을 맞출 필요가 있다. 그들에게 이런 대중문화 상품은 어떤 의미인지를 살펴보는 것이다.

이런 이야기를 나눌 때 가장 많이 등장하는 것이 아마도 '잔잔한 드라마'가 아닐까 한다. 갈수록 자극적인 내용과 표현으로 뒤덮여가는 드라마나 영화들 가운데 〈네 멋대로 해라〉처럼 차분하고 사람 냄새 나는 콘텐츠가 돋보이고는 한다. 가물에 콩 나듯 그런 드라마나 영화가 나오기라도 하면, 마니아가 되어서 푹 빠지는 사람들도 있다. 수업시간에 학생들이 언급한 콘텐츠 가운데에는 이런 성격의 것들이 많았다.

난 '노희경' 작가나 '인정옥' 작가의 드라마를 좋아한다. 그중에서도 <그들이 사는 세상>은 대본집도 살 정도로 팬이다. 두 작가의 작품들을 보면 주인공뿐 아니라 드라마 속 모든 캐릭터가 자신만의 스토리를 가지고 있는데, 그것은 다른 사람들도 공감할 수 있는 이야기인 것 같다. 신데렐라 스토리나 능력 있고 결함 없는 주인공이 나오는 드라마로 '대리만족', '현실도피'의 욕구를 충족하는 대중이 있는가 하면, 노희경 작가와 인정옥 작가의 드라마로 '공감'의 욕구를 충족하는 대중도 있다고 생각한다.

나는 지금까지 소수의 마니아층을 형성한 대중문화 작품을 즐겨봤다. <90일, 사랑할 시간>, <인순이는 예쁘다>, <메리대구공방전> 등등. 마치 "다른 사람들도 너처럼 현실에서 결핍되어 있다고 느끼는 부분이 있다. 그러니 혼자서 너무 힘들어하지 마라"라는 위로를 받는 것 같았다(이 때문에 그런 작품들을 일부러 더 찾아봤던 것 같다). 내가 처한 현실의 자존감, 자아정체성, 가족, 취업과 꿈(안정적인 직업) 사이의 괴리감 등의 문제를 잘 보여주는 드라마들을 그동안 좋아해왔던 것 같다고 생각한다. 비록 많은 대중의 선택을 받지 못한 대중문화 콘텐츠였다 하더라도.

그런가 하면 현실의 모순을 고발하고 사회성 강한 메시지를 담고 있기 때문에 다수의 사랑을 받지 못하는 경우도 있다.

2009년 MBC에서 방영된 <히어로>는 진짜 망했더라. 네이버에서 치면 OCN의 드라마 <히어로>만 뜬다. '드라마 <히어로>'라고 쳐야 연관 사이트로 간신히 하나 뜨는 정도……. 개인적으로 <스포트라이트>도 좋아했던 드라마다. 실제 시위를 촬영해서 방송한다는 게 대단했고, 실제 사건을 다룬다는 점도 멋있었는데……. 그때는 현실을 반영하는 드라마를 참 좋아했던 것 같다.

소수만의 취향, 대중문화의 차이

이런 보편적이지 않은 콘텐츠에 호의적인 반응을 하는 건 대중문화에 대한 취향의 차이 때문일 것이다. 각자에게 매우 자연스럽게 내면화되어 있는 대중문화에 대한 선호(preference)가 작동한다는 의미이다. 이렇게 '내가 좋아하는 것은 이런 저런 것이다'를 정할 때, 그 기준이 보편적이지 않은 경우 소수 마니아 문화가 형성된다. 이런 사람들의 취향이 추구하는 것은 이른바 대중성 있는 대중문화로는 쉽게 충족되지 않는 경우가 많다.

소수의 팬층을 가진, '마니아'적 취향에 대한 토론 중 문득 내가 무척이나 좋아하는 밴드가 생각났다. '에반에센스'라는 고딕메탈 밴드인데, 내가 이들을 소개했을 때 부모님이나 친구들 모두 극심하게 거부반응을 보였던 일이 생각난다. 소수가 좋아하는 소수 문화의 매력은 결코 무시할 수 없는 부분이다.

마니아에게 선택받는 대중문화는 그 자체로 욕구를 충족시켜주는 것이라 생각한다. 다시 말해 '세세하고 특이한 욕구를 채워주는 것'이 마니아에게 선택받는 대중문화라고 본다.

'나만 좋아해'라는 부분도 폐인이 양성되는 이유라고 본다. 난 유명한 드라마는 안 좋아한다. <선덕여왕>이나 <별에서 온 그대> 등등……. 대중적이지 않아도 이야기를 같이 나눌 팬들이 충분히 있고, 전문가 평이 좋으면 그것만으로 뿌듯하다. 대중성은 중요하지 않다. 그냥 내가 좋으면 끝이다. 다만 배우들에게 미안할 뿐…….

그런가 하면 개인적인 경험, 혹은 개인사 때문에 특정한 대중문화 상품에 빠지는 사람도 있다. 앞 장에서 다룬 동성애자가 이 경우에 속한다. 이 경우 다른 사람들과는 전혀 다른 시선으로 그 대중문화 상품을 바라보게 될 것이다. 이처럼 문화적 취향의 다양성은 각 개인이 속한 콘텍스트의 다양성에서 기인한다고 볼 수 있다. 다음의 예처럼 대중문화는 자신의 꿈이나 욕망의 통로가 되기도 한다.

나는 KBS1에서 하는 정통 사극을 좋아한다. 엄마한테 부탁해서 <불멸의 이순신> 촬영지까지 갈 정도였다. 나는 긴 이야기를 좋아하는데 사극들 대부분이 길어서 더 몰입할 수 있고, 사극을 보며 얻는 역사 지식으로 국사 시험에서 100점을 받는 것도 좋다. 이처럼 마니아적으로 콘텐츠를 좋아하는 사람들은 자기가 좋아하는 게 뚜렷하고 좋아하는 게 뭔지 정확히 아는 특징을 지닌 것 같다.

나는 중국과 대만 드라마를 정말 좋아하는데 아마 내가 중화권의 문화에 관심이 많이서 그런 것 같다. 중국의 전통 악기 소리를 좋아하는 데다 중화권 드라마에는 우리 나라의 것과는 또 다른 매력이 있어 중국어도 공부할 겸 자주 본다(중문 전공인 탓도 크지만 말이다). 내가 좋아하는 콘텐츠들을 보고 있노라면, 주변 환경이나 현실 상황, 그리고 개인의 성향이 그 사람의 기호에 얼마나 큰 영향을 미치는지 알 것 같다.

이런 소수 문화의 가치는 다른 대중적 문화로부터의 차별성, 새로움에서 찾을 수 있다. 그런데 소수 문화가 내포하는 새로움, 차별성이 상징하는 바는 매우 흥미롭다. 특정한 대중문화 상품이 다른 '보통'의 것들과 '다르다'는 것 자체가 사람들에게 그것을 좋아하도록 만드는 이유가 되기도 한다.

즉, 소수 문화를 좋아하는 이들 중 일부는 그 차별성 혹은 차이(distinction) 자체를 즐긴다는 것이다. 그 이유는 무엇일까? 그런 차이를 소비할 때 제공받는 보상이 아주 크기 때문이다. 나는 여느 사람들과 다르다, 혹은 그들보다 우월하다는 것을 보여주는 데 매우 효과적이라는 말이다. 이런 욕구 때문에 소수 문화를 즐기는 것은 일종의 '허세'로 비춰지기도 한다. 즉, 새로움·차별성 자체가 소비의 대상이 되고 이것들을 통해 자신을 돋보이게 하려는 것이다. 그런 경향은 다음의 글들에서도 쉽게 찾아볼 수 있다.

나는 중·고등학교 때 뉴에이지랑 가사가 없는 연주곡들(클래식은 아니었다)을 좋아했는데, 그걸 좋아하면서 '남들과 다르다'는 일종의 우월감(?) 같은 걸 느꼈던 것 같다. 또래 친구들이 대중가요를 좋아하는 걸 보면서 '재들은 아직 어리다'라는 생각도 했었고 말이다. 남들과 다른 것을 좋아하면서 특별함이나 우월감 같은 걸 느끼게 되는 것 같다!

나는 수능이 끝난 후부터 일본 드라마, 미국 드라마를 보기 시작했다. 그것들을 보면서 내가 무의식중에 한국 드라마를 무시하고 있는 것 같다는 느낌을 받았다. 요즘에는 많이 달라졌지만, 소수 마니아들은 '내가 보는 콘텐츠는 우월한 것, 남들이 잘 보지 않는 거야'라는 생각 속에서 만족감을 느낀다는 공통점이 있는 것 같다.

동시에 이것은 대중문화 수용자의 '정체성' 문제로 볼 수도 있다. 어떤 대중문화를 좋아하느냐(혹은 어떤 대중문화를 좋아하는 것으로 보이기를 원하느냐)의 문제는 '나는 어떤 사람이다(혹은 나는 어떤 사람이기를 원한다)'의 문제와 직접적으로 관련되어 있다.

좋아하는 콘텐츠에 대해 깊이 생각해본 적은 없었다. 하지만 이 수업 이후로 내가 좋아하는 콘텐츠에 대해 깊이 생각해볼 것 같다. 내가 좋아하는 콘텐츠에는 그것만의 특성이 있지 않을까? 그것을 생각해보는 것은 어쩌면 나의 정체성, 즉 내가 어떤 사람인지에 대해 알아가는 과정인 거 같다. 역으로 생각하면, 내가 정말 싫어하는 콘텐츠와 그 이유를 찾아보는 것도 내 대중문화관 정립에 도움이 많이 될 거 같다는 생각을 했다.

이미 여러 차례 확인했듯이 자신의 정체성을 드러내고 표현하는 일에서 대중문화는 매우 중요한 역할을 하고 있다. 이번 주제에서는 자신의 모습을 한층 잘 드러내려면 평범함이 아닌 새로움·차별성 자체가 필요하다는 점을 생각해볼 수 있다. 꼭 남에게 보여주려는 것이 아니더라도, 개인적인 차원에서 자신과 닮아 있고 자신을 더 잘 드러내준다고 느껴지는 대중문화 상품을 발견하면 매우 반가울 것이다. 어떤 경우에는 그것이 스스로의 정체성을 확인하는 계기가 되기도 한다. 외로움을 느끼거나 타인과의 관계에서 어려움을 겪는 경우에는 더 그렇다. 또 정말 있을까 의심해왔던, 나와 비슷한 취향을 가진 사람들을 만남으로써 공통의 정체성을 확인할 수 있다. 그런 새로움 · 차별성을 공유하는 사람들이 모여 공통의 정체성을 표방하는 하나의 공동체를 형성하기도 한다. 각자가 좋아하는 대중문화 상품은 무엇이고, 그 이유는 무엇인지를 자신의 정체성과 관련지어 생각해보기 바란다.

난 미드를 좋아해!

이렇게 독특한 취향을 가진 이들에게 미국 드라마와 일본 드라마(보통 미드, 일드라고 불린다) 같은 글로벌 콘텐츠는 매우 유용한 문화 자원이 될 수 있다. 국내 콘텐츠가 충족시키지 못하는 문화적 욕망을 해외에서 생산된 콘텐츠가 채워줄 수 있기 때문이다. 이런 시각은 해외 콘텐츠에 빠져서 마니아적으로 좋아하는 사람들의 행위를 설명하는 논리를 제공해주기도 한다. 이들이 주로 좋아하는 콘텐츠는 한국이 만들지 않는, 혹은 여러 가지 이유로 만들 수 없는 것들이 대부분이다.

일본 드라마 중에 기무라 다쿠야 주연의 <미스터브레인>이라는 드라마가 있다. 사실 뇌 과학자가 나오는 말도 안 되는 내용의 드라마이다. 하지만 되게 재미있다. 우리나라에서는 말도 안 된다고 욕먹을 콘텐츠인데, 가만히 보고 있으면 추리와 맞물려서 정말 빠져들게 된다.

나는 일본의 지브리 스튜디오를 정복하는 게 꿈이다. 중학생일 때 처음 접한 이후 거의 매일 돌려 보고 돌려 봤는데, 요즘도 뭔가 현실도피를 하고 싶을 때 그 영화들을 본다. 사실 지브리 스튜디오의 애니메이션은 많은 사람들의 사랑을 받기 때문에 나만 좋아하는 상품이라고 할 수 있나 싶긴 하다. 그럼에도 애니메이션이 '애들이나 보는 것'으로 치부되며 어른늘의 기피를 받는 현실에서, 지브리 스튜디오는 진정으로 어른들을 위한 애니메이션을 만드는 곳이라고 생각한다. 영화 자체는 현실과 매우 다른 세계를 다루는 판타지들이지만, 큰 틀에서 보면 작품들 하나하나에 우리 사회가 녹아들어 있다고 본다. <하울의 움직이는 성>에서는 전쟁, <센과 치히로의 행방불명>에서는 성 접대 문화, <폼포코 너구리 대작전>, <바람계곡의 나우시카>, <원령공주>에서는 인간과 자연의 관계를 다루는 등 상상 속의 세계를 유심히 들여다보면 하나같이 익숙한 무언가가 비친다. 이렇게 무언가에 빠질 수 있다는 것은 행복이라고 생각한다. 비단 현실도피가 아니라도 말이다.

소수 대중문화에 대한 커밍아웃의 시간을 가졌는데, 소수 대중문화를 좋아해도 적극적으로 고백하거나 말을 할 수 없는 이유는 아무래도 사회적 편견 때문인 것 같다. 예를 들어 일본 애니메이션을 좋아한다고 하면 바로 '오타쿠'라는 편견을 갖거나 '친일'이라고 낙인찍는다. 나도 일본 아이돌을 좋아한다고 했을 때 적지 않게 놀림을 받았다. 상처도 받았다……. 언젠가는 우리 사회가 편협함에서 벗어나 각각의 취향을 존중해주고 다양성을 존중해줬으면 좋겠다.

서구에도 이런 비슷한 현상이 있다. 내가 미국에서 유학할 때 알게 된 대학생 하나는 일본 애니메이션, 즉 '아니메(anime)'에 빠져서 그 속에 담긴 영성, 일본의 문화에 심취하게 되었다. 그 이후 그의 삶은 완전히 다른 방향으로 나아가게 되었다. 그의 말에 따르면, 아니메는 미국 대중문화에서 절대 찾아볼 수 없는 종류의 문화라고 한다. 그는 아니메와 비교할 때 미국 대중문화는 수준이 낮다고 평가했다. 대중문화 수용이 개인의 종교적 사상이나 신념에 영향을 미친 사례라고 할 수 있다. 이와 비슷한 경험을 한 학생이 있었다.

나는 애니메이션을 엄청 좋아했다. 일본 애니메이션 중에는 <크르노 크루세이드>, <흑집사>라는 작품이 있는데, 둘 모두 내 사고를 확장시켜준 작품들이다. 여기서는 천사라고 꼭 착한 게 아니고, 악마도 그들만의 의리나 타당성이 있어 선한 행동을 할 수 있는 것으로 묘사된다. 이 덕분에 내가 갇혀 있던 천주교 교리에서 벗어나(우리 집은 천주교다) 천사와 악마에 대해 많은 관심을 갖게 되었고, 그쪽으로 글을 쓰기도 했다. 이렇게 소수의 콘텐츠로 몇 년간 쌓아온 믿음이 바뀔 수 있다는 사실이 놀라웠다.

결국 이런 사람들은 다수가 좋아하는 대중문화 상품이 아닌, 많은 이들의 외면을 받는 문화 상품을 통해 문화적 욕구를 충족시킨다고 할 수 있다. 감수성과 취향이 보편적이지 않기 때문이다. 따라서 이들을 만족시키는 대중문화 상품이 존재한다는 것은 이들에게 매우 중요한 의미를 갖는다. 이것이 존재하지 않는다면 이들이 정서적 만족을 얻을 수 있는 문화적 자원이 사라지는 것이다.

우리가 계속해서 확인해왔듯 대중문화의 역할은 비단 우리의 여가를 잘 활용할 수 있도록 해주고, 우리에게 정서적 만족을 주는 데에서 그치지 않는다. 앞서 언급된 이들을 위한 대중문화의 존재는 정치적으로 매우 큰 의미를 지닌다. 이런 시각에서 보면 우리가 종종 소수 문화에 대해 갖는 시선에 대해서도 다시 생각해볼 필요가 있다. 우리는 그런 문화를 '이상한 것'으로 치부하거나 심지어 '병적인 것'으로 규정하기도 한다. 보편적이지 않은 것을 별 고민 없이 규범적으로 재단해버리는 사회적 분위기가 대중문화에도 적용되는 것이다. 문화적 취향의 '다름'은 부주의하게 '우열'로 치환된다.

그렇다면 이런 소수 문화를 추구하고 그로부터 정서적 욕구를 충족시키는 사람들은 어떤 사람들일까? 그들의 '유전자'는 무엇일까?

마니아들은 유전자부터 다르지 않을까? 나도 대중문화 속 누군가, 혹은 무언가에 마니아처럼 깊게 빠져보고 싶었지만 아무리 노력해도 그러지를 못한다. 아무래도 성격적 유전자가 다른 게 아닐까 싶다. 생각해보면, 무언가에 깊게 빠지는 아이들은 그들이 빠진 것 외의 다른 콘텐츠에도 쉽게 빠진다. 부럽다.

우리는 보통 개인의 취향에 따라 이런 소수 문화에 대한 선호가 달라진다고 생각한다. 하지만 취향은 이렇게 개인적 · 개별적 차원의 문제만은 아닌 듯하다. 사회적인 성격을 지니고 있다는 말이다. 젠더, 세대, 동성애 등을 다룬 앞선 장들에서 확인한 것처럼, 취향은 개인이 속한 집단, 하위문화, 그들이 공유하는 문화 정체성에 의해 결정되는 경우가 많다. 따라서 소수 문화에 대한 취향은 개인적 차원에서는 '허세'일 수 있으나 사회적 차원에서는 획일성에 대한 거부로 읽을 수 있다. 모두가 같아야 하며 대세에 따라야 하고, 일탈해서는 안 된다는 암묵적인 강요에 대한 상징적 거부인 셈이다.

이것은 대중문화 소비를 통한 '저항'의 모습이기도 하다. 특히 이런 소수를 위한 대중문화가 대체로 사회적 소수자인 집단을 향한, 그들을 위한 문화라는 점을 생각해보면 이런 저항적 의미는 더욱 강해진다. 계급, 세대, 인종

및 민족, 성 정체성 등의 척도에서 소수자, 약자에 속한 자들을 향한, 그들을 위한 문화로서 소수 문화는 이런 정치적인 의미를 갖고 있다. 다음 글은 이런 측면을 잘 짚어내었다.

소수 마니아 문화는 획일화된 대중문화에 대한 저항의 가치가 있다고 생각한다. 대중문화에서 개인은 각자의 취향을 가진 주체이기보다 '대중'이라는 실체가 불분명한 개념의 일부로서, 공급되는 상품을 좋아하도록 강요받는 측면이 없지 않다고 생각하기 때문이다.

커피의 종류? 음료의 종류?

이렇게 보는 시각에서는, 매우 다양할 수밖에 없는 집단들의 문화적 취향을 대중문화가 충족시키려면 '다양성'이라는 가치가 매우 중요하다고 주장한다. 아무리 소수지만 그들에게도 충족하고픈 문화적 욕망과 감수성이 있기 때문이다.

팬덤부터 오늘 주제인 마니아까지 모두 비슷한 이야기를 하고 있는 것 같다. 나와 다른 취향을 어느 정도까지 인정하느냐의 문제인 것이다. 나아가 대중문화 콘텐츠의 제작자가 이러한 취향의 차이를 얼마나 수용하고 반영하는가도 중요하다고 생각한다. 이 때문에 교수님께서 말씀하시는 대중문화관이 얼마나 중요한지 다시 한 번 깨닫게 되었다. 각 개인의 취향 중에 서로 이해할 수 없는 부분이 있더라도 배척하지 말고 인정해야 한다고 생각하게 되었다. 마니아도 이런 점에서 인정해야 할 것이다.

언제부터 오타쿠를 이상한 시선으로 보게 되었을까? 언제부터 스스로 오타쿠라는 사실을 숨기게 되었을까? 특히 애니메이션이나 만화의 경우 이 경향이 매우 심각하다. 오늘 토론 중에 나온 "<원피스> 몇 권 몇 쪽에 어떤 장면이 있는지는 알지만 오타쿠는 아니에요!"라는 말에는 오타쿠라는 정체성을 극구 거부하려는 심리가 녹아 있는데, 사실 이것은 애니메이션 오타쿠들에게 그리 낯선 일이 아니다. 사람에게는 누구나 좋아하는 것이 있고, 분야는 다를지언정 빠져 있는 것이 있다. 그 대상이 영화이면 영화 오타쿠이고, 요리면 요리 오타쿠이며, 애니메이션이면 애니메이션 오타쿠인 것이다. '일반적인' 취미가 아니라고 이상한 눈으로 보고 수군대며, 그것으로 사람을 평가하는 것은 지양해야 한다. '일반적'이라는 것은 '다수'에 의해 결정된다고 하지만 '다수'는 시대, 장르, 집단에 따라 언제든지 바뀔 수 있는 지극히 상대적인 것 아닌가?

그런데 여기서 언급되는 다양성이라는 가치를 규정하는 것이 중요하다. 다양성은 단순히 문화적 취향의 문제에 그치지 않기 때문이다. 문화 기획자로 유명한 성공회대 탁현민 교수가 자신의 강의시간에 했던 이야기를 트위터에 올린 적이 있다. 그는 학생들에게 대중문화의 다양성에 대해 이렇게 설명했다고 한다. "오늘 수업의 주제는 대중문화의 다양성이 왜 필요한가였어. 너희는 자판기 커피만 마시는 게 좋으니, 아메리카노와 카페라떼도 마실 수 있는 게 좋으니?" 좋은 비유다. 하지만 이 비유에 딴지를 좀 걸어보겠다. 대중문화의 다양성을 이런 식으로 커피 종류의 많고 적음 정도로만 취급하는 것은 너무 그 함의를 축소하는 게 아닐까? 어떤 사람은 이 커피를 마시든 저 커피를 마시든 그게 뭐 그리 중요하냐고 반문할지도 모른다. 뭘 고르든 어차피 커피일 뿐이기 때문이다.

그런데 만약 이 다양성이 그저 커피를 고르는 것을 넘어 커피를 싫어하는 사람의 권리까지 포괄하는 다양성이라면 문제는 달라진다. 커피를 거부하고 다른 음료수, 즉 보리차, 홍차, 녹차, 인삼차, 생수 가운데 자신에게 잘 맞고 진짜 마시고 싶은 걸 선택할 권리까지 허용하는 다양성이 필요하다는 것이다. 단순히 형식이나 장르가 아닌 '정치적 목소리(political voice)'라는 기준으로 다양성을 평가하는 입장에서 볼 때 다양성이란 단지 커피의 종류가 아닌 훨씬 근본적인 차원의 다양성이며, 그것은 한가한 '취향' 정도의 이야기가 아니다.

다음의 글처럼 소수 마니아 문화의 사례들이 과연 마니아적인 문화라고 할 수 있을지에 대해 의문을 제기한 학생도 있다. 위에서 논의한 다양성의 진정한 의미를 고려해볼 때 생각할 만한 가치가 있는 의문이다.

오늘의 소재는 소수 마니아 문화였다. 그간 친구들이나 다른 학생으로부터 좋은 작품에 관한 정보를 얻은 적이 많아서 이번에도 내가 알지 못했던, 숨겨진 명작을 알 수 있겠다 싶어 기대를 품었다. 하지만 내가 다 아는 작품들만 언급되었다. 수업시간에 거론된 드라마들은 그다지 드라마를 즐겨보지 않는 나조차도 알고 있는 작품들이었다. 이때 우리가 '소수 문화'라고 부르는 것이 그저 흥행작에 비해 약간 시청률이나 관객 수가 부족한 정도의 작품이 아닌가 하는 의문이 들었다. 그것들을 진정한 마니아 문화라고 할 수 있을까?

또 어떤 사람들은 자신들이 즐기는 소수 문화가 '대중화'되어야 한다고 주장하기도 한다.

나는 드라마 <나쁜 남자>를 정말 좋아했다! OST도 너무 좋아서 앨범까지 가지고 있다. 이 드라마는 이형민 PD의 작품인 데다 한가인, 김남길이 출연해 화제성 면에서 좋은 시작을 보였다. 하지만 <개인의 취향>에 밀리고 여기에 월드컵까지 겹쳐지며 저조한 시청률을 기록했다. 나는 첫 방송부터 <나쁜 남자>를 봤는데 시청률 때문에 작품의 완성도가 저평가되는 것이 아쉬웠다. 내 경우에는 PD가 드라마 속에 감춰놓은 숨은 의미, 반전들을 찾아내는 것이 좋았다. 그뿐만 아니라 나와 비슷한 사람들이 다른 시각으로 <나쁜 남자>를 분석 · 해석해놓은 글들을 읽고 작품을 새로운 눈으로 보는 즐거움을 누리기도 했다. 작품을 통해 내가 얻는 만족감이 컸기 때문에 소수가 즐긴다는 게 문제되지 않았다. 물론 앞서 말했듯 다수가 이 좋은 작품을 즐겨주었으면 하는 바람이 있기는 했지만 말이다.

왜일까? 소수 문화가 대중화되어야 한다고 생각하는 이유는 별다른 게 아니다. 어느 정도의 대중화가 이루어져야만 비로소 살아남을 수 있기 때문이다. 대중화가 이루어지지 않는 소수 문화는 생존 자체가 어려워진다. 대중화가 불가피한 이유이다.

그런데 가만히 생각해보면, 우리는 대중화의 필요성 이전에 대중문화의 구조 자체로 관심을 옮길 필요가 있는 것 같다. 이렇게 소수 문화의 생존 자체가 어려운 근본적인 이유는 우리의 대중문화 자체가 매우 상업적인 구조로 이루어져 있기 때문이라는 점을 간과하지 말아야 한다. 우리 대중문화는 소수 문화의 존재와 생존에 큰 가치를 두지 않는다. 시청률이나 구독률, 관객 수 등 '많은 사람이 좋아하는 문화'라는 증거를 보여주지 못하는 문화는 곧바로 도태시켜버린다. 그런 구조 속에서 소수 문화가 살아남기란 당연히 어려울 수밖에 없다.

난 드라마 <마왕>이 정말 좋다! 인생 드라마라고도 할 수 있다. 우선 흔치 않으면서도 내가 좋아하는 소재(범죄 수사물과도 비슷한데 약간 다르다)를 다루는 점이 좋았다. 이 때문에 보기 시작한 것인데, 드라마 내적으로는 사이코메트리라는 판타지 요소와 탁월한 소품 및 조명, 뛰어난 연기, 출중한 외모의 배우 등등이 잘 어우러져 있었다. 시청률만 낮았지 그렇게 완벽한 드라마가 어디 있나 싶다. OST도 굉장히 좋아서 CD를 사기도 했다. 나는 <탐나는도다>의 열성 팬이기도 하다. 광고가 줄어들고 조기종영되는 걸 보며 드라마의 상업성을 몸소 겪게 되었다. <탐나는도다>는 시청자들이 힘을 모아 조기종영 반대 광고를 내고 감독판 DVD를 만들었다는 점에서 굉장히 능동적인 팬을 거느렸다고 볼 수 있다.

시청률을 100% 믿을 수 없음에도 시청률을 기준으로 평가받는 점이 아쉬웠다. 드라마 제작비의 대부분을 광고비에서 얻는다고 하는데, 광고주들은 광고를 협찬할지의 여부를 시청률로 판단한다. 이 때문에 작품성을 갖춰도 시청률이 안 나오는 드라마는 외면을 받는다. 사실 이런 작품들이 높은 콘텐츠 파워 지수를 갖거나 여느 작품보다 훨씬 많은 VOD 다운로드 수를 기록하는 경우도 있다. 이러한 아쉬운 점에 지속적으로 관심을 가져야 한다고 생각했다.

소수 문화의 가치가 매우 크다는 것을 인정하고 그것이 존재하는 것만으로도 무거운 의미가 있다는 사실을 받아들인다면, 현재의 대중문화 구조를 방치해서는 안 된다는 결론이 나올 것이다. '어떻게 하면 대중문화의 다양성을 확대하고 유지하는 구조를 만들어낼 수 있을까?'에 대한 고민이 뒤따라야만 한다. FTA, 종편, 미디어렙, 스크린쿼터, 새로운 미디어 플랫폼의 등장, 소수 미디어 지원 등 우리 미디어 구조의 변화를 가늠할 여러 쟁점들에 대한 입장도 이런 고민에 따라 결정되어야 마땅할 것이다.

소수 마니아 문화에 대한 생각이 어떻게 만들어지느냐는 결국 각 사람의 대중문화관이 갖는 색깔과 연결될 수밖에 없다. 대중문화가 어떤 모습을 갖게 되는 것이 가장 바람직한가, 그런 모습에 비춰볼 때 현재 대중문화는 어떻게 평가할 수 있는가, 이런 평가에 따라 앞으로 바뀌어야 할 부분은 무엇인가 등에 관한 각자의 생각은 다를 것이다. 다음은 그런 생각들을 담고 있는 코멘트들이다.

대중문화 상품이 모두 같은 꼴로 100을 채울 수는 없다. 마니아 드라마의 소재가 대체로 마이너한 걸 보면, 다양성 측면에 기여하고 있다고 할 수 있다.

나는 식당에서 식사할 때 소스나 음식에 콩가루를 뿌려먹는 것을 굉장히 좋아한다. 하지만 예전에는 식당에서 콩가루를 제공하는 경우가 적어서 굉장히 슬펐다. 그런데 어느 순간부터 소스에 콩가루를 주는 가게가 많아지더라. 행복했다. 내 음식 취향을 '저격'하는 식당이 많아질수록 소비자인 내가 행복해지는 것처럼, 대중문화도 다양한 취향을 가진 사람들을 모두 충족시킬 수 있도록 다양하게 나오는 것이 중요하다고 생각한다. 이번 수업을 통해 나는 '내가 좋아하는 프로'나 '시청률이 잘 나오는 프로'가 전부가 아니라는 것을 깨달았다.

자신만의 대중문화관을 만들고 탄탄히 하기 위한 과정이 이제 얼마 남지 않았다. 다음은 주제를 가지고 논의하는 마지막 장이다. 여기서 우리는 '청춘'이라는 주제로 다시 돌아가겠다.

Ch.12

청춘을 위한 대중문화란?

KEYWORDS: 대학생, 대학생 문화, 청춘담론, 88만원 세대, 오포세대, 대중성
생각해볼 문제: 이 땅의 청춘이 가장 좋아하는 대중문화 콘텐츠는 무엇일까?
그 이유는 무엇일까?

마지막 주제는 '청춘을 위한 대중문화란?'이다. 바로 이 수업을 듣는 학생들의 이야기이다. 지금까지 학생들과 다른 범주에 속한 집단의 대중문화 수용에 대해 '상상'해보는 시간을 가졌다면, 이번에는 학생들 자신의 문제로 돌아가겠다. 한국 사회에서 청년으로서, 대학생으로서 산다는 것이 의미하는 바는 세월에 따라 변화해왔다. 한때는 대학생이 엘리트의 대명사였던 적도 있고, 사회의 모순을 고발하고 변화를 염원하는 주체였던 적도 있다. 그렇다면 현재의 대학생, 청년세대가 의미하는 바는 무엇일까? 그 주인공으로서 학생들이 스스로 규정한 모습은 어떤 것일까? 또 그것은 이제는 너무 흔해져버린 '청춘'담론과는 어떻게 다를까? 이 같은 질문들을 고려할 때 학생들의 세대인 20대와 대중문화는 어떤 관계에 있다고 할 수 있을까? 20대들은 자기 세대의 대중문화가 무엇이라고 생각할까? 20대를 위한 대중문화 콘텐츠가 있다면 그것은 과연 무엇일까? 그들이 가장 좋아하는 대중문화 콘텐츠는 무엇일까? 그 이유는 무엇일까?

토론에서는 청춘을 다루는 대중문화와 실제 청년세대가 처해 있는 삶의 괴리, 청년세대를 다루는 대중문화의 바람직한 모습, 청년세대의 큰 호응을 얻는 문화 콘텐츠 제작자 CJ에 관해 이야기를 나누었다. 현재 CJ는 청년세대를 위한 콘텐츠를 가장 잘 만드는 대중문화 생산자이자 청년들이 가장 취업하고 싶어 하는 직장이다. 따라서 CJ를 이야기하는 것은 대중문화와 청춘에 관한 논의에서 좋은 연결고리가 된다.

대학생들이 안 보는 〈대학가요제〉

이 책에서 우리가 다룰 마지막 주제는 '청춘을 위한 대중문화란?'이다. 마지막 주제를 이렇게 정한 데에는 이유가 있다. 첫 번째 이유는 이 주제에 대한 20대의 목소리를 직접 듣고 싶었기 때문이다. 지금은 '청춘'이라는 말이 남용되는 시대이다. 『아프니까 청춘이다』를 시작으로 '청춘'을 말하는 서적들이 넘쳐난다. 저마다 '청춘은 이래야 한다, 저래야 한다'고 말한다. 그런데 정작 청년세대가 말하는 청년담론은 찾아보기 어렵다. 다른 세대가 말하는 청춘에 대해 귀 기울이고 때로는 열광적으로 반응하던 청년세대들도 이제는 그것에 식상해하고 지루해한다. 어떻게 보면 자신들이 실제로 겪는 삶과 넘쳐나는 청춘담론 사이에 있는, 쉽게 극복하기 힘든 간극을 발견해버린 듯하다. 그래서 청춘들의 목소리를 듣고 싶었다. 물론 '청춘' 혹은 청년세대가 대학생만을 지칭하는 것은 아니다. 하지만 여기서는 편의상 20대 대학생으로 한정해 이야기하겠다.

이 주제를 고른 이유는 하나 더 있다. 이 수업에서는 〈MBC 대학가요제〉를 보고 비평문을 제출하는 과제가 있었다. 〈대학가요제〉가 방송된 지난 30여 년 동안 우리 사회에서는 대학생이 차지하는 위상, 대학생이 대표하는 의미와 가치 등이 변화했다. 이에 따라 대중문화 상품으로서 '다루는 것', '다룰 수 있는 것', '다룰 수 없는 것', '다뤄야 하는 것' 등에도 많은 변화가 생겼다. 이러한 시각을 바탕으로 매년 방송되는 〈대학가요제〉는 현재 우리 사회에서 대학생과 대학 문화, 대중문화가 차지하는 위상과 의미를 따져보는 데 좋은 교재가 될 수 있었다.

그런데 몇 년간 지켜본 바에 따르면, 학생들 가운데 '자발적'으로 〈대학가

요세〉를 보는 사람은 많지 않았다. 과제이기 때문에 보라니까 어쩔 수 없이 보는 사람이 대부분이었다. 설사 본다고 해도 그 안에서 표현되는 젊음을 자신들의 삶과는 상관없는, '만들어진' 청춘이라고 생각하는 것 같았다. 이 때문인지 결국 〈대학가요제〉는 2012년을 마지막으로 폐지되고 말았다.

나에게는 굉장히 흥미로운 현상이었다. 20대에게 대중문화가 의미하는 바를 생각할 때, 가장 분명하게 자신들의 세대를 향해 만들어진 대중문화 상품에 정작 본인들이 시큰둥한 반응을 보이는 것은 설명이 필요한 일이었다. 물론 내 나름대로 그럴 수밖에 없는 상황적 이유를 찾기는 했지만, 그래도 20대의 목소리를 통해 이를 확인하고 싶었다.

수업시간 토론 주제를 정하면서 한 가지 덧붙이고 싶었던 것은 '이 시대 청년세대의 삶'과 '콘텐츠 기업 CJ'와의 관계였다. 〈대학가요제〉와 달리 CJ에서 생산한 콘텐츠들은 20대에게 꽤 큰 호응을 얻고 있다. tvN, On Style, Mnet, Story, Olive 등 CJ 계열의 PP(Program Providers)들에 대한 20대의 호감도는 매우 높다. 또한 On Media를 인수하는 등 문화 사업을 본격적으로 확장하는 과정에서 CJ E&M이라는 거대 기업을 출범시킨 CJ는 사업 영역을 영화, 연극, 뮤지컬, 음악, 게임 등으로 엄청나게 확장시켰고, 이에 따라 20대에게 미치는 영향력이 더욱 커지고 있다. 특히 미디어학을 전공하는 학생들에게는 언제부터인가 지상파 방송사가 아닌 CJ가 가장 선망하는 직장이 되고 있다. 이런 상황에서 20대를 타기팅(targeting)하고 있는 CJ의 어떤 점이 청년세대에게 어필하는지, 그것이 청춘들 삶의 어떤 점을 말해주는지, 그런 현상에 대한 20대의 규범적 평가는 어떠한지 등이 궁금했다.

수업 중 토론에서는 서로 다른 주제일 수도 있는 두 개의 이야기를 엮어내기에 시간이 부족했다. 하지만 다행스럽게도 학생들은 진지한 태도로 임하며 진심어린 이야기들을 털어놓았다. 학생들로 하여금 자신들의 팍팍하고 우울한 삶을 이야기하게 만들어 미안하기도 했지만, 결국 자신의 이야기인 만큼 미뤄둘 수도 회피할 수도 없다는 점에서 의미 있는 시간이었다고 생각한다.

오히려 우리 이야기라 더 말하기 힘들었던 것 같다. '나'라는 대학생이 어떤 삶을 살고 있는가? 어쩌면 자유와 생명이 주어진 기계, '피노키오' 같은 삶을 살고 있다는 생각에 갑갑해져서 혼자 여러 가지 고민이 많았던 것 같다.

고려대학교 대자보녀 김예슬 양의 "스무 살이 되어서도 꿈을 찾는 것이 꿈이어서 슬프다"라는 말이 정말 많이 공감되고 기억에 남는다. 청년세대란 말이 너무 슬프게 느껴지더라…….

대중문화 속 대학생과 실제 대학생

수업시간에는 먼저 학생들이 중·고등학생이던 시절, 대학교와 대학생의 삶을 '상상'하게 해주었던 대중문화 상품에 대해서 이야기했다. 예상대로 〈논스톱〉 이야기가 가장 많이 나왔다. 그런데 대부분은 거기에서 그려진 대학생의 모습과 학생들이 겪은 실제 삶이 너무 달랐다고 말했다. 〈논스톱〉뿐 아니라 〈대학가요제〉, 『아프니까 청춘이다』 등이 그려내는 대학생의 삶은 허상에 가깝다는 것이다. 다시 말하면 그런 대중문화 콘텐츠는 현재 대학생의 삶과 현실을 '적절하게' 재현하지 못한다.

『아프니까 청춘이다』라는 책의 제목을 보고 참 어쭙잖은 위로라고 생각했다. 그런데 생각해보니 청춘이라 할 수 있는 지금 우리 세대가 과연 '청춘'의 모습을 하고 있는지 의문이 들었다. 국민대학교의 대학 광고 카피 중 하나가 '청춘에 봄이 없다'였는데, 그 카피처럼 지금 '청춘'이라는 단어에 원래 있어야 할 생동감과 도전, 자유로운 이미지가 사라진 것은 아닐까? 이로 인해 '지금 나는 제대로 된 청년 시기를 보내고 있는 걸까?'라며 혼란스러워 하는 젊은이들에게 '그런 모습도 청춘'이라고 말해주었기 때문에 이 책이 인기 있었던 게 아닐까 한다.

20대가 아닌 제작자들이 대중문화 콘텐츠를 만들며 20대의 목소리를 담아내지 못하는 것 또한 이 콘텐츠들이 적절하지 못한 이유 중 하나이다.

대중문화를 만드는 제작자들이 20대가 아닌 기성세대이기 때문에, 20대를 추억하는 시각으로 콘텐츠가 제작되는 것 같다. 내가 '그래도 고등학교 때가 좋았지'라고 생각하는 것처럼, 기성세대들도 (설령 자신의 20대 시절이 힘들었더라도) 마냥 아름답게 20대를 기억하는 것은 아닐까? 실제 20대는 시시각각 변하고 있는데 말이다.

이에 학생들이 말하는 청년세대의 실제 삶은 어떤지 궁금해졌다. 학생들이 들려준 이야기 속에서는 청년세대의 현실을 표현하는 키워드로 과제, 등록금, 아르바이트, 스펙, 취업 등이 등장했다. 결국 학생들의 삶(사실 20대의 삶이 모두 같을 것이라는 전제부터가 옳지 않은 것이겠지만)은 말도 안 되게 치열한 경쟁 속에서 살아남아 안정적인 미래를 성취하기 위한 노력, 등록금과 생활비 마련 등 직면한 경제적 소요를 충당하기 위한 몸부림으로 설명되는 듯하다. 이것이야말로 학생들이 스스로 그려낸 자화상이다. 잠잘 시간도 없이 이리 뛰고 저리 뛰며 아등바등 살고 있는 실상과 비교할 때, 그동안 미디어에서 낭만, 젊음, 도전, 청춘 등으로 묘사되었던 대학생은 허황되고 비현실적이라는 것이다.

1학년 1학기. 아무것도 모르는 신입생 시절. 술로 밤을 지새우고 새벽에 집으로 와 Ctrl + c/Ctrl + v로 과제하고 잠깐 눈을 붙인 뒤, 다시 학교로 가 표지도 없는 과제물을 제출했다. 학점은 안중에도 없었고 시험공부를 왜 해야 하는지, 학점이 왜 중요한지도 몰랐다. 그저 놀기만 했을 뿐. 그러다 2학기, 서서히 깨닫기 시작했다. 주변에서는 "너 그렇게 살면 안 된다", "정신 차려라" 같은 소리를 했다. 결국 그렇게 대학의 실상을 알게 됐다. 그러다 보니 학점의 노예가 되었고, 과제에 매달리며 온 시간을 보내게 되었다. 아무것도 몰랐을 때는 참 즐거웠는데. 세상은 아무것도 모르는 바보에게는 정말 아름다워 보일 것 같다는 생각이 문득 든다. 괜스레 스펙과 학업을 외치는 지금 이 세상에 저항하고 싶다. 그래서 나는 오히려 더 유치해지고 취업을 생각하지 않으려고 하는 것 같다.

지금 내가 이 나이에만 할 수 있는 걸 얼마나 해보았나 하는 생각이 들었다. 중 · 고등학교 때 내가 꿈꿨던 대학생이 결국 아무것도 아니었다는 걸 깨달으며 나도 모르게 수동적인, 방관적인 태도를 취하게 되어버렸으니……. 수업시간에 잠시 "그래, 내가 진짜 원했던 건 뭐였지? 그걸 다시 고민해봐야겠다"라고 생각했지만 오늘도 먼저 과제에 내가 가진 모든 걸 쏟아내야 한다. 이런 현실에서 벗어날 수 없다는 사실이 많이 우울하고 아쉽다. 나뿐 아니라 모든 내 또래가 하고 있을 생각, 고민들……. 내가 가장 아쉬운 건 대학교 친구들과 많은 이야기를 나누며 진정한 대화를 해보지 못한 것이다(내가 꿈꿨던 대학생의 모습에 대해서 라든지). <논스톱>의 휴게실에서 항싱 용기종기 모여 얘기하는 모습이 계속 떠오르는 건 아마 이 때문일 것이다. 환상이 깨지는 건 한순간이라는 걸 이제는 잘 안다. 그렇지만 얼마 남지 않은 나의 이 순간들을 소중하게 보내고 싶다.

시대에 따라 대중문화 속에서 표현되는 청년세대의 모습도 바뀌는 것 같다. 예전 드라마에 나오는 대학생은 두 부류였다. 가난해서 과외로 생활비를 마련하는 대학생, 그리고 말 그대로 대학생다운 자유로운 삶을 즐기는 대학생. 가난한 대학생의 모습이 소수로 그려졌던 과거와 달리, 요즘은 가난한 대학생이 다수로 바뀐 것 같아 가슴 한 구석이 씁쓸하다.

그런가 하면 그래도 대학생만이 누릴 수 있는 것, 경험할 수 있는 것이 여전히 남아 있다고 말하는 사람들도 있었다. 자유나 젊음의 특권 같은 것들 말이다. 세상이 젊은이들에게 강압적으로 요청하는 삶의 모습이 있고 그것을 따라가느라 힘겨운 것이 사실이지만, 그것만으로 청년세대의 삶 전체를 대변할 수는 없을 것이다. 어쩌면 이것은 젊은 세대 모두가 일상에서 느끼는 딜레마일지도 모른다. 또 이 둘 가운데 어느 편에도 서지 못하고 어정쩡하게 서 있는 사람 역시 있을지 모른다.

대학에 와서 더 바빠졌다거나 과제에 치이며 산다는 이야기가 있는가 하면, 그래도 대학에 와서 더 자유롭게 여러 가지 일을 할 수 있게 되었다는 이야기도 있었다. 나는 후자에 더 공감한다. 또한 내가 그렇게 살려고 노력하고 있다는 생각도 들었다.

청년세대의 삶을 그리는 대중문화 상품을 이야기하다 보면 〈하이킥〉 시리즈가 자주 언급된다. 2006년 〈거침없이 하이킥〉으로 시작된 〈하이킥〉 시리즈는 총 세 개의 작품으로 구성되어 있는데, 새로운 작품이 나올 때마다 청년세대에 대한 묘사도 조금씩 달라졌다. 2편인 〈지붕 뚫고 하이킥〉에서 황정음이 젊은 세대를 대표하는 역할을 했다면, 3편 〈하이킥: 짧은 다리의 역습〉에서는 백진희가 이 역할을 맡았다. 황정음의 경우 학벌 문제, 취업난 등을 다루기는 했지만 그것들은 사실 해당 캐릭터의 주변적 요소에 머물렀다. 반면 3편에서는 백진희를 통해 취업난, 비정규직, 88만원 세대 등을 한층 더 적극적으로 다루었다.

이렇다 보니 백진희라는 캐릭터에게는 20대로 하여금 자신이 경험하는 삶과 현실을 바라보게 하는 힘이 있는 듯하다. 비록 이 캐릭터는 청년들의 삶을 매우 유쾌하게 그렸지만, 많은 학생들이 그 뒤에서 '공감', '씁쓸함', '슬픔', '아픔'을 느꼈다고 이야기했다. 여느 시트콤에서는 쉽게 느낄 수 없는 〈하이킥〉만의 힘이라고 할 수 있을 것이다.

그렇다면 청년세대, 20대를 위한 대중문화 콘텐츠는 어떠해야 하는지에 대한 생각으로 넘어갈 필요가 있다. 젊은이들을 대상으로 한, 젊음을 주제로 한 대중문화 상품이 아주 없는 건 아니지만(사실 다른 세대와 비교할 때 상대적으로 많다고 할 수 있다), 그런 콘텐츠들이 청년세대를 '위한' 것이라고는 하기 어렵다. 그들의 삶을 제대로 반영하지 못한다면 말이다.

20대를 위한 콘텐츠? 지금은 찾기 힘든 것 같다. 근데 왜 20대를(젊음을) 주제로 하는 콘텐츠는 많을까? 각종 예능, 드라마, 오디션 프로그램……. 어느 쪽이든 메인은 20대로 구성되는 경우가 많다. 부러워서? 미안해서? 덜 칙칙해서? 40~60대가 보는 20대는 대체 무엇인지도 궁금하다.

그럼 20대가 말하는 청년세대를 위한 콘텐츠는 무엇일까? 학생들 중에는 우선 청년세대가 살고 있는 현실을 '사실적으로' 반영해야 한다고 주장하는 사람이 많았다. 이것은 앞서 살펴본 것처럼 대중문화가 재현하는 20대가 현실에서 너무 벗어나 있다고 느끼기 때문일 것이다. 대학생의 삶에 대한 왜곡된 재현, 나아가 그것으로 인한 다른 세대들의 '틀린' 인식에 대한 불만과 함께 그들의 삶이 '있는 그대로' 재현되기를 바라는 욕망을 읽을 수 있다.

대학생을 위한 콘텐츠라면 현실을 반영했으면 좋겠다. 대중문화에서 대학생들의 현실을 사실적으로 반영하면 숨 막히는 우리 삶이 조금은 나아질 거라 생각한다. 그런 콘텐츠를 접하다 보면 사람들의 인식이 바뀔 테고, 기성세대들도 이 피폐한 현실을 바꾸려고 노력해주지 않을까.

대학생을 위한 콘텐츠라는 것은 굉장히 까다롭고 정의 내리기 어려울 것 같다. 우리가 보던 <논스톱>에서처럼 너무 미화만 시키면 현실과 괴리가 있을 것이다. 하지만 그렇다고 대학생들의 치열하고 빡빡한 삶만 보여주게 되면 그건 그것대로 대학생활의 좋은 모습을 가려버리는 극단적인 콘텐츠가 될 것 같다. 물론 콘텐츠라면 재미와 자극(?)을 위해 어느 한 부분을 더 부각시키는 면이 없지 않을 것이다. 하지만 그럼에도 가장 좋은 것은 대학생의 현실을 최대한 있는 그대로, 사실적으로 보여주는 것이라 생각한다.

현실을 '있는 그대로' 그리는 것에 반대하는 목소리도 있다. 앞에서 이미 몇 차례 언급되었던 것처럼 현실성, 사실성이 가져올 수 있는 역효과에 대한 우려 때문이라고 할 수 있다. 대중문화에서조차 우리의 현실을 있는 그대로

(혹은 사실적으로, 잊고 싶고 감추고 싶은 부분까지, 들추고 싶지 않은 구석까지, 부정하고픈 구질구질함까지) 여지없이 드러낸다면 그건 너무 참혹하지 않느냐는 생각, 대중문화에 대한 우리의 기대와 너무 동떨어진 것 아니냐는 생각이다. 여기서도 '리얼리티'와 '판타지'라는, 어쩌면 대중문화의 영원한 딜레마를 어떻게 풀어낼지에 대한 고민이 되풀이된다.

청년들의 시선에서 청년세대의 실제 모습을 담되, 웃음을 유발할 요소를 잃어서는 안 되고, 너무 심각해서 보는 이들을 우울하게 만들어서도 안 된다.

오늘 CJ에 관한 얘기가 많이 나왔는데, 생각보다 학생들이 '현실적인' 것을 강조하거나 선호하는 모습을 보게 되어 놀랐다. 내가 보기에 미디어 속에 완전히 현실적인 것은 없는 것 같다. 오히려 적당한 판타지, 환상성을 지닌 것이 좋은 대중문화의 조건이라고 생각한다(물론 완전히 판타지여서는 안 되겠지만). 자신의 현재에 100% 만족하는 사람은 없다고 생각하기 때문이다. 그런 점에서 CJ는 적절한 판타지와 대중의 감성, 감각을 잘 이용하는 것 같다. <슈퍼스타K>를 보면 처음에는 수수했던 일반인 참가자들이 탑10부터는 화려한 무대, 화려한 의상, 화려한 메이크업 등을 통해 선망의 대상으로 바뀐다. 상업적인 측면에서 볼 때도 CJ는 매우 똑똑하다는 생각이 든다. 현재 유행하거나 인기 있는 것을 찾는 게 아니라 트렌드, 혹은 인기를 직접 만들어간다는 느낌? <슈퍼스타K>의 '60초 후에 공개됩니다'를 지루함이 아닌 재미로 승화시켰잖은가. CJ의 독점 부분은 싫지만 빠르고 창의적이며, 재밌고, 화려하며 감각적이고, 환상적인 면모는 욕할 수 없을 것 같다.

CJ가 만드는 청년 문화

여기서 CJ에 대한 이야기로 넘어가보겠다. 지금까지 본 바와 같이 20대 사이에서도 대중문화에 대한 기대와 요구가 다른 상황에서 20대 대중을 목표로 삼고 그들이 선호하는 콘텐츠를 만들어내며, 그들의 선망을 받는 조직으로 자리매김하고 있는 CJ는 대중문화와 씨름하는 우리가 한 번쯤 깊이 생각해봐야 할 대상이다.

몇몇 학생은 CJ에 관한 이야기를 나누면서 대중문화에 대한 생각 자체가 바뀔 것 같다는 예감을 받은 것 같다. 강의 쪽지를 읽어보면, 대중문화관이 바뀌었다기보다는 자신의 문화적 취향에 걸맞은 대중문화관을 찾은 것으로 보인다. 이는 자신의 '감각'과 '사유' 사이의 간극을 메웠다는 점에서 가치 있는 진전이라고 생각한다. 사람 중에는 감각 따로, 생각 따로인 경우가 많고 아예 그것을 자각조차 하지 못하는 경우도 많기 때문이다.

오늘 또 내 대중문화관이 바뀔 듯하다. 이전에는 '메시지'가 중요하다고, 즉 대중이 무언가를 찾을 수 있게 하고, 공감할 수 있게 하는 것이 중요하다고 생각했다. 그런데 CJ를 얘기하면서 그 생각이 조금은 바뀌었다. 생각해보면 나는 CJ 미디어를 좋아하고 즐겨보는 타입이다. 큰 걱정이나 고민 없이 편안하게 즐길 수 있고, 또 그 과정에서 내 나름대로 에너지를 회복할 수 있기 때문이다. 편안함, 수동성, 자극성이야말로 대중문화의 요체라고 할 수 있지 않은가.

청년세대인 학생들이 규정한 CJ 콘텐츠의 특징들을 살펴보자. 먼저, 창의성·새로움이 있다. 이 창의성은 완전히 '무(無)'에서 '유(有)'를 창조하는 것이라기보다 기존의 전형성(typicality)을 답습하지 않고 조금씩 '변형'하거나 '새롭게' 표현하는 것, '다르게' 포장하는 능력이라고 할 수 있다.

CJ하면 'creative'라는 말이 가장 먼저 떠오른다. tvN이나 Story On 등을 보면 늘 '어떻게 저런 방송을 할 수 있지?', '왜 저걸 방송하지?'라는 의문이 들었다. 그리고 그 후에는 반성을 할 때가 많았다. '나만 이렇게 생각하나? 나는 고정관념에 갇힌 사람인가?' 하는 생각이 들었기 때문이다.

'이 땅의 청춘이 가장 좋아하는 대중문화 콘텐츠는 무엇인가?'라는 질문에 나는 '새로움', '변화', '새로운 발견'이라고 답할 수 있을 것 같다. 바로 이 때문에 'creative'로 대표되는 CJ 미디어의 콘텐츠가 20대 사이에서 많이 회자된다고 생각한다. 다만 이 '창의성'에 대해 짚고 넘어가야 할 것이 있다. 창의성에는 무엇을 발명하는 능력뿐 아니라 '발견'하는 능력도 포함되는 것 같다. 기존의 것에 다르게 접근해 이를 표현하는 것도 창의적이라고 할 수 있을 것이다. CJ가 잘 하는 일이 바로 이것 같다. <겟잇뷰티>, <로맨스가 필요해>, <슈퍼스타K> 같은 프로그램을 보면, 모두 이미 공중파에서 다루었던 소재들(화장품, 연애, 사랑, 오디션)을 새롭게 다루거나 표현해 20대들의 반응을 이끌어냈다. 이러한 현상을 사회적 이유와 결부시켜보면, 매일 똑같은 일상(스펙 쌓기, 과제하기 등)을 사는 요즈음의 청춘들에게 이런 콘텐츠가 매력적으로 다가오기 때문 아닐까?

이런 CJ의 특징은 관습적으로 만들어진 기존의 틀과 경계를 조금씩 건드리거나 무너뜨리는 것을 크게 두려워하지 않는 모습으로 나타난다. 이전에는 대중문화에서 다루지 않았던 것을 다루거나, 암묵적이었던 것을 표면으로 끌어올리거나, 치마 표현하지 못했던 것을 거침없이 표현하는 식이다. '경계의 확장' 또는 '파격'이라 할 수 있을 것이다. CJ 콘텐츠에서 20대들이 느끼는 새로움, 신선함은 이런 특성에서 나오는 것으로 보인다. 또 다음 글에서 지적한 것처럼, CJ 콘텐츠는 다른 미디어와 달리 계몽적인 태도가 덜 나타나는 편이다. 따라서 대중을 내려다보며 대놓고 가르치려드는 데서 오는 거부감을 줄일 수 있다.

CJ가 좋다. 그곳의 상품들은 재밌으니까. 또 지상파와 달리 교훈적인 것을 강요하지도, 가르치지도, 진부한 방식으로 이끌어내지도 않는다. CJ의 콘텐츠는 자극적이고 재미있게 메시지를 전달하기 때문에 그 콘텐츠를 소비하는 과정에서 나도 모르게 공감하며 그 메시지를 받아들이게 되는 것 같다. 또 다른 곳과 달리 적나라하게 현실을 드러내면서 공감을 얻는 부분, 파격적인 형식을 도입해 즐거움과 재미를 선사하는 부분도 좋다.

그렇다고 CJ의 콘텐츠 속에 담긴 메시지나 사상적 정향성(orientation)이 아예 없다고 생각할 수는 없다. 이 세상 그 어떤 콘텐츠라도 그것을 완전히 배제할 수 없다. 가끔 우리는 드라마나 코미디, 음악 프로그램 등 오락적 콘텐츠에 정치성이 없다고 생각할 때가 있다. 나는 그런 인식이 '오해'라고 생각한다. 어떤 콘텐츠든 사상이나 정치성을 띠지 않는 것은 존재하지 않는다. 오히려 이런 포맷에 담긴 사상이나 정치성이 뉴스나 시사 프로그램보다 대중에게 훨씬 더 강력한 영향력을 미칠 수 있다. 이런 콘텐츠를 수용할 때 우리는 대부분 사상적 영향에 대한 자기방어기제를 내려놓기 때문이다. 그렇다면 CJ 콘텐츠에 담긴 메시지나 사상은 무엇인지에 대해서도 생각해야만

한다.

학생들이 CJ의 특징으로 지적한 또 한 가지는 트렌드를 읽어내는 능력이다. 대중문화를 이끌어가는 위치에 서기 위해서는 필수적인 능력이라 할 수 있다. 이는 지금 대중이 어떤 상황에 처해 있는지, 대중에게 결핍된 것은 무엇인지, 대중이 원하는 것은 무엇인지를 정확하게 읽어내는 힘이다.

CJ는 호불호, 좋다 나쁘다를 떠나 확실히 트렌드를 이끌어가고 캐치해내는 능력, 또 그것을 콘텐츠로 만들어내는 기획력과 이때 필요한 자본력을 갖춘 것 같다.

CJ의 강점은 사회의 트렌드를 빠르게 파악하는 점이라고 생각한다. 점차 경기가 악화되면서 패션은 더 이상 대학생의 관심사 1위가 아니다. 이는 대학생을 넘어 20대 전체에서도 발견되는 현상이다. 취업, 자기계발, 끝나지 않는 자아실현이야말로 청년세대의 주된 관심사일 것이다. tvN의 <스타특강쇼>는 지상파 프로그램과 달리 20대가 갖는 현실적인 고민을 대놓고 알려준다. 중요한 정보들이 있어 챙겨보지만 가끔 너무 현실적이어서 '뜨끔'한 적이 많았다.

특히 20대를 목표로 삼는 CJ는 청년세대의 현재 맥락을 누구보다 빨리 파악하고 그것을 짚어내는 데 뛰어나다. 20대의 문화적 감수성, 취향, 나아가 욕망을 잘 읽어내고 그것을 콘텐츠로 만들어낼 때 노골적이지 않은 동시에 촌스럽지 않게 포장하는 능력까지 갖춘 것이다.

20대가 스펙을 쌓는 데 급급하던 시절이 오래 지속되었는데, 요즘 들어 '이상'을 꿈꾼다고 해야 할까, 스펙이 아닌 '꿈'이나 '도전'을 향한 20대의 욕망도 드러나고 있는 것 같다. 그리고 CJ가 그 부분을 잘 디치했다고 생각한다. 마케팅이라고 말하기는 싫지만(나는 그 프로그램들로 위로를 받고 힘을 얻기 때문에) 어쨌든 콘텐츠들이, 예를 들어 <슈퍼스타K>, <도전! 수퍼모델 코리아>, <보이스 코리아>, <스타특강쇼> 모두 말하는 바는 궁극적으로 하나, 즉, '꿈'과 '청춘'이라고 생각한다.

이런 능력은 분명 쉽게 얻을 수 있는 게 아니다. 토론에서 지적된 것처럼 20대 구성원들과의 끈을 지속적으로 이어가면서 그들을 통해 트렌드를 읽고 확인하며 업데이트하는 노력을 쉬지 않아야 하기 때문이다. 그런 점에서 CJ는 매우 명민하면서 집요하다고 할 수 있다.

학생들이 지적한 것과 내 생각을 종합해서 CJ가 '지향'하는 바와 '지양'하는 바를 나누어 정리해보겠다. 먼저 CJ가 지향하는 것으로는 세련됨, 화려함, 감각, 재미, 유쾌함, 긍정성, 빠름 · 속도, 경계의 확장 · 파격 등이 있고, 지양하는 것으로는 심각함, 지루함, 엄숙함, 판 · 틀에 박힘, 전형성 등이 있다. 이 리스트에 각자가 생각하는 것들을 추가해도 좋을 듯하다. 그리고 두 리스트가 의미하는 바에 대해서도 지금까지 만들어온 각자의 대중문화관에 비추어 평가해보기 바란다.

CJ가 변했다!

이러한 CJ의 특성들은 현재 청년세대 대중에게 잘 먹히고 있다고 할 수 있다. 학생들이 CJ에 보이는 호의적인 반응은 이런 특성에 대한 긍정적 평가이다. 하지만 CJ에 대한 학생들의 평가가 언제나 긍정적인 것만은 아니다. 위에서 정리한 특성들을 지닌 CJ를 우려하는 목소리도 있다. 강의 쪽지에 적어낸 의견을 토대로 정리해보겠다. 각자 CJ를 평가하는 데 참고해보자.

먼저 CJ가 사람들에게 인식되기 시작하던 초창기의 창의성이 점차 사라지고, 현재 상업성의 전형적 전략이라고 할 수 있는 반복과 자기복제가 많아지고 있다는 점이다. 사실 파격과 경계의 확장이라는 것도 그 동기는 상업성에서 출발했다고 보는 게 적절하다. 신규 진입자가 시장에서 자리를 차지하기 위해서는 남들이 하지 않는 틈새를 찾아야만 하기 때문이다. 그런데 이런 초기 전략이 어느 정도 성공을 거두어 자리를 잡게 되면, 똑같은 상업성의 동기 때문에 이제는 위험부담을 최소화하는 전략을 채택하게 된다. 시장의 반응을 예측하기 어려운 상황에서 새로운 시도를 하기보다는 이미 시장에서 성공한 형식과 내용을 반복하는 것이다. 이런 전략을 표준화(standardization)라고 부른다. 이런 점에서 상대적으로 여전히 새로운 시도를 많이 보이는 CJ이기는 하지만, 초기와는 큰 차이를 보인다고 할 수 있다.

CJ를 좋아하는 이유는 20대가 청춘이라는 단어를 쓸 수 있도록 만들어주기 때문이다. 현실에 찌들어 있는 20대들이 자신이 처한 상황에서 탈피해 젊음을 즐기도록 만들어주는, 기회를 부여하는 콘텐츠를 생산하기 때문이다. 그런데 이제는 CJ가 창의적이라는 말에 동의하지 못하게 되었다. <막돼먹은 영애씨> 시리즈, <신의 퀴즈> 시리즈, <뱀파이어 검사>, <슈퍼스타K>, <롤러코스터>, <마스터 셰프 코리아> 등등을 두고 국내 최초의 시즌제 드라마다, 프로그램이다, 지상파와 다른 우리의 강점이자 인기의 척도이다 하지만, 결국 창의성을 잃고 시청률에 의한 상업성에 너무 잠식된 것이 아닌가 생각한다.

또 한 가지는 대중의 욕망을 잘 읽어내는 것이 아니라, 어쩌면 욕망을 생산하고 조작하는 것일지도 모른다는 지적이다. CJ 콘텐츠에 나타난 20대의 모습을 잘 뜯어보면, CJ가 설정해놓은 '20대는 이렇게 살아야 해!', '이런 모양을 갖춰야 해!', '이런 생각을 해야 해!'라는 강요가 감춰져 있다는 것이다.

CJ가 트렌드를 잘 읽는 것인지, 아니면 큰 파급력과 자본으로 의도적으로 트렌드를 만들어가는 것인지 생각해봐야 할 것 같다. 이것은 굉장히 중요한 문제다. 수동적으로 미디어를 받아들일 경우에는 절대 판단할 수 없기 때문에 좀 더 적극적으로 미디어를 받아들이고 이를 해체하려는 노력이 필요해 보인다.

이런 생각에서 한 걸음 더 나아가 CJ가 말하는 단순한 재미, 즐거움 등은 결국 20대로 하여금 현실을 도피하도록 만들 것이라는 우려도 있었다. 현재 청년세대가 겪는 엄혹한 현실 속에서 이런 콘텐츠들은 20대가 선택하기에 가장 편하고, 부담 없으며, 편리한 것이겠지만 오직 그것뿐이라는 생각이다. 다음 글에 나온 것처럼 이러한 상황을 초래하는 콘텐츠는 20대에게 결코 긍정적일 수 없다.

CJ가 말하는 '문화를 만든다'는 슬로건 자체부터 굉장히 인위적인 느낌이다. 창의적이라고 말하지만 실상을 파헤쳐보면 겉만 화려한, 속 빈 강정이라는 생각이 든다. CJ는 감정을 극대화시키는 콘텐츠, 소비자의 마음을 잡아끄는 콘텐츠, 재미와 즐거움을 강조하는 콘텐츠, 현실을 잘 반영하기에 몰입되는 콘텐츠를 만드는 데 뛰어나다. 하지만 이런 특징들로 인해 오히려 사람들은 현실을 도피하기 위한 수단으로 CJ 콘텐츠를 이용하는 게 아닌가 하는 불편한 생각이 든다. 적어도 청춘을 위한 대중문화 콘텐츠라면 단순한 재미, 수동적인 소비를 넘어서는 그 무언가를 목표로 삼아야 하지 않을까?

그런가 하면 CJ에서 그리는 20대의 모습이 사실 어른들의 시각, 즉 기성 세대가 바라는 20대의 모습을 반영한 것이라는 분석도 있었다. 이를테면 청춘에 대한 하나의 '신화'를 만들어간다는 주장이다.

<슈퍼스타K> 파이널 편을 보며 CJ가 원하는 건 '한 가지의 목표'를 두고 함께 걸어가며 서로 격려하고, 응원하고, 돕는 '청춘'일 거라는 생각이 들었다. 출연자들이 한 방에서 자면서 이야기하는 부분이 특히 그렇더라. 떨어진 출연자들을 결승 무대 방청객으로 부른 것도 그렇고 말이다. 사실 그들은 '경쟁자'이다. 그들 개개인은 자기가 우승하기를 원했을 거고, 그 무대에 서기 위해 치열하게 경쟁했을 거다. <슈퍼스타K>만 보면, 그들은 그런 속사정 없이 '아름답게' 한 판 붙고, '쿨하게' 떨어지며, '쿨하게' 서로를 응원하고 격려하는 것처럼 비친다. 어른들이 보기에는 취업 시장에서 한 판 붙는 우리의 모습도 그렇게 아름다워 보일까? 도전하고, 격려하고, 아름다운 경쟁하고, 쿨하게 다음 기회를 노리고……. 다들 자신이 명문대에 가기를 원하면서 서로 '잘 해보자'라고 다짐했던 고등학교 시절의 기숙사 풍경이 떠오른다. 공부하기 싫다고, 돈 없다고, 못하겠다고, 지쳤다고 징징대는 우리 20대를 보며 '그래도 그때가 가장 좋은 거야'라고 어른들이 말씀하시는 것도 그런 시각에서 우리의 치열한 경쟁을 보기 때문이 아닌가 싶다.

또 하나 중요한 지적은 CJ가 20대에게 큰 호응을 얻게 되면서 하나의 막강한 권력이 되고 있다는 점이다. CJ가 문화를 통해 행사하는 권력으로 인해 20대의 획일성이 강화되는 것 아니냐는 우려이다.

나는 이번 수업을 들으면서, 20대 대학생들이 CJ에 취직하고 싶어 하는 게 과연 그들 각자가 진심으로 원해서(개인의 의지에 의해서) 그런 것인지 조금 의구심이 들었다. 어떻게 보면 청년세대의 대중문화가 점점 더 획일적으로 변해가는 것 같다는 느낌이 든다. 작년에 1학년 전공수업을 수강한 적이 있는데, 그때 좀 놀랐다. 대부분의 학생들이 CJ에 입사하고 싶어 했기 때문이다. 다양한 직장이 있을 텐데도 대다수의 학생들이 1학년 때부터 오직 CJ 한 곳만을 목표로 달려가는 모습은 마치 '주변 사람이 CJ에 입사하고 싶어 하니까' 덩달아 자신도 CJ를 향해 달린다는 인상을 줬다. 경찰관, 대통령 등 다양한 꿈을 꾸던 아이들이 점점 나이를 먹으며 공무원이 되려고 하는 모습과 비슷하게 보여서 한편으로는 씁쓸하고 안타까웠다.

PP 및 SO(System Operators) 등 유료 방송의 생태계와 공연 문화, 음악 산업 등 대중문화 전반에서 CJ가 차지하는 위상과 시장 점유율은 엄청난 속도로 상승하고 있다. 대중문화를 공부하는 우리가 결코 간과할 수 없는 현실이다. 산업 전반에서 한 기업의 영향력이 비교할 수 없을 정도로 높아질 때 초래될 결과에 대해 예측해봐야 한다. 물론 그 결과에 대한 평가는 분명 대중문화를 바라보는 시각에 따라 다를 것이다.

각자가 이에 대한 의견을 정리해보기 바란다. CJ 콘텐츠의 특성이 가진 '가능성'과 '한계'를 함께 살펴봄으로써, 어느 한 쪽으로 치우친 생각과 그로 인한 오류에서 벗어나야 할 것이다. 경계의 확장과 파격을 통해 현재의 규범을 비틀고 낯설게 함으로써 그것을 변화시킬 수 있는 가능성을 평가하는 동시에, 재미와 긍정성만을 좇게 됨으로써 결국 현재 질서에 순응하게 된다는 한계를 평가하는 일도 잊지 말기 바란다.

청춘을 위한 대중문화 콘텐츠는?

수업시간 토론에서 마지막으로 제기한 질문은 다음과 같았다. '이 땅의 대학생 · 청년세대를 위한 콘텐츠는 어떠해야 한다고 생각하는가?' 물론 20대가 그리는 청년세대를 위한 대중문화 상품의 모습은 모두 같지 않다. 자신이 대중문화를 바라보는 관점이 어떠한지에 따라 달라질 수밖에 없기 때문이다. 그럼에도 리얼리티든 판타지든 대중문화를 통해 힘을 얻고 '위로'를 받고 싶다는 건 일종의 합의된 바람인 것 같다. 이는 비단 젊은 세대뿐 아니라 대다수의 사람들이 대중문화에 기대하는 바이며, 실제로 대중문화를 통해 이러한 욕구를 충족한 사례도 적지 않다. 그런데 그 위로가 때로는 '기만'에 그칠 수도 있다. 그것이 진정한 의미의 위로와 문제해결이 아니라 심리적 · 즉흥적 · 잠정적 위로에 그친다면 말이다.

오늘 다뤘던 청춘을 위한 콘텐츠에 대해 가수 김태원 씨가 했던 말이 생각났다. 김태원 씨는 청춘을 위로하는 책들에 대해 '청춘의 개인적 고민에 대한 사회의 보편적 위로'라고 말했다. 청춘은 이제 위로의 과잉을 느끼고 있고, 청춘에게 정말 필요한 건 위로가 아닌 '기회'이며, 이를 어떻게 제공할 수 있을지 함께 고민해야 한다고 강조했다. 이 말을 대중문화와 연결해본다면, 대중문화는 사회에서 제공하는 기회나 방법(취업 외에도 모든 부분에 대해)을 잘 매개해줘야 할 것 같다. 그런데 현재의 대중매체는 청춘의 고민에 대해 진정한 위로와 현실적인 해결책(?)보다는 겉핥기식 위로와 일시적인 마취만을 제공하는 것 같다.

20대의 모습을 다양하게 보여주었으면 하는 바람도 있었다. 사회가 요구하는, 너무나 획일화된 모습에서 벗어나 다양한 삶의 형태와 그런 삶을 사는 사람들이 추구하는 행복의 다채로움을 보여줬으면 한다는 것이다. 내 바람도 그렇다. 20대 자신들이 그런 다양한 시각을 갖는 것은 그들을 둘러싼 이 말도 안 되게 엄혹한 구조를 바꿔나갈 단초가 될 수 있다고 보기 때문이다.

청년을 위해 어떤 콘텐츠가 생겼으면 좋겠냐고 묻는다면, 청년의 입장에서 '꿈'을 찾아주는 콘텐츠가 나왔으면 좋겠다고 대답할 것이다. 우리와 다르게 살고 있는 청년들의 모습을 보여주면 좋겠다. '모습'만이라도 보여줬으면 좋겠다.

결국 논의의 핵심은 청년세대를 위한 콘텐츠가 얼마나 청년세대의 목소리를 담고 있느냐의 문제라고 할 수 있다. 그렇다면 어떻게 해야 젊은 세대의 목소리를 대중문화에 담아낼 수 있을지 고민해야 한다. 실제로 겪는 삶과 대중문화 속에서 넘쳐나는 청춘담론 사이의 괴리가 클수록 더욱 그렇다.

여기까지 생각이 진전되었다면, 이제 우리의 관심은 청년세대의 대중문화, 청년세대를 위한 대중문화에만 머물러서는 안 될 것이다. 20대를 다룬 대중문화 콘텐츠를 생각해보고, 어떤 콘텐츠가 20대를 위한 콘텐츠인지를 생각했다면 다른 세대, 다른 집단으로까지 우리의 시각을 확장할 필요가 있다. 우리 사회에 존재하는 많은 집단에 대한 대중문화의 재현이 어떤지 생각해보자는 것이다.

앞에서도 언급했지만 대중문화를 논할 때 사용하는 'representation'이라는 개념은 흔히 '재현'이라고 번역되지만, 사실은 '대표', '대변'이라는 의미로도 해석될 수 있다. 따라서 대중문화에서 'representation'의 문제는 단순히 우리의 현실을 얼마나 적절하게 표현하고 있느냐의 문제를 넘어 특정 집단,

세대, 세력, 계급이 얼마나 대중문화 속에서 '대표'되고 있느냐, 그들의 목소리가 얼마나 '대변'되고 있느냐의 문제이기도 하다.

수업시간에 학생들은 청년세대를 재현하는 대중문화에 대해 이야기하면서 그들의 삶과 고민, 현실과 욕망이 제대로 대변되지 못한다는 사실을 매우 심각하게 생각했다. 재현의 문제는 단지 '누구의 취향을 만족시키느냐'를 말하는 단순한 문제가 아니기 때문이다. 그렇다면 다른 집단, 다른 세대, 다른 세력, 다른 계급의 재현 문제에 대해서도 심각하게 접근할 필요가 있다. 대중문화라는 영역 속에서 특정 집단이 과잉 대표(over-representation)되거나 과소 대표(under-representation)되는 문제는 사실 그 집단의 이해관계와 관련되어 있으며, 나아가 그들의 생존과 관련되어 있을 수도 있기 때문이다.

/

청춘의 삶과 대중문화관*

또 하나의 청춘담론?

'청춘' 이야기가 넘쳐난다. 한 세대를 하나의 집단으로 규정하고 그 내부에 존재하는 차별적인 상황과 지위를 축소하거나 무시해버리는 이른바 '세대론'의 한계가 지적되고 있음에도, 청년세대를 '청춘'이라 부르는 이야기들은 2000년대 중반 이후 계속해서 나오고 있다. 이렇게 청춘담론이 생산, 재생산되는 건 그것들이 대규모로 소비되고 있기 때문이다. 최근 언론에서는 일본의 사토리(悟り) 세대의 한국판이라 할 수 있는 '달관세대'라는 말로 청년세대의 특징을 규정짓기도 했다.

이 책의 제목은 『청춘, 대중문화로 말하다』이다. 청춘담론의 유행에 숟가

---

* 이 글에서는 이 수업을 기획한 취지와 이를 통해 기대하는 바를 이야기한다. 여기서 논의되는 내용은 다음 논문에서 한층 더 학술적인 언어와 형식으로 정리되어 있다. 박진규, 「미디어 문화연구의 정치적 기획으로서 학부교육: 토론식 교수법 개발 사례를 중심으로」, ≪커뮤니케이션 이론≫, 9권 1호(2013년 봄), 120~162쪽.

닥 하나 더 얹으려는 것 아니냐는 비판도 있을지 모르겠다. 청년세대 내부의 계급, 학력, 젠더, 지역 등의 차이를 무효화하려는 또 하나의 시도 아니냐고 공격할지도 모르겠다.

세대론이 갖는 한계와 문제점을 인정하면서도 여기서 '청춘'이라는 말을 사용한 것은 20대와 대중문화 사이의 특별한 관계를 강조하고, 20대가 직면한 현실적 맥락 속에서 대중문화를 둘러싸고 그들이 가질 수 있는 힘을 부각시키려는 의도 때문이었다. 일반화의 위험성이 있기는 했지만, 그 잠재적인 가능성에 더 큰 의미를 부여했다.

여기서는 청춘을 20대 대학생으로 한정했다. 대학생이 갖는 엘리트적 지위를 강조하려는 의도는 아니다. 현재 한국 사회에서 20대 대학생이 처한 맥락과 그것이 갖는 정치적 의미를 드러내는 것이 필요하다고 생각했을 뿐이다. 이를 위해 치명적 한계를 지닌 세대론일지언정 차용할 가치가 있다고 판단했다. 이러한 전제와 의도 속에서 '대중문화론' 수업이 기획되고 진행되었다.

현재 한국 사회에서 20대 대학생의 정체성은 '모순적 지위'라는 말로 설명할 수 있다. 미래를 향한 희망과 가능성을 상징하는 세대이기도 하지만, 과도한 경쟁과 불안감에 둘러싸인 불행한 세대이기도 하다. 이들은 입시전쟁으로부터 해방되자마자 값비싼 등록금, 알바와 노동 착취, 취업난, 청년실업으로 대표되는 압박 속에서 어느새 사회적 약자로 자리매김했다. 연애, 결혼, 출산을 포기했다는 의미의 '삼포세대'에 주택 마련과 인간관계의 포기까지 덧붙인 '오포세대'라고도 불린다.

대학생을 엘리트로 인식하는 건 더 이상 현실적이지 않다. 한국교육개발원 통계에 따르면 1980년 27.2%, 1990년 33.2%에 지나지 않던 대학 진학률이 2000년에는 68.0%로 급격하게 상승했다. 2004년부터는 80%를 넘어섰고 2008년에는 83.8%로 최고점을 찍었다. 이 수치는 2009년부터 다시 조금씩 떨어지기 시작해 2013년에 70.7%를 기록했다. 하락세에 있기는 하지만 여전히 같은 연령대의 70% 이상이 대학을 진학한다는 이야기이다. 매우 높은 수치이다. 따라서 대학 교육은 더 이상 엘리트를 양성하기 위한 과정이 아니라 '대중 교육'으로서의 성격을 지닐 수밖에 없다.

이 수업은 청춘이 처한 이 같은 맥락 속에서 내가 가지고 있는 두 가지 정체성이 맞물려 나온 것이다. 첫 번째는 학부 교육 담당자로서의 정체성이다. 나는 그동안 학부 학생들을 대상으로 한 교육과정을 만들고 진행하면서 그들과 함께 토론할 때, 또 그들이 자신과 사회의 의미와 가치를 찾는 과정에 참여할 때 큰 즐거움을 느껴왔다. 하지만 동시에 대학 교육이 점차 취업을 위한 도구로 변질되는 모습을 보며 그 뒤에서 작동하는 강력한 신자유주의의 힘을 체험하기도 했다. 그 힘은 점점 더 많은 학생과 교수가 그 질서에 편승하고 순응하도록 만들고 있다. 나는 그에 따른 무기력과 회의감이 점점 커져가는 것을 느꼈다.

두 번째는 문화연구자로서의 정체성이다. '문화연구'란 미디어학 내에 존재하는 연구전통 중 한 가지를 말한다. 영국에서 시작된 이 전통은 엘리트 중심의 학문 활동을 비판하며 대중의 삶과 그들의 문화에 직접 뛰어들어 그 속에서 가치를 발견하려는 노력을 기울여왔다. 또 이 전통은 학문적 시선이 현실과 일상에서 벗어나지 않아야 한다는 믿음 속에서, 학문적 성과를 사회 변화(social change)와 연결시키려는 정치적 노력도 소홀히 하지 않는다. 문화연구는 대중문화가 이 노력에 매우 큰 잠재력을 갖고 있다고 믿고 있으며, 대중문화를 진지한 학문적 탐색의 대상으로 인정한다.

나는 청춘이 직면한 우리 사회의 현실 속에서 대학 교육을 대중 교육으로서 규정하려 했다. 이를 통해 도출되는 새로운 시각이 문화연구의 가장 핵심 목표 중 하나인 비판적 교육(critical pedagogy)의 중요성을 회복할 수 있을 거라고 생각했기 때문이다. 특히 20대 대학생들과 대중문화를 진지한 고민의 대상으로 삼아 토론하는 수업이 유용한 통로가 될 수 있을 거라 생각했다. 교육과 정치성의 접목은 사람들이 실제로 영위하는 삶의 터전에서 이루어져야만 효과적인데, 대중문화는 20대 대학생들에게 훌륭하게 그 교차로를 제공하고 있기 때문이다.

20대의 삶에서 대중문화의 의미는?

대부분의 대학생들은 대중문화와 매우 친숙하다. 누가 시키지 않아도 대중문화의 영역에서 매일같이 벌어지는 각종 현상들의 최신 정보를 업데이트하고, 그에 대해 평가하거나 논의한다. 대중문화의 추세를 읽고 그 흐름을 감지하는 능력은 기성세대와 비교가 되지 않는다. 이들은 대중문화와 관련된 이야기들을 만들어내는 생산자로서의 지위도 갖고 있다. 온라인과 디지털 미디어가 생산, 재생산하는 대중문화 담론에서 이들이 차지하는 비중은 결코 무시할 수 없다.

하지만 이들의 대중문화 감수성과 담론생산 능력은 한계 역시 가지고 있다. 이들이 만드는 대중문화 담론은 시시때때로 벌어지는 사안을 따라가기 때문에 호흡이 짧고 단발적이며, 일관성이 결여된 경우가 많다. 이는 거시적인 관점이 뒷받침되지 않을 때 나타나는 현상이다.

나는 여기에 문화연구 전통이 쌓아온 이론적 논의와 개념들이 큰 도움을 줄 수 있다고 생각했다. '대중문화론' 수업을 그렇게 활용하고 싶었다. 토론으로 운영된 이 수업은 궁극적으로는 문화연구 고유의 이론적 논의, 관심, 목표, 지향점, 전략 등을 학부생들이 일상적으로 쓰는 언어로 '번역'하는 과정이었다. 하지만 그 번역은 이 책 안에서 마무리되지 않을 것이다. 그 번역의 과정과 결과는 그들의 현실이 달라짐에 따라, 또 대중문화의 흐름이 변화함에 따라 언제나 유동적이어야만 하기 때문이다.

이 책에서 지금까지 다루었던 여러 화두들은 이러한 번역의 결과물이다. 내가 제일 좋아하는 노래를 떠올리면서, 케이블 텔레비전 속 선정적 콘텐츠를 생각하면서, 불륜 드라마에 푹 빠진 누군가를 기억하면서 대중문화의 생산과 텍스트, 소비를 새롭게 바라볼 수 있기를 기대했다. '빠순이'를 자처하는 청소년, 아줌마 팬이라는 새로운 용어를 만들어낸 여성들, 채워지지 않는 문화적 취향에 힘겨워하는 어른들의 자리에 대신 서 보면서 '정치적 목소리'로서 대중문화의 역할을 깨닫기를 원했다. 섹슈얼리티와 젠더 정치, 소수자들의 삶을 대중문화를 통해 읽어봄으로써 우리 사회의 민낯을 들여다볼 수 있기 바랐다. 학생들이 '청춘'이라는 이름으로 자신들의 삶을 재현하는 대중문화를 성찰적인 눈으로 바라볼 수 있기를 기대했다. 무엇보다도 대중문화를 바라보는 자신만의 관점을 만들어나가는 것이 얼마나 중요한 일인지를 깨닫고 그것을 시작하기를 바랐다. 그리고 지금까지 나눈 이야기 속에 등장했던 여러 개념들, 즉 대중성, 상업성, 윤리성, 정치성, 다양성, 작품성 등에 대한 그 나름의 생각을 정리하고, 이를 자신의 관점을 갖추는 데 활용하기를 바랐다.

나는 이 책의 독자들도 대중문화를 바라보는 자신만의 시각을 만들기를, 그리고 그 시각이 탄탄해지기를 바란다. 앞에서 다루었던 여러 주제들과 사례들이 자기 주변에 있는 수많은 대중문화 현상들과 연결되고, 삶의 다양한 국면들과 이어진 끝에 이에 대한 자신만의 일관되고 탄탄한 관점을 갖게 되기를 바란다. 독자들만의 '대중문화관'을 만드는 것이다.

그렇게만 된다면 비록 그 시각이 문화연구가 말하는 시각과 다르더라도 나는 이 책이 목적을 달성했다고 믿는다. 문화연구가 지향하는 교육에서 가장 큰 성과는 특정 관점을 주입시키는 것이 아니라, 주체적 존재로서 스스로를 규정하고 성찰적으로 사유할 수 있도록 돕는 것이기 때문이다.

학교에서 20대 대학생들과 씨름하는 시간이 쌓일수록 한 가지 확실해지는 것이 있다. 현재의 사회적 맥락 속에서 학부 교육이 지향해야 할 목표는 '청년세대가 민주주의적인 삶을 실현하기 위해 사고하고 행동할 수 있도록 돕는 것'이라는 사실이다. '청춘'의 삶을 억누르며 그 숨통을 죄어오는 힘의 크기는 갈수록 커져만 간다. 그 속에서 고통을 호소하는 20대들의 소리 역시 커져만 간다. 하지만 대부분의 청년세대는 그 고통을 자신의 능력 탓, 의지 탓으로 돌리고 어찌하면 이 지독하게 치열한 경쟁에서 생존할 수 있는지만을 고민한다. 스스로의 능력을 기계의 '스펙'으로 치환하며 사회가 강요하는 인재상의 틀에 맞추기 위해 이전의 어떤 세대보다도 '열심히' 살아간다.

이들에게 필요한 것은 대안적 삶의 가치를 보는 것이다. 대안적인 가치와 질서가 지배하는 사회의 모습을 꿈꾸게 하는 것이다. 그런 삶의 방식이 가능하다는 것을 상상하도록 돕는 것이다. 이것이 20대를 향한 교육이 지향해야 할 방향이다. 여기에 대중문화는 매우 유용한 잠재력을 가지고 있다. 청춘은 대중문화로 말하는 세대이기 때문이다.

지은이

박진규

연세대학교 신문방송학과를 졸업하고 미국 텍사스 대학교(University of Texas at Austin)에서 저널리즘 석사 학위, 콜로라도 대학교(University of Colorado at Boulder)에서 커뮤니케이션 박사 학위를 받았다. 일본 리쓰메이칸 아시아 태평양 대학교(Ritsumeikan Asia Pacific University)에서 조교수로 재직하다 지금은 서울여자대학교 언론영상학부 부교수로 학생들을 가르치고 있다. 한국방송학회 총무이사, ≪한국방송학보≫ 편집위원, ≪커뮤니케이션학 연구≫ 편집위원 등을 지냈다. 연구 분야는 대중문화, 미디어와 종교 등이며, 주요 논문으로는 「매개된 종교와 사회 변화: 프란치스코 교황에 대한 언론의 반응을 중심으로」(2015), 「미디어 문화연구의 정치적 기획으로서 학부교육: 토론식 교수법 개발 사례를 중심으로」(2013), 「미디어, 종교, 그리고 문화: 미디어와 종교의 교차점 연구를 위한 새로운 접근방법」(2009) 등이 있다.

한울아카데미 1816

청춘, 대중문화로 말하다

지은이 | 박진규
펴낸이 | 김종수
펴낸곳 | 한울엠플러스(주)
편　집 | 박준규 · 허유진

초판 1쇄 발행 | 2015년 8월 31일
초판 2쇄 발행 | 2016년 12월 15일

주소 | 10881 경기도 파주시 광인사길 153 한울시소빌딩 3층
전화 | 031-955-0655
팩스 | 031-955-0656
홈페이지 | www.hanulmplus.kr
등록번호 | 제406-2015-000143호

Printed in Korea.
ISBN 978-89-460-5816-3 03330 (양장)
978-89-460-6039-5 03330 (반양장)

* 책값은 겉표지에 있습니다.

이 책은 2013학년도 서울여자대학교 연구년 연구비 지원을 받았음.